Richards, Emlyn. PREGETHWRS MON. *Gwasg*
1st edition. 8vo. 238pp. B/w. illustrations. Welsh te

Stock Number: 145933

Price: **£2.50**

Subject: LITERATURE
WALES

Date Catalogued: 6/15/2017

Comments:

Quantity: **1** Shelf: **FEW0**

/ Clue

Gwynedd, Caernarfon 2005.

t. Paperback.

blue/white&red txt

Pregethwrs Môn

EMLYN RICHARDS

Gwasg
Gwynedd

Argraffiad Cyntaf — Tachwedd 2003

© Emlyn Richards 2003

ISBN 0 86074 200 8

*Cyhoeddwyd ac Argraffwyd
gan Wasg Gwynedd, Caernarfon*

CYFLWYNAF Y GYFROL HON
I GOFFADWRIAETH
NAN, FY CHWAER
A FU MOR HAEL EI CHROESO I BOB PREGETHWR

Cynnwys

RHAGAIR

Y mae teitl y gyfrol hon, *Pregethwrs Môn*, yn derm digon
cyffredin, ac eto'n unigryw ar ryw ystyr. Fydd yr un sir arall
drwy'r wlad yn cyplysu'i henw â'i phregethwyr er mae'n wir
y cyfeirir at bregethwr o'r de neu o'r gogledd. Tybed ai ym
Môn y codwyd y rhan fwyaf o bregethwyr enwog a
phoblogaidd ynteu a fu gan bobl Môn fwy o feddwl o'i
phregethwyr na'r un rhan arall o'r wlad? Fodd bynnag, bu'r
drindod enwog – porthmyn, potsiars a phregethwyr – yn
gynhaliaeth hollbwysig i fywyd economaidd, cymdeithasol a
chrefyddol yr ynys. Y pwysicaf o'r tri hyn, a'r mwyaf o'r tri,
fu'r pregethwyr yng ngolwg pobl Môn. Chafodd yr un
porthmon na photsiar erioed ei anfarwoli mewn cofiant, ond
mae cofiannau fyrdd i bregethwyr y sir.

Rwy'n cofio'n dda i Henaduriaeth Môn gynnal cyfarfod
cyhoeddus i ddathlu canmlwyddiant geni Llewelyn Lloyd
(1879–1940) – un o'i phregethwyr mwyaf poblogaidd.
Gofynnwyd i'r Parchedig John Roberts, Llanfwrog,
draddodi'r ddarlith – un arall o bregethwyr Môn. Fu mis
Gorffennaf erioed yn ffafriol am gynulleidfa ym Môn, mis y
cynhaeaf a thros hanner pob cynulleidfa'n ffermwyr. Am
chwech o'r gloch ar 21 Gorffennaf 1981 yr oedd Capel Elim,
Llanddeusant, yn llawn a hithau'n ddiwetydd braf odiaeth.
Dewisodd John Roberts atebiad i'r cwestiwn, 'Pwy oedd
Llewelyn Lloyd? – Pregethwr oedd o,' fel ei destun a than
gyfaredd y darlithydd y noson honno, synhwyrais fod yna
ystyr arbennig iawn i'r term 'pregethwyr Môn'.

Dyma fel yr agorodd ei ddarlith: 'Ni byddai angen gofyn
ym Môn, nac mewn cylchoedd crefyddol drwy Gymru rhyw
hanner can mlynedd yn ôl, pwy oedd Llewelyn Lloyd. Yr
oedd mor adnabyddus â'r Prif Weinidog, os nad yn fwy felly.'
Cyfeiriodd ato fel y pregethwr poblogaidd olaf ym Môn ac
yna fe gododd ei lais, gyda chryndod ar yr 'r', a thinc o hen
ddawn Môn – 'Magwyd ef yn bregethwr ym Môn, gwlad y

pregethwyr mawr, a rhai llai. Yr oedd Llewelyn Lloyd wedi ei eni a'i aileni i bregethu.' Yna bu saib cyn holi, fel pe bai'n chwilio am ateb:

Pa le mae y cewri a drigai ym Môn?
Aethant o un i un;
Penseiri'r bregeth a meistri'r dôn,
Crymasant i'w holaf hun.

Bu pregethwyr yn fwy o arwyr i'r werin ym Môn nag mewn unrhyw ran arall o'r wlad, yn ôl y sôn. Y mae atgofion difyr a doniol yn dal ar lafar gwlad o hyd, ac mi fyddai'n resyn inni eu colli, fel y cymêr hwnnw o Frynsiencyn a ddywedai, 'Os y bydd yna bregethu yn y nefoedd, wrth stondin yr hen John y bydda i!'

Bellach fe fachludodd haul pregethu yn ein gwlad, ac nid prinder pregethwyr yw'r prif reswm am hynny. Llais gwan ymhlith lleisiau y cyfryngau torfol ydi pregethu bellach, ac nid ydym eto wedi meistroli techneg y meic i bwrpas cyhoeddi'r efengyl. Ond fe ddaw eto fugeiliaid newydd, yn borthmyn, pregethwyr a photsiars, gobeithio, i gynnal y fam, Mam Cymru, yn economaidd, yn gymdeithasol ac yn ysbrydol.

Rwy'n ddyledus ryfeddol i Archifdai Môn a Chlwyd, i'r Brifysgol ym Mangor ac i Lyfrgell Môn a Llyfrgell Genedlaethol Cymru. Diolch yn siŵr i Wasg Gwynedd am eu hynawsedd a'u help ac i Islwyn am gynllunio'r clawr – Capel Rhosmeirch, yr Achos Ymneilltuol cynharaf ym Môn. Diolch yn fawr hefyd i Gyngor Llyfrau Cymru am eu nawdd – hebddo, dim llyfr!

Dwy Ganrif o Bregethu

Amaethyddiaeth fu diwydiant pwysicaf Ynys Môn, ac er y bu diwydiannau copr a glo ar fynydd Parys a Phentre Berw, ni ddisodlwyd crefft gyntaf dynol-ryw o'r Ynys. Tua diwedd yr ugeinfed ganrif codwyd atomfa fwyaf y byd, yn ei dydd, yng ngogledd y Sir a gwaith alwminiwm yng Nghaergybi, ond ceidw amaethyddiaeth ei lle o hyd.

Gan mai'r stoc o wartheg, defaid a moch fu prif gynhaliaeth y ffermwyr yn hytrach na chynnyrch y tir, bu yma borthmona ers yn gynnar a daeth Môn yn bur enwog am ei phorthmyn ac, yn sgil y stadau breision, bu yma botsiars ddigon hefyd. Ond er pwysiced y porthmon a'r potsiar, a sawl crefftwr arall yn y cyfnod rhwng y carnau a'r stêm, ni ellir ysgrifennu hanes Sir Fôn heb ystyried cyfraniad a dylanwad capel, eglwys a gweinidog. Pwy all fesur dyfnder eu dylanwad? Heb os, y pregethwr oedd gem ddisgleiriaf y drindod enwog honno y bendithiwyd pentre Gwalchmai â hi!

Er cymaint o borthmyn a photsiars a godwyd yng Ngwalchmai, fe godwyd mwy o bregethwyr o lawer yn ôl y sôn ac fe'u gosodwyd ar bedestal llawer uwch na'r ddau arall. Dyma bwt o weddi gan un o Walchmai: 'Diolch i ti am gofio Sir Fôn, Arglwydd da. Mi gefaist lawer gwas da o'r hen sir hon: John Elias, Christmas Evans a William Roberts, Amlwch. Cofia hi eto, Arglwydd.' Os bu gweddi Sir Fonllyd rhyw dro, wel dyma hi! Mae'n amlwg mai ym Môn y câi'r Arglwydd y gweision gorau. Tybed ai'r un gweddïwr a offrymai'r weddi dros William Charles (1817–1849)? Ef oedd un o bregethwyr mwyaf poblogaidd Môn ac fe gâi well cynulleidfa na John Elias weithiau! Bu'r pregethwr yn wael, yn dioddef o'r ddarfodedigaeth, ond gwelodd yr hen weddïwr dienw hwnnw ddwy ochr i waeledd ei weinidog – 'Cadw fo'n fyw, Arglwydd, yn hir, ond cadwa fo'n rhy sâl i fynd oddi ˄artref byth eto.' Onid oes dywediad gan bobl y tir mawr, braidd yn ddirmygus mae'n wir, pe rhoid to dros Sir Fôn fe gaech gapel Methodist? Y mae mwy o ddirmyg fyth yn sylw Ernest Zobola yn ei ddisgrifiad digon bratiog o Sir Fôn rywbryd rhwng y ddau Ryfel Byd: 'All wind and chapels' (*Welsh Painters Talking*, Tony Curtis, 1997, t. 171, Poetry Wales Press Ltd). Nid oes yr un gilfach na chornel o'r Ynys nad oes yno Lan neu gapel, ac yn amlach na pheidio fe geir y ddau.

Tystiolaeth i boblogrwydd y pregethwr ym Môn yw dau draethawd ar 'Enwogion Môn'; y ddau yn ffrwyth cystadleuaeth yn adran lenyddol Eisteddfod Môn 1912. Dyfarnwyd y wobr gyntaf i'r Parch. Robert Hughes, y Fali – traethawd yn cynnwys tri chant a dau o enwau, a gyfrifai'r awdur yn 'enwogion'. Y mae cant wyth deg ac un ohonynt yn bregethwyr, mwy na'r hanner. Mae gan Môn Williams, siopwr o Gaergybi, a ddyfarnwyd yn ail, gymaint â phedwar cant o enwogion yn ei gasgliad ef ac mae dau gant tri deg pedwar ohonynt yn bregethwyr yr Ynys. Ac, fel pe baent yn amddiffyn dewis y cystadleuwyr, fe ddywed y beirniaid – tri ohonynt – beth fel hyn: 'Er cadw ohonom mewn golwg yn barhaus nad y pulpud yw'r unig drwydded i enwogrwydd, anghenraid oedd i wŷr y pulpud fod yn lluosocach na'r un dosbarth arall o enwogion.' (*Enwogion Môn*, Swyddfa'r *Goleuad*, Dolgellau, 1912, tt. 8–9) Dyna gyfiawnhad dewis clerigol y ddau gystadleuydd, ond o farnu oddi wrth ambell gofnod yn y ddau draethawd, yr oedd hi'n bur denau ar yr awduron i gael unrhyw beth o bwys i'w ddweud am rai o'u dewis. Dyma ddisgrifiad Môn Williams o ryw weinidog efo'r Trefnyddion Calfinaidd o'r enw Robert Jones: 'Yr oedd yn ddiwinydd da, yn bregethwr cryno ac adeiladol ac yn ŵr nodedig o drefnus ei wisg.' (*Enwogion Môn* eto) Dewisodd yr ansoddeiriau mwyaf cyffredin yn yr iaith Gymraeg ac roedd hi'n amlwg yn brin arno ac yntau'n canmol gwisg pregethwr!

Cyfrifid pob pregethwr ymhlith enwogion pennaf y Sir a daliodd y delfrydu hwn ar bregethwyr yn hirach ym Môn nag odid unrhyw ran arall o'r wlad.

Rwy'n cofio'n dda y Sul cyntaf y pregethais ym Methesda Cemais fel eu gweinidog – y Sul cyntaf o Orffennaf 1962. Fe'm cyfarwyddwyd wrth ddrws y Capel fod y pregethwr i fynd rownd i ystafell y blaenoriaid. Mae'n amlwg nad oedd y pregethwr i droi a throsi ymhlith y pechaduriaid oddeutu'r drws. Cyrhaeddais stafell y blaenoriaid – blaenor parchus ym mhob cadair a lluniau o'r cyn-weinidogion yn crogi wrth gortyn melyn hen ar barwydydd yr ystafell. Daeth rhyw arswyd drosof – 'yn y fan yna y byddi dithau ryw ddiwrnod!'

Y ddefod gyntaf oedd ysgwyd llaw â'r saint a chwilio am rywbeth gwahanol i'w ddweud wrth bob un. Cyfeiriodd y pen blaenor at yr unig gadair wag, 'Honna ydi cadair y pregethwr,' meddai, a chyn imi ollwng fy hun i'r gadair hynafol o siâp diemwnt, fe'm goleuwyd gyda'r geiriau, 'Cadair John Elias ydi honna.' Tybiais am funud, ydi hwnnw yma o hyd? Fe'm meddiannwyd â rhyw nerfusrwydd dieithr gyda'r byw – a'r marw – yn edrych ymlaen, nid i weld gweinidog newydd, ond i wrando ar bregethwr newydd. Gofynnwyd i un o'r blaenoriaid offrymu gweddi. Nid oedd neb ond y pregethwr newydd ar feddwl y gweddïwr hwnnw. Mae'n amlwg nad oedd neb yn glaf yn unman, gan mai dim ond 'gofyn yn daer am gynhaliaeth ac am gyfeiriad i'r pregethwr sydd gyda ni y bora yma', wnaeth o yn ei weddi. Collais bob ffydd yn fy nhipyn pregeth gan mor uchel oedd disgwyliadau'r Sanhedrin y bore hwnnw.

Agorwyd y drws, a minnau'n ceisio ymarfer pob gylfiniad o gwrteisi a feddwn, ond daeth cyfarwyddyd pellach – 'y pregethwr gynta'. Cerddais yn araf, yn hanner defosiynol drwy'r drws cul, fel perfformiwr i'r llwyfan neu droseddwr i'r crocbren. Gwelais fôr o wynebau difynegiant, gwag. Dringais risiau'r pulpud a gwelwn ôl traed John Elias a chlywn lais Llewelyn Lloyd fel pe bai'r ddau wedi dianc o'u fframiau ar y pared. Trawyd yr emyn gan godwr canu swyddogol a dilynwyd ef gan bedwar llais a theimlais yn well o lawer. Pwy ddywedodd fod canu coch yn Sir Fôn?

Daeth yr oedfa i ben a theimlais innau'n dragwyddol rydd o'r diwedd. Tybed beth fyddai'r ddedfryd? Pan gyrhaeddais droed y grisiau yr oedd hen frawd oedrannus, di-raen gynddeiriog yn disgwyl amdanaf. Nid oedd yr un dilledyn o'i eiddo yn ffitio ac yr oedd ei sbectol hefyd yn rhy fawr iddo. Llifai glafoerion yn naturiol bwyllog o ochr ei geg ac arweiniai gwifren fain felen o'i glust i focs du ym mhoced ei wasgod. Cyn imi gael cyfle i'w gyfarch, gwaeddodd ei gwestiwn, fel y gwna'r neb sy'n fyddar, 'Glywsoch chi John Williams?' meddai dros y capel. Gan gymryd yn gwbl ganiataol mai John Williams Brynsiencyn a olygai, atebais, 'Naddo, erioed.' Daeth yr ateb efo'r troad, 'Mi roeddwn i'n meddwl braidd.' Roedd gan yr hen frawd gyffur da i bob ymffrostiwr! Un o'r cymeriadau unigryw hynny oedd Thomas Williams, Pentragof, oedd wedi meddwi ar bregethu. Bu Môn yn nodedig am y rhain, y math o gymeriad a oedd beth yn wahanol i'r gweddill. Y cymeriadau hynny y ceid perlau a gemau gwerthfawr ganddynt. Fe wyddai'r hen bregethwyr amdanynt i gyd ac fe werthfawrogent eu cefnogaeth ddiniwed. Bu Thomas a minnau yn bennaf ffrindiau ar ôl yr oedfa honno ac, yn ddistaw bach, mi fyddwn innau'n gwerthfawrogi cefnogaeth Thomas, gan y gwyddwn y cadwai ochr ei weinidog ym mhob beirniadaeth.

Do, mi welais gwta gynffon oes y pregethwr a'i bregethu ym Môn. 'Môn,' meddai R. R. Hughes, Niwbwrch, 'fydd yr olaf i dderbyn pob mudiad Cyfundebol, ac ym Môn fel rheol y gwreiddia pob mudiad ddyfnaf.' (*John Williams Brynsiencyn*, R.R. Hughes, Pennod IV, t. 63, Llyfrfa'r Cyfundeb). Fe gytunai William Prichard, Cnwchdernog, gan i'r Ynyswyr hyn fod yn gyndyn ryfeddol o dderbyn yr Ymneilltuwr cyntaf a gwrando ar ei bregeth. Ond, gyda chymorth yr Ysbryd Glân a William Bwcle o'r Brynddu, Llanfechell, fe wreiddiodd y grefydd newydd a'i phregethu tanbaid yn ddyfnach yn naear Môn nag odid yn unman arall drwy'r wlad. Ac fel y dywed yr Athro Stanley John, 'Trwy bregethu y bu Ymneilltuaeth fyw ac y tyfodd, trwy bregethu y bydd hi byw ac y tyf.' (*Cristion*, Ionawr/Chwefror 2002.)

Proffwydi oedd yr Ymneilltuwyr cynnar; pregethwyr â gair Duw yn llosgi fel tân yn eu hesgyrn ac fe fendithiwyd Ynys Môn â dogn dda ohonynt. Yn yr un modd fe godwyd cynulleidfaoedd i'w pregethau. Yn wir rhoddodd un o bregethwyr mwyaf Cymru, John Jones, Talsarn, y gymeradwyaeth uchaf i bobl Môn fel gwrandawyr, 'Nid oes bobol mewn un man yn gosod eu hunain mewn gwell osgo i'r Efengyl eu trin na phobol Môn. Elias a Roberts, Amlwch, a'u gwnaeth nhw fel yna.' Onid yw'n wir i ddweud y gall gwrando da achub pregeth sâl, a'i bod yr un mor wir y gall gwrando sâl fwrdro pregeth dda? Ar sail hyn mae'n deg dweud na fu unman yn y wlad â'r fath ddiddordeb a'r fath archwaeth at bregethu na Sir Fôn. Go brin y bu unman ychwaith lle y bu cymaint o bregethu am gyhyd o amser, o ganol y ddeunawfed i ganol yr ugeinfed ganrif. Dyma gyfnod chwyldroadol, pryd y bu cryn chwalu a newid, wrth i'r Chwyldro Diwydiannol droi cymdeithas dawel sefydlog yn gymdeithas symudol aflonydd.

Bu cenhadaeth angerddol yr Ymneilltuwyr a'r diwygwyr Methodistaidd, wrth godi capeli a magu a meithrin pregethwyr, yn ddylanwad rhyfeddol ar fywyd a chymeriad pobl Môn. Y pregethwyr a'u pregethu oedd eu harwyr a'u difyrrwch. Cymaint oedd eu serch at eu harwyr fel y fframiwyd eu lluniau, a hyd yn oed grochenu ffigyrau o'r rhai amlycaf. Bu John Wesla a Christmas Evans, ac ym Môn, John Elias, yn pregethu oddi ar sawl silff-ben-tân, a hawdd fyddai dirnad i ba ddiadell enwadol y perthynai'r cartref hwnnw. Erbyn diwedd y bedwaredd ganrif ar bymtheg yr oedd cymaint o fynd ar bregethu fel y bu i John Thomas o Lerpwl wneud busnes llwyddiannus yn tynnu lluniau pregethwyr a'u fframio'n oriel hardd. Mynnai pob capel gael yr oriel hon o 'Genhadon Hedd' y gwahanol enwadau, sy'n brawf o'r lle nodedig ac amlwg a roddai'r werin i bregethwyr. Fe'u hanrhydeddid yn llawer mwy na gwleidyddion nac unrhyw alwedigaeth arall.

Er mwyn bodloni'r archwaeth, sefydlwyd Cyrddau Pregethu, neu 'Gyrddau Mawr' yn iaith y de, ac roedd y rhai a gynhelid yn ystod yr wythnos yn un o'r atyniadau mwyaf poblogaidd. Câi gweision fferm hawl i golli eu gwaith, heb golli cyflog, er mwyn mynd iddynt a byddai gweithwyr eraill yn barod i fforffedu eu cyflog yn hytrach na cholli pregethwr da. Bu'r cyrddau hyn yn ganolog i fywyd cymdeithasol Môn ac nid oedd na thref na phentref heb eu Cyfarfod Pregethu. Ceid dau bregethwr ym mhob un, a chyda hoffter y Cymro o gystadlu, trodd sawl oedfa yn gystadleuaeth. Byddai cryn bwyso a mesur digon iachus ac adeiladol a thro arall ceid cryn dipyn o *Exit Poll* yn digwydd. Yn wir, darllenais yn *Book of Best Sermons* (Gol. Ruth Glenhill, t. 8, Cassell, 1995), am ficer yn Lloegr yn ddiweddar yn rhoi ffurflen i'w gynulleidfa bob Sul – *Sermon Assessment*. Nid oedd ganddo'r un cyfeiriad at ymateb ei gynulleidfa! Mae'n werth sylwi fel y bu i bregethu ystwytho i gwrdd â chyfnewidiadau'r dydd. Fel popeth arall bu raid i bregethu addasu ar gyfer oes newydd wrth weld Chwyldro Diwydiannol, yna Deddf Addysg (1870) a sefydlu Prifysgol i ateb y syched am addysg. Ym mlwyddyn Diwygiad 1859 fe dorrodd gwawr gwyddoniaeth gyda chyhoeddi *The Origin of Species by Natural Selection*. Aed ati i astudio gwyddorau newydd fel archaeoleg, anthropoleg, bioleg a seicoleg. Hawdd credu y byddai'r astudiaethau hyn wedi gadael pregethu ar y clwt, ond nid felly y bu; wynebwyd yr her ac esgorwyd ar wahanol fathau o bregeth.

Yn naturiol, bu amrywiaeth ym mhregethu'r gwahanol enwadau, a phawb â'i bwyslais diwinyddol ei hun. Fe gafwyd math arbennig o bregethu a oedd yn fath o ymryson athrawiaethol. Yn wir, byddai ambell bregethwr yn ffiaidd o feirniadol o ddaliadau enwad neu Eglwys arall a bu'r Eglwys Babyddol dan lach yr oll o'r enwadau Ymneilltuol. Nid oedd yr Eglwys Wladol yn ddi-fai, ond fe geid cytundeb rhwng yr enwadau i gyd yn eu pregethu yn erbyn pechodau'r oes, o ba rai y pennaf fyddai'r ddiod feddwol. Nid oedd dim byd yn atyniadol yn y math hwn o bregethu. Mae'n wir fod meddwdod yn rhemp ac iddo oblygiadau cymdeithasol a theuluol digon trist ond, tan ddyrnod y pregethu hwn, daeth dirwest yn efengyl ynddi'i hun.

Cyfeiria Dr Tudur Jones yn *Hanes Undeb yr Annibynwyr Cymreig, 1872–1972*, a gyhoeddwyd gan Wasg John Penri, at dri phechod amlwg a gâi chwip y pregethu dirwestol – Pabyddiaeth, pêl-droed a'r ddiod feddwol. Erbyn heddiw mae'r offeiriad Pabyddol a'r gweinidog Ymneilltuol yn eithaf cyfeillion ac mae gan offeiriad a gweinidog ei dîm pêl-droed i'w gefnogi, ac erbyn hyn fe lifodd y ddiod feddwol yn rhan naturiol o fywyd y gymdeithas.

Ar ddechrau'r ugeinfed ganrif cafwyd diwygiad crefyddol a gododd bregethwyr yn hynod boblogaidd gyda'u pregethu efengylaidd a chenhadol. Fe gofia amryw o hyd am Tom Nefyn ar ddiwrnod ffair bentymor ym Mhwllheli, a'i lais tenoraidd yn galw afradloniaid tua thre ac ambell hen feddwyn o'r dref honno yn porthi'r seraff. Erys amryw ar Ynys Môn hefyd a wêl, ac a glyw, Llewelyn Lloyd wrth dafarn y Bull ar sgwâr Llangefni, a'i lais soniarus yntau yn cyrraedd i bob cwr o'r dref a'i garisma'n cynhesu calon pob pechadur a phob merch ifanc. Yr oedd y pregethu efengylaidd hwn yn gwbl wahanol ei gynnwys a'i ddull i'r hyn a olygir heddiw wrth bregethu efengylaidd a ddaeth gyda sefydlu'r Mudiad Efengylaidd. Mae'n wir fod y ddau a enwyd yn bencampwyr yn y gelfyddyd o bregethu yn yr awyr agored – dawn a roddwyd ond i ychydig.

Eto, heb os, y pregethu cymdeithasol a barhaodd hwyaf, sef y math a briodolir i Samuel Roberts, Llanbrynmair (S.R. 1800–1885) a Gwilym Hiraethog (1802–83). O bulpudau'r Annibynwyr mewn ardaloedd diwydiannol y clywid y pregethu hwn ac, o ganlyniad, nid oedd mor boblogaidd ym Môn. Mewn cyfnod diweddarach gwnaeth sawl pregethwr enw iddynt eu hunain fel apostolion heddwch a'r pennaf o'r rhain oedd George M. Ll. Davies. Cawn Tom Nefyn ar y llwyfan hwn hefyd, fel cyn-filwr o'r Rhyfel Byd Cyntaf, a chlywyd lleisiau Lewis Valentine, J. P. Davies, D. R. Thomas (Merthyr) ac amryw eraill, o bulpud ac ar y stryd, yn llais dros heddwch byd.

Ond y pregethu traddodiadol a ffynnai ym Môn, gyda mwy o bwyslais ar y ddawn na'r dull na'r math. Perthynai i bregethu Môn ddawn arbennig a'i gwahaniaethai oddi wrth bob dawn bregethu arall. Er y cyplysir doniau pregethu ag ardaloedd eraill yng Nghymru, ni wneir hynny i'r un graddau â dawn Môn. Yr oedd Dr Hugh Williams, Amlwch, yn gryn awdurdod ar y 'ddawn' neilltuol hon ac ysgrifennodd erthyglau amdani yn Y Drysorfa (1942). Yn ôl Hugh Williams yr oedd iddi nodweddion arbennig a'i gwnâi'n wahanol. Dywed R. R. Hughes, Niwbwrch, mai'r nodwedd amlycaf yw siarad yn soniarus heb frys na rhuthr – gresyn na fyddai rhai o'n darlledwyr yn dal sylw ar y nodwedd hon! Credid fod gan bregethwyr Môn lais dyfnach a thrymach na'r rhelyw o bregethwyr. Ond, yn ôl Hugh Williams, ei phrif nodweddion oedd gwres, dwyster a deigryn a oedd yn troi'n donyddiaeth felodaidd. Y donyddiaeth oedd yr elfen holl bwysig yn 'nawn

Môn' a gofalai'r pregethwyr hynny y byddai deunydd eu pregethau yn siŵr o siantio canu. Mewn rhifyn coffa o'r *Goleuad* (1927) i Thomas Charles Williams fe esyd y Golygydd nodau i 'ddawn Môn':

/ d :-t / l m : m , r / d:t . t , l :-
Mae'n medru maddau a chuddio bai
.l/f, m - : r - - / d . d : t. t. / l.- m:
Ac o'i wir fodd yn tru - gar - hau
/ d : t . t / l : r / -: t . d / l//
Wrth bechaduriaid gwael eu rhyw.

Tuedda eraill i amau a fu'r fath ddawn erioed. Credai'r Dr Tudur Jones, fel y dywed yn *Hanes Undeb yr Annibynwyr*, mai gwedd ar yr hwyl Gymreig yw'r ddawn a briodolir i Fôn, gyda'r lled-ganu a chwafro'r llais yn felodaidd, ac iddi ymddangos pan oedd tanau mawr y Diwygiad Efengylaidd yn oeri.

Ond fel y dywedodd rhywun, os nad oes yna ddawn Môn, mae'n siŵr fod yna 'ddawn Gwalchmai'. Bu Gwalchmai yn sicr yn fagwrfa pregethwyr, a'r rheini yn bregethwyr o'r radd flaenaf, ac y mae cof am amryw ohonynt yn llercian yma o hyd. Dyma fel yr ysgrifenna Môn Williams am William Charles o Walchmai: 'Yr oedd yn un o'r pregethwyr mwyaf poblogaidd ymhlith Methodistiaid Môn. Meddai ar lais peraidd ac effeithiol a chyfareddai ei wrandawyr. Byddai'r gynulleidfa yn fynych yn wylo'n hidl a llawer yn torri allan i ganu dan gyfaredd ei bregethu.'

Yr oedd un arall o bregethwyr Gwalchmai – Thomas Williams – yn sefyll ysgwydd wrth ysgwydd â phrif areithwyr ei ddydd. Dywedodd J. J. Morgan, yn ôl erthygl gan Dr Hugh Williams, Amlwch, yn *Y Drysorfa* (1942) mai'r ddau lais gorau at bwrpas pregethu a glywodd ef erioed oedd eiddo C. H. Spurgeon a Thomas Williams, Gwalchmai. Cyfeiria'r erthygl hefyd at E. Morgan Humphreys yn dweud mai'r tri llais pereiddiaf a glywodd ef erioed oedd eiddo Lloyd George, Elfed a Thomas Williams. Os mai William Charles o Walchmai oedd tad 'dawn Môn', heb os yr oedd Thomas Williams yn blentyn cyflawn iddi ac yr oedd dawn Llewelyn Lloyd a Cwyfan Hughes yn ail da iddo. Clowyd teyrnged i'r tri gyda'r geiriau, 'Collasom yr olaf o bregethwyr mawr Môn ac fe ddistawodd hen ddawn Môn am byth.' Ymhellach, mewn teyrnged i'r Parch. John Roberts, Llanfwrog, a gafwyd yn *Cristion*, 1984, dyma ddywedodd y Prifathro Derec Llwyd Morgan amdano, '... a dyna'i lais wedyn, llais soniarus, gyda thinc o hen ddawn Môn ynddo, a rhyw gryndod ar yr "r", llais gwych i bregethwr'. Ble arall ond ym Môn y ceid y fath faldorddi ynghylch dawn, a hynny oherwydd mai dawn i bregethu ydi hi?

Nid pregethu, er ei bwysiced, oedd unig swyddogaeth y pregethwr ym Môn. Yn gynnar yn y bedwaredd ganrif ar bymtheg sefydlwyd gweinidogaeth fugeiliol, yn fwyaf arbennig gan yr enwadau Ymneilltuol. Gyda thwf yn yr aelodau ac yn nifer y capeli, cryfhaodd yr alwad am weinidog o sawl man. Bu cryn bryder yng Nghymanfa'r Bedyddwyr, a gynhaliwyd yn Llannerch-y-medd ym 1877, fod llawer iawn o eglwysi'r enwad yn amharod i alw gweinidog a sefydlu gweinidogaeth fugeiliol amser llawn. Yn yr un modd yr oedd y Methodistiaid yn wrthwynebus i'r syniad, hyd yn oed yn eu cadarnleoedd, sef Brynsiencyn a Chaergybi. Yr oedd William Jones, Capel Hendref, Brynsiencyn, yn bur wrthwynebus i'r syniad rhag i'r holl waith gael ei ymddiried i'r gweinidog ac y collai'r blaenoriaid eu diddordeb yng ngwaith yr eglwys. Cafodd un o eglwysi mwyaf y Methodistiaid ym Môn gryn drafferth i alw gweinidog gan ffyrniced y gwrthwynebiad gan yr aelodau, yn arbennig y blaenoriaid a'r diaconiaid. Ond, ar waetha'r gwrthwynebu, sefydlwyd John Williams yn weinidog cyflogedig Brynsiencyn yn Ionawr 1878 ac yn y flwyddyn ddilynol sefydlwyd W. R. Jones (Goleufryn) yn weinidog ar Eglwys Hyfrydle, Caergybi.

Seiliwyd y gwrthwynebiad oherwydd y gred mai gwaith y blaenoriaid a'r diaconiaid oedd gofalu am y praidd a'u bugeilio, priod waith y gweinidog fyddai helpu'r blaenoriaid. Dyma gred yr Ymneilltuwyr cynnar, gan mai gweinidogaeth leyg oedd hi. Bu raid inni aros am yn agos i ddwy ganrif cyn sylweddoli mai y nhw oedd yn iawn. Ond, i fod yn deg o blaid y weinidogaeth lawn amser, go brin i neb gredu y byddai'r weinidogaeth yn denu cynifer i'w rhengoedd.

Erbyn dechrau'r ugeinfed ganrif, gyda chymorth y

Diwygiad, yr oedd gweinidog ar gyfer pob capel ym mhob bro ac ardal. Yn wir, erbyn y flwyddyn 1920, blwyddyn datgysylltiad yr Eglwys Wladol, yr oedd rhif gweinidogion a phersoniaid ar ei uchaf ar Ynys Môn. Dyma gyfnod ailgodi ac ehangu sawl capel ym Môn, ac roedd cryn bwysau ar sawl achos bychan oedd yn cadw gweinidog i glirio dyledion yr adeiladau hefyd – ond roedd gan y bobl galon i weithio ac fe lwyddwyd.

O dan ymchwydd y llanw priodwyd y pregethwr a'r gweinidog a chyn dim daeth y ddau yn gyfyrdyr, er y rhoddai rhai gweinidogion fwy o bwys ar bregethu a'r lleill fwy o sylw i'r gwaith bugeiliol. Pan holwyd y pregethwr enwog hwnnw, Phillips Books, beth oedd yn gwneud pregethwr mawr, atebodd – 'pregethwr mawr, bugail da', (*The Incomparable Christ*, George Morrison, 1959, t. 10.) gan ei bod yn amhosibl pregethu mewn gwagle. Byddai ymweliadau'r gweinidog neu'r ficer â'i bobl, i wrando ar eu helbulon a'u storïau trist, i'w llongyfarch ar eu llwyddiannau neu i eistedd wrth wely claf i weld y diwedd, yn rhoi sylwedd yn ei bregeth ac yn gwneud pregethu yn real. Dywedid am bregethu nerthol George Morrison mai'r gyfrinach oedd iddo lwyddo i ddatrys tensiwn y bugail-bregethwr.

Wrth edrych yn ôl lai na chanrif, i oes aur y pregethu a'r weinidogaeth Ymneilltuol ac Offeiriadol ym Môn, mae'n syndod y fath gyfoeth mewn dawn, dysg ac argyhoeddiad a lifodd i gefn gwlad. Ni allwn ond dychmygu'r fath ddylanwad a fu'r gwŷr amryddawn hyn ar bob agwedd o fywyd cefn gwlad Môn. Bu eu dylanwad a'u cyfraniad i iaith, llenyddiaeth, bywyd cymdeithasol a theuluol, yn arbennig i fywyd moesol ac ysbrydol yr Ynys, yn anhygoel. Yr oedd amryw o'r gweinidogion a'r personiaid yn wŷr dysgedig ac academaidd a allent fod wedi cael swyddi bras; yn hytrach, bu iddynt ddewis aros gyda'u preiddiau a rhannu o'u dawn a'u dysg, a hynny ar gyflog bach. Bu i amryw ohonynt wneud enw iddynt eu hunain gan grwydro'r wlad i bregethu a châi ambell un ei roi ar y carped am anwybyddu ei braidd ond bu llawer o rai eraill yn bregethwyr cyson a sylweddol i'w praidd o Sul i Sul.

Cryfder arall oedd dysgu plant. Pwy all fesur cyfraniad

gwerthfawr sawl gweinidog a'i wraig fel athrawon yn dysgu plant ar gyfer cylchwyliau, eisteddfodau a dramâu gan droi ardaloedd di-nod cefn gwlad yn fwrlwm o weithgaredd? Byddai Glyn Pensarn a J. O. Roberts yn fawr eu diolch am y cyfle a gawsant i ymarfer eu doniau yn Seion Llandrygarn, yng nghanol Sir Fôn. Gwn am weinidogion a phersoniaid plwyf a roes oriau i gynnal Cymdeithas yr Ifanc, cyn bod sôn am 'Glybiau Ieuenctid'. Dewisodd eraill fod yn Gynghorwyr Plwyf a Sirol a bu eu cyfraniad yn werthfawr ryfeddol. Cyfrannodd eraill fel darlithwyr dan nawdd Cymdeithas Addysg y Gweithwyr a llwyddo i wneud cyfraniad gwerthfawr. Crwydrai eraill i ddarlithio i'r cymdeithasau llenyddol a geid ym mhob capel bryd hynny, ac er y gallai'r darlithoedd fod yn drwm a sych, eto fe gaent gynulleidfaoedd niferus. Yr oedd ambell weinidog a pherson yn ddawnus ym myd adloniant a cheid ganddynt ddarlith neu sgwrs ar ffurf atgofion am gymeriadau a fyddai'n ddieithr i'r gynulleidfa. Cyplysent storïau doniol â hyn, a chyda'u dawn dweud stori, câi'r cynulleidfaoedd noson ddifyr odiaeth. Daw i'm cof ddarlithwyr fel R. G. Hughes, Morgan Griffith (Pwllheli), J. W. Jones (Conwy) ac O. R. Parry (Rhuthun). Mae'n debyg y perthyn Iorwerth Jones Owen a Harri Parri i'r un traddodiad hefyd.

Defnyddiai rhai ohonynt yr un ddawn wrth bregethu. Ni chollai J. W. Jones fyth gyfle i ddweud y doniol a'r digri er mwyn gyrru ei bregeth adref. Cred rhai fod y traddodiad yn mynd yn ôl i Robert Roberts, Clynnog (1762–1802), pregethwr mwyaf gwreiddiol ei ddydd. Dywedodd John Hughes, Lerpwl, amdano yn *Methodistiaeth Cymru* (Hughes a'i Fab, Wrecsam, 1850): 'Un o'r rhai hynotaf a gododd yng Ngwynedd yn yr oes a aeth heibio oedd Robert Roberts o Glynnog.' Rhan o'r hynodrwydd hwnnw oedd ei ddychymyg byw a'i wreiddioldeb anghyffredin a'i gwnaeth yn bregethwr mor boblogaidd ac mor agos at y werin. Yr oedd pawb yn deall ac yn adnabod ei ddarluniau byw gydag ambell un yn ddigon doniol a digri. Ni fu erioed bregethwr a wnâi ddefnydd mwy dramatig o'i lais, gan ei newid ar gyfer gwahanol gymeriadau. Ond, heb os, nodwedd amlycaf Robert Roberts oedd ei deimladrwydd, yn ffrwydro'n barabl

lifeiriol, dawn a oedd yn llesmeiriol. Fel y canodd Dewi Wyn
yn ei farwnad iddo,

> Y tafod huawdl fu'n llefaru
> Emynau mydraidd, O! mae'n madru.

I'r traddodiad hwn y perthynai Tom Nefyn, wrth gwrs.

Ond sôn yr oeddem am y ddawn i ddifyrru cynulleidfa
mewn sgwrs ac mewn pregeth. Y math hwnnw o bregethwr y
sonia Dr Kate Roberts amdano yn *Y Lôn Wen*: 'Ond y mae
yna un teip o bregethwr a apelia at bob oes a hwnnw yw'r
pregethwr gwreiddiol. Ni chofiaf lawer o ddim a ddywedodd
y Parchedigion John Williams na Thomas Charles Williams
erioed, ond cofiaf ugeiniau o bethau a ddywedodd y Parch.
David Williams, Llanwnda.' Mae hanes am y pregethwr
hwnnw yn cerdded i'r oedfa ar fore Sul rhyw wanwyn oer,
diweddar. Tybiodd y gweinidog iddo glywed sŵn palu mewn
gardd dros y llwyni drain a rhythodd yn fusneslyd trwy dwll
yn y drain. Yr oedd y garddwr ar yr un pryd, a thrwy'r un
twll, yn rhythu i weld y cerddwr. Yn ei ddychryn cyhuddodd
y garddwr ei weinidog, 'Maen nhw'n siŵr o dyfu, Mr
Williams,' gan gyfaddef ei fod yn plannu tatws ar fore Sul.
Daeth ateb David Williams drwy'r un twll: 'Tydw i ddim yn
amau hynny am funud, fy mhryder i ydi a dyfi di!' Câi David
Williams lawer o hwyl yn actio'r olygfa hon yn ei bregeth.

Wrth fwrw trem frysiog dros ddwy ganrif o bregethu ac o
fugeilio ym Môn, mae'n syndod o'r mwyaf y fath ddirywiad a
fu mewn cyfnod mor fyr. Adfeiliodd ein capeli a'n heglwysi,
edwinodd niferoedd y personiaid a'r gweinidogion a
chollwyd y gynulleidfa, fel y gwelir yn ffon fesur ein hoes, sef
Cyfrifon a ffigyrau, a chymharu yr hyn a fu â'r hyn yn y byd
sydd ohoni. Cytunwn nad yw ffigyrau'n rhwydo pob ffaith,
ond cawn ynddynt ddarlun mor wahanol i'r hyn a fu a'r
newid rhwng 1920 a 2002.

Y Flwyddyn	Nifer Llannau a Chapeli	Personiaid a Gweinidogion
Yr Eglwys yng Nghymru		
1920	80	44 person, 22 ciwrat
2002	68	16 person, 2 giwrat
Y Wesleaid		
1920	24	8
2002	8	Athro a gweinidog wedi ymddeol, dim un gweinidog
Yr Annibynwyr		
1920	35	15
2002	27	1 llawn amser, 3 rhan amser
Y Bedyddwyr		
1920	39	15, 7 lleygwr ordeiniedig
2002	27	1
Y Presbyteriaid		
1920	87	60
2002	69	4, 1 rhan amser
Y Pabyddion		
1920	2	2
2002	8	4

Cyfrifiad Cenedlaethol 2001 ym Môn

Crefydd	Niferoedd	
Cristnogaeth	53,046	(79%)
Bwdaeth	89	
Hindŵaeth	24	
Iddewiaeth	19	
Moslemiaeth	84	
Siciaeth	12	
Arall	182	
Dim crefydd	9,057	
Crefydd heb ei nodi	4,316	

Bu cryn ryfeddu pan gyhoeddwyd ffigurau Cyfrifiad 2001, gan fod mwy o Gristnogion ym Môn ar gyfartaledd nag yn unrhyw ran o'r wlad. Yn wir, yr oedd yn dipyn o syndod fod y ganran o Gristnogion mor uchel drwy'r wlad. Blaenau Gwent oedd yr isaf gyda 64.2%, a Sir Fôn ar y brig gyda 79.4%. Golyga hyn fod yma 53,046 o Gristnogion ar Ynys Môn, er y derbynnir y ffaith gyda mesur dda o sgeptigaeth gan bobl Môn eu hunain! Cyfyd yr amheuaeth o'r ffaith mai 'addoli' ydi'r llinyn mesur cyffredin i gyfrif Cristnogion. Ond mae'n amlwg fod y ffon fesur honno yn gwbl anghyson bellach. Dim ond 9% o'r 79% sy'n addoli yn rheolaidd – sef 4,774. Mae nifer y Cristnogion wedi dal yn rhyfeddol dros y blynyddoedd, tra bod nifer yr addolwyr wedi disgyn yn sylweddol. Mae'r gwahaniaeth hwn yn creu tipyn o ddryswch a syndod i bobl. Onid prif swyddogaeth pregethu yw cynnal a meithrin y saint a pheri eu bod yn tyfu yn y ffydd Gristnogol?

Byddai hen frawd o ddiacon yng Ngharmel, Moelfre, yn arfer dweud mai gorchwyl hawdd iawn oedd i Evan Roberts, y Diwygiwr, rwydo'r pechaduriaid – 'y ni fydd raid eu halltu nhw'. Ond oes raid bellach wrth addoli i gynnal a chyfeirio'r ffydd Gristnogol?

Yn ôl ystadegau Eglwysig, mae'n amlwg bod niferoedd y Cristnogion a'r addolwyr ym Môn yn gyfartal iawn tua dau ddegau'r ganrif ddiwethaf. Bryd hynny yr oedd canran uchel iawn o drigolion pob ardal a thref yn aelodau eglwysig ac yn arddel y ffydd Gristnogol, ac yn ddieithriad byddent mewn addoliad ym mhob oedfa mewn llan neu gapel. A hyd yma, ni lwyddodd yr un grefydd arall i wneud llawer o argraff ar drigolion yr Ynys.

Dengys y ffigurau hyn gymhariaeth ddiddorol iawn rhwng y sefyllfa grefyddol ar ei phenllanw yn 1920 a'r sefyllfa yn 2002. Yn 1920 yr oedd ym Môn 267 o leoedd cofrestredig i bregethu ac addoli, gyda 166 o offeiriaid a gweinidogion ordeiniedig. Golygai hyn nad oedd yr un plwyf nac ardal heb offeiriad a/neu weinidog a cheid capel ac eglwys ym mhob un o'r 74 plwyf. Mewn pentrefi o gryn faint ceid eglwys y plwyf a dau neu dri o gapeli gan y gwahanol enwadau. Hawdd credu, fel y dywedodd hen frawd wrthyf pan ddeuthum i Fôn ddeugain mlynedd yn ôl, 'Wel, mi gewch dipyn mwy o le yma heddiw na phe baech wedi dod ddeugain mlynedd yn ôl. Mi roedd y lle yma yn ddu o 'sgethwrs' bryd hynny, mi fyddech yn baglu ar eu traws yn Llangefni ar ddydd Iau.' Ond erbyn 2002, bedwar ugain mlynedd yn ddiweddarach, nid oes yma ond deg ar hugain o weinidogion ac offeiriad ordeiniedig ond mae yma o hyd ddau gant a saith o addoldai cofrestredig. Bu dirywiad syfrdanol yn niferoedd y gweinidogion a'r personiaid a chyn y cyhoeddir y ffigurau hyn byddant yn is eto. Y mae rhannau eang o'r Ynys bellach heb offeiriad na gweinidog. Arferai'r Arglwydd Cledwyn o Benrhos ymffrostio ei fod yn cofio cyfnod pan oedd deuddeg gweinidog ordeiniedig amser llawn yn nhref Caergybi, gyda dau berson plwyf a dau giwrat. Ond os bu dirywiad sylweddol yn niferoedd y gweinidogion a'r aelodau, ychydig iawn, mewn cymhariaeth, fu'r lleihad yn nifer y capeli a'r llannau. Er pob dirywiad a newid mae'n amlwg fod gan y bobl afael rhyfeddol mewn addoldai, sy'n gwireddu geiriau G. K. Chesterton, 'For anything to be real it must be local.' ('The Voice Said, Cry', *Forty Sermons by Eric James*, S.P.C.K., 1994, t. 190). O ganlyniad i'r sentiment yna nid oes yma ond pedwar plwyf, a'r rheini yn rhai bychan iawn, sydd heb lan neu gapel ar agor, sef Llanynghenedl, Llanfwrog, Llanllibio a Rhosbeirio. Nid yn unig y mae'r plwyfi hyn yn ddaearyddol fychan, maent hefyd yn brin o bobl gan y bu cydio maes wrth faes yn achos diboblogi.

Er hynny ni ddylid dibynnu'n ormodol ar niferoedd yr addoldai gan fod sawl Eglwys y Plwyf a nifer o gapeli bychain i bob pwrpas wedi cau, gyda dim ond oedfaon achlysurol ac ambell angladd neu briodas yn digwydd yno.

Beth sydd wedi digwydd tybed? Gwelwyd y fath newid o fewn ein cenhedlaeth ni, y rhai hŷn. Wrth gwrs, y mae sawl ffactor ac achos yn gyfrifol, a dewiswn yr achos sy'n ein siwtio ni orau. Tueddiad naturiol ydi gweld y bai ar rywun neu rywbeth arall ar wahân i ni ein hunain. Mae'n wir fod rhai ffactorau y tu allan i'n rheolaeth ni. Bu cyfnewidiadau economaidd a drudaniaeth yr oes yn faich rhy drwm i gynnal y weinidogaeth a chadw'r adeiladau mewn ripârs. Ac wrth ymlafnio efo'r baich hwnnw daeth y gyfraith allan, nid o Seion y tro hwn ond o Frwsel, ynglŷn ag 'Iechyd a Diogelwch'. Deddfwyd ar fanion bethau dibwys: gorfodwyd pob capel i gael dŵr poeth at olchi dwylo a gorchmynnwyd cau ein galerïau gweigion. Gorchmynnwyd hwylusdodau i'r anabl a chyfleusterau i'r abl. Ac yn goron ar y cwbl, bu raid i bob addoldy osod EXIT mewn llythrennau breision uwchben pob drws ac fel y dywedod hen frawd gwreiddiol – 'nid dyna'r drafferth, eu cael nhw i *mewn* ydi'r drafferth'. Gorfu i achosion tlawd wario i arbed rhag damweiniau tybiedig, na chlywyd iddynt erioed ddigwydd. I laweroedd o addoldai y deddfau hyn oedd y blewyn olaf i dorri cefn y camel.

Yn y blynyddoedd wedi'r Ail Ryfel Byd bu i'r Wladwriaeth Les ddwysáu ei gofal dros gymdeithas a methodd y weinidogaeth fanteisio ar ei chyfle i gydweithio â'r gwasanaeth hwn. Daeth pobl yn ymwybodol iawn o'u hawliau; rhywfodd daethant yn llai dibynnol ar ei gilydd ac o ganlyniad fe waniodd cymdogaeth. Nid oedd y capel a'r gweinidog mor ganolog i fywyd y gymdeithas bellach.

Gyda mwy a mwy o gyfleusterau ac o gyfryngau i ddifyrru'r amser, fe gollodd pregethu ei apêl at y werin. Dichon y collodd y pregethwr ei gyfle yma eto ac arhosodd pregethu yn ei rych traddodiadol, yn ddinewid ers dwy ganrif, o ran dull a chynnwys. Methwyd â sylweddoli ein bod yn byw mewn diwylliant lle y treuliai'r rhelyw o bobl eu hamdden yn gwylio a gwrando ar deledu gyda'i ddewis o sianelau, ac mae'n naturiol nad oes gobaith gan bregethu gystadlu. Mae siopwyr yr archfarchnadoedd yn llygadu dau beth wrth siopa – y pris a'r hyn a elwir yn 'sell-by date', felly mae'n rhyfeddol o bwysig fod y pregethwr hefyd yn dyddio'i bregeth. Y canlyniad ydi ein bod yn ceisio ateb cwestiynau nad oes neb yn eu gofyn bellach. Ac onid yw ethos democratiaeth wedi llwyr danseilio awdurdod yr unigolyn a ddringo chwe throedfedd yn uwch na'i gynulleidfa a'i dweud hi o'r fan honno, a neb yn meiddio ei heclo? Onid yw'n amlwg fod yr oes yna wedi hen ddiflannu?

Ond wedi dweud hynny nid yw dyddiau pregethu drosodd a barnu oddi wrth rai o bregethwyr mwyaf dylanwadol heddiw. Dyma a ddywed Jim Rea, cenhadwr yng Nghenhadaeth Dwyrain Belfast, yn y *Book of Best Sermons*: 'Er y newid yn y dulliau o gyfathrebu, a dylai'r pregethwr yn anad neb ddal sylw ar hyn, y mae'n arwyddocaol trwy hanes i bregethu aros yn ddull pwysig iawn o gyfathrebu.' Cytuna Sean Carter, gweinidog ieuanc gyda'r Bedyddwyr yn Northampton, fel y gwelwn yn yr un llyfr: 'The spoken word is as effective as it always has been, and preaching has an important part in teaching about morals and values as well as proclaiming the Christian Gospel.' O gofio hyn fe ddylem, yng Nghymru o bobman, a Sir Fôn yn arbennig, fynd ati i adfer y gelfyddyd hon sydd wedi'i hanwybyddu yn rhy hir ac wedi rhoi rhwydd hynt i'r neb all ddringo grisiau pulpud a chlebran am hanner awr. Ym mhob galwedigaeth arall fe roir sylw a gofal manwl iawn i brif grefft yr alwedigaeth honno. Ym myd addysg y mae sut i ddysgu plentyn cyn bwysiced â beth i'w ddysgu iddo. Ceir athrawon o'r radd flaenaf o'n colegau hyfforddi – athrawon wedi eu meithrin a'u dysgu yn y gelfyddyd o ddysgu plant. Mae'r un peth yn wir ym myd gwleidyddiaeth, y mae pob gwleidydd a ddaeth i'r brig wedi ymgodymu â phrif gelfyddyd ei swydd, sef areithio a siarad yn gyhoeddus. Bydd y gwleidyddion yn mynnu hyfforddiant mewn ymarferiadau lleisiol a phob techneg a berthyn i'r gelfyddyd o siarad yn gyhoeddus, yn union fel y gwnâi pregethwyr Cymru yn y gorffennol.

Rhoes Lloyd George gyngor, yn ôl y *Book of Best Sermons* eto, i wleidydd ifanc wedi i hwnnw roi ei araith gyntaf drychinebus yn y Tŷ Cyffredin: 'Amcana ddweud un peth, un pwynt, lapia'r pwynt hwnnw mewn gwahanol ffurfiau. Wrth godi i siarad, sibrwd wrthyt dy hun – "amrywia dy amseriad a'th drawiad a chofia'n barhaus werth y saib".' (*Book of Best Sermons*, ibid); Harold Macmillan oedd y gwleidydd ifanc hwnnw ac fe ddilynodd pob sillaf o'r cyngor. Daeth yn un o areithwyr gorau'r Tŷ yng nghanol yr ugeinfed ganrif. Gresyn na fyddai pob pregethwr aiff i bulpud yn dilyn canllawiau'r dewin geiriol o Lanystumdwy. Y mae'n drist meddwl inni fel gwlad golli blas ac archwaeth am bregethu ond tristach fyth yw i bregethwyr golli ffydd mewn pregethu a hynny yng Nghymru o bobman. Y mae mwy o fynd ar bregethu yn Lloegr ac yn yr Alban na sydd yng Nghymru bellach. Tybed na fyddai Llewelyn Lloyd a Jubilee, ynghyd ag Aneurin Bevan a Lloyd George yn hawlio gwrandawiad heddiw? Mi fyddent, rwy'n siŵr, yn addasu'r un ddawn i ddulliau heddiw gan fod y bobl hyn yn feistri ar y gelfyddyd unigryw.

Fodd bynnag, mae hi'n amlwg ddigon bellach i fugeiliaeth a phregethu'r Eglwys gael ei 'siyntio i seidin', fel y cofir John Roberts, Llanfwrog, yn dweud. Aeth byd a byw yn yr ugeinfed ganrif yn rhywbeth mawr, cymhleth a phrysur. Gadawyd yr addoldai llwm ac oer er mwyn chwilio am arbenigwyr i ddatod ac i ddelio â chymhlethdodau'r bywyd modern. Yn y seidin yr ydym yn brysur yn amddiffyn y gyfundrefn eglwysig sy'n dadfeilio. Ac o feddwl, tybed na roes William Jones o Frynsiencyn ei fys ar y dolur, a ddyfynnir yn *John Williams, Brynsiencyn* (t. 66), cyn sefydlu'r gweinidog llawn amser, nad 'band un dyn' yw'r weinidogaeth. Bellach yr ydym wedi sylweddoli a hithau'n rhy hwyr, pan gollwyd 'dyn y band' fe beidiodd y miwsig.

Mae'n wir mai rhywbeth fel yna ddywedodd T. J. Davies yn ei ragair i *Namyn Bugail* (Gwasg Gomer, 1978): 'Beth bynnag arall a ellir ei ddweud am y gyfrol yma un peth sy'n sicr, go brin y gellir cael cyfrol arall gyffelyb iddi. Mae'n gyfrol diwedd cyfnod.'

Ar ôl pum mlynedd ar hugain dyma finnau am roi ar gof a chadw ambell bregethwr â'i wreiddiau, neu a wreiddiodd, yma ym Môn. Wedi'r cwbl, mae pregethwyr a phregethu fel Hogia'r Wyddfa neu Dafydd Iwan, yn gwrthod neu yn methu tewi.

LLEWELYN CHRISTMAS LLOYD
RHOSMEIRCH
(1887–1962)

Llewelyn Christmas Lloyd wrth ei waith.

Yn y flwyddyn y bu farw Llewelyn Lloyd sefydlwyd gweinidog ieuanc gyda'r Annibynwyr yn Llanfyllin, Powys – Elfed Lewis, nai i'r emynydd o'r un enw. Ond beth yw'r cysylltiad rhwng y ddau? Dywedwyd am Elfed ar ddydd ei angladd, 'Yr oedd yn gerddor penigamp, yn faledwr unigryw, yn actor proffesiynol ac yn offerynnwr medrus,' gan Ioan Roberts yn ei Gofiant iddo: *Elfed, Cawr ar Goesau Byr* a gyhoeddwyd gan y Lolfa, 2000. Gan nad oedd ei bregethu yn ffitio'r mowld poblogaidd, ni chyfeiriodd y teyrngedwr air i sôn am ei bregethu! Ac eithrio'r pregethu dyna'r deyrnged a dalwyd i Llewelyn Lloyd ar ddydd ei angladd yntau. Cyfeirid at y ddau fel ei gilydd fel Llew bach ac Elfed bach, nid yn sarhaus ond yn llawn anwyldeb; fu erioed ddau anwylach.

Yr oedd un tebygrwydd arall, hynod amlwg rhwng y ddau. Byddai teitl a chofiant Elfed yn ffitio Llewelyn Lloyd i'r dim hefyd. Yr oedd yntau yn ŵr o gorff llydan a lysti, gyda choesau byr, tew a hynod o anhwylus. Yn ôl Richard Edwards, un o ddiaconiaid Rhosmeirch, yr oedd coesau'r gweinidog oddeutu wyth modfedd yn rhy fyr ar gyfer ei gorff.

Ond, diolch byth, ni fu'r anghyfartaledd corfforol yn rhwystr o unrhyw fath i'r un o'r ddau.

Yr oedd Llewelyn Lloyd yn reidio beic modur mawr gyda bas dwbl wedi'i glymu ar ei gefn. Mae'n wir y bu mewn sawl gwrthdrawiad, ond nid am fod ei goesau'n rhy fyr! Ni fu'r coesau byr yn rhwystr i Elfed Lewis ym mis Gorffennaf 1971 ychwaith rhag dringo ac i nythu ar ben uchaf mast teledu Blaenplwyf!

Eto, heb os, tebygrwydd a chyfraniad pennaf y ddau weinidog coes-fyr fu hyfforddi pobl ifanc a'u hannog at gerddoriaeth. Llewelyn Lloyd oedd sylfaenydd cerddorfa Môn, a'i chefn hyd ei farw, a chyfrifa sawl un ei ddyled i'r athro amryddawn. Ac, onid oes amryw o gôr enwog Aelwyd Penllys yn dal i ganmol hyfforddiant unigryw eu hyfforddwr – Elfed Lewis? Erys dylanwad hyfforddiant y ddau athro hyn ym Môn a Phowys yn brawf o fendithion eilradd y weinidogaeth ymneilltuol.

Ond mae a wnelom ni â Llewelyn Christmas Lloyd. Fel yr awgryma'i enw fe'i ganwyd ar ddydd Nadolig 1887, a hynny yn Henllan, Sir Ddinbych. Symudodd y teulu yn fuan wedi'r enedigaeth i blwyf Trefnant ac yn Eglwys y Plwyf yno y bedyddiwyd ef yn Robert Llewelyn Lloyd ar 12 Chwefror 1888, gan David Lewis, y person. Yr oedd Peter Lloyd, ei dad, yn is-arddwr dan y pen-garddwr, John Young, gŵr a hannai o Wlad yr Haf. Nid oedd gan rieni Llewelyn ddewis ond bedyddio'r babi yn eglwys y stad gan eu bod yn byw yn un o fythynnod Llannerch.

Bu plasty Llannerch ym meddiant teulu enwog y Davies's am ganrifoedd. Yr oedd Mutton Davies yn filwr yng ngwasanaeth y goron ac ymddiddorai yn y gerddi cyfandirol a welsai ar ei deithiau milwrol a phatrymodd erddi cain yn Llannerch ar batrwm y gerddi hynny. Etifeddodd Robert Davies, ei fab (1658–1710), stad Llannerch ar ôl ei dad, ac ef oedd y casglwr llyfrau a'r hynafiaethydd. Yr oedd cryn ddiddordeb mewn garddwriaeth yn niwedd y bedwaredd ganrif ar bymtheg a thelid cryn sylw i'r gerddi hyn pan oedd Llewelyn Lloyd yn blentyn ac fel pob plentyn fe ymddiddorai yntau yng ngwaith ei dad ac mae'n ddiamau mai yma y tyfodd ei ddiddordeb mewn garddwriaeth.

Ar droad y ganrif, a Llewelyn yn dair ar ddeg oed, symudodd y teulu i Ben yr Allt Goch ar stad y Llannerch, pan ddyrchafwyd ei dad yn ben-garddwr. Bryd hynny etifeddodd Llewelyn yr enw Christmas Robert Llewelyn Lloyd, ac nid oes dim awgrym pam yr ychwanegwyd yr enw. Ni welai Elin, ei fam, fawr o ddyfodol i'w mab ar gyflogres y Llannerch; dichon fod dirywiad ym myw y plas erbyn hyn. Merch Ty'n-Ffridd-Mynydd, Dwygyfylchi, oedd Elin ac roedd llawer o'i theulu yn byw yn yr ardal honno. Roedd ganddi ddwy chwaer a dau frawd, un o'r chwiorydd yn nain i'r Parchedig John T. Williams a fu'n weinidog gyda'r Annibynwyr yng Nghlydach, Abertawe. Roedd y drydedd chwaer yn cadw'r dafarn 'Fairy Glen' yng Nghapelulo. Un o frodyr Elin oedd tad Huw Tom Edwards, yr undebwr llafur. Y gŵr hwnnw y gwelodd Ernest Bevin, ar ddechrau'r rhyfel, gymhwyster arbennig ynddo i gymell gweithwyr diwydiannol, trwy gyfrwng y radio, i gynhyrchu mwy o nwyddau er mwyn sicrhau buddugoliaeth. Daeth llais cyfarwydd Huw T. yn adnabyddus drwy'r wlad. 'Daeth Cymru i'w adnabod a daeth y Llywodraeth i'w werthfawrogi,' meddai Sam Jones mewn ysgrif goffa i Huw T. yn *Y Faner*, 1970, ac yn wir clywais Sam Jones yn dweud yr un peth mewn sgwrs ym Mrynmeirion yn saith degau'r ganrif ddiwethaf. Bu farw brawd arall yn ŵr ifanc, gan adael gweddw a dau o blant; un ohonynt oedd John Edwards, sylfaenydd band enwog Penmaen-mawr. Ar un adeg yr oedd cynifer â thri ar ddeg o aelodau'r band yn gysylltiedig â theulu Ty'n-Ffridd-Mynydd. I'r neb a gred mewn etifeddeg, gwelwn i Llewelyn Lloyd etifeddu llawer o'i ddoniau amryddawn gan ei deulu: cafodd ddawn y garddwr gan ei dad, a'i ddawn gerddorol a'r ddawn i siarad a'r hanesydd o ochr ei fam ym mro'r chwareli ym Mhenmaen-mawr.

Trefnwyd i Llewelyn gartrefu gyda'i fodryb yn y 'Fairy Glen', a oedd yn dafarn boblogaidd gyda'r chwarelwyr sychedig. Cafodd Llewelyn waith yn chwarel ithfaen Penmaen-mawr, a oedd yn anterth eu bri bryd hynny, ar ddechrau'r ugeinfed ganrif. Ond byr fu arhosiad y llanc pedair ar ddeg oed fel creigiwr ithfaen ar wyneb y graig. Llwyddodd ei fodryb arall i'w dynnu o'r dafarn a rhoes gartref ac awyrgylch tra gwahanol iddo. Fe'i cymhellwyd yn y cartref newydd i adael y chwarel a chwilio am swydd a fyddai'n ysgafnach i'w gorff gan fod y gwaith yn bur drwm i lanc mor ifanc.

Cafodd waith yn siop y barbwr ym Mhenmaen-mawr, gan ddechrau ar y ris isaf un, ar ei ffordd i fod yn farbwr rhyw ddydd. Ysgubo'r llawr gwalltog a seboni'r cwsmeriaid ar gyfer eu siafio oedd gwaith y prentis o farbwr ac yr oedd un cwsmer pur gegog yn galw'n gyson i'w eillio. Byddai raid i Llewelyn Christmas aros iddo orffen ei lach a'i flagiard ar rywun neu rywrai o'r gadair freichiau uchel. Roedd y darpar farbwr wedi hen alaru ar y cwsmer cegog, a rhyw fore, a'i amynedd yn freuach nag arfer, ymestynnodd at wep y parablwr â'i frwsh yn drwm o laddar; er gweld y sebonwr mewn cryn drafferth i'w gyrraedd parhâi'r cwsmer i barablu a'i geg yn llydan agored; methodd y barbwr bach a dal ac yn ei gynddaredd, plannodd y brwsh blew mochyn a'r trochion sebon i ben draw ceg fawr y cwsmer. Datododd ei ffedog a heb gymaint â chyfarch ei feistr na'r cwsmeriaid, saethodd drwy'r drws. Dyna derfyn diseremoni ar yrfa barbwr ifanc! Y mae sawl amgylchiad wedi ysgogi ymgeiswyr am y weinidogaeth, ond dyma'r hynotaf ohonynt i gyd.

> Trwy ddirgel ffyrdd mae'r Uchel Iôr
> Yn dwyn ei waith i ben,

ys dywedodd y Bargyfreithiwr William Cowper (1731–1800), awdur yr emyn enwog 'God moves in a mysterious way'. Cyfieithwyd yr emyn i'r Gymraeg gan Lewis Edwards, y Bala (1809–1887).

Wedi gadael siop y barbwr dechreuodd Llewelyn Lloyd bregethu a châi bob cefnogaeth gan ei fodryb a chan Eglwys Horeb yr Annibynwyr yn Nwygyfylchi. Cyn hir dychwelodd at ei rieni i Lanelwy ac yno, yn Eglwys y Waen Goleugoed, yng Nghyfundeb Gorllewin Dinbych a Fflint o Eglwys yr Annibynwyr y derbyniwyd ef yn ymgeisydd am y weinidogaeth ac yntau'n bedair ar hugain oed. Fe'i cymeradwywyd ef yn galonogol iawn i ysgol enwog Watcyn Wyn yn Rhydaman. Dyma'r 'Hope Academy' a sefydlwyd gan Watcyn Hezekiah Williams (1844–1905) a ddaeth maes o law yn Ysgol y

Gwynfryn. Âi oddeutu ugain o fyfyrwyr o'r ysgol hon i'r gwahanol golegau a galwedigaethau bob blwyddyn. Enillodd Watcyn Wyn gryn enwogrwydd fel prifathro'r athrofa hon a baratoai fechgyn ifainc ar gyfer y weinidogaeth. Yn anffodus bu farw Watcyn yn 1905, cyn i Llewelyn Lloyd gyrraedd yno, ac roedd wedi gadael cyn i Gwili ddechrau yno.

Yn ôl pob tystiolaeth bu'n ddisgybl hynod o ddiwyd ac ymroddgar yn y cwrs rhagbaratoawl a llwyddodd, mewn cyfnod byr, i ennill mynediad yn 1913 i goleg yr enwad yn Bala-Bangor ym Mangor. Rhoes prifathro'r coleg hwnnw, Thomas Rees, dystiolaeth uchel iawn i'r myfyriwr o Lanelwy, '... ni fu fawr neb yn y Coleg hwn yn ystod fy nhymor fel prifathro a roes gystal cyfrif ohono'i hun fel myfyriwr na Llewelyn Christmas Lloyd.' (Gwelir y dyfyniad ym 'Mlwyddiadur yr Annibynwyr', 1964, mewn coffâd i Llewelyn Christmas Lloyd gan y Parch. R. H. Williams, Chwilog, t. 154.) Yn wir daliodd yn fyfyriwr diwyd gydol ei weinidogaeth hefyd. Trwythodd ei hun yn hanes Ymneilltuaeth ym Môn, darlithiai'n gyson ar gerddorion enwog a dangosai ei bregethau ôl llafur gofalus. Ond er ei ddiwydrwydd câi amser i fwynhau bywyd y Brifysgol er ei bod yn gyfnod digon argyfyngus o ganlyniad i'r Rhyfel Mawr. Ymunodd Llewelyn â cherddorfa'r Brifysgol a manteisiodd ar bob cyfle i ymarfer er bod ganddo raglen lawn yn sgil ei gwrs mewn diwinyddiaeth. Mae'n debyg mai dyma'r cyfnod y syrthiodd mewn cariad â'r bas dwbl, partneriaeth anghelfydd ryfeddol, ond er hynny fe ddaliodd fel y dur.

Dewisodd gyfaill coleg a oedd hefyd allan o bob rheswm, gan fod D. M. Lloyd yn ddyn talgryf, ymhell dros chwe throedfedd ac yn ŵr ifanc a adawodd yr heddlu i ymuno â'r weinidogaeth. Yr oedd y ddau Lloyd mor glos â Dafydd a Jonathan, ac ni welid fyth y naill heb y llall.

Yn yr oes honno byddai pob myfyriwr am y weinidogaeth yn cychwyn am ei gyhoeddiad ar nos Sadwrn, gyda'i angenrheidiau am y daith mewn ces bach brown – pob un yr un fath. Cychwynnodd Llewelyn Lloyd i'w gyhoeddiad i Gricieth un pnawn Sadwrn gyda'i ges bach brown a'i gôt fawr ddu gan gyrraedd y llety mewn da bryd i'w swper. Wedi swpera gofynnodd gwraig garedig y tŷ capel am gael rhoi ei byjamas wrth y tân, rhag i'r pregethwr druan gael unrhyw gam. Wrth daenu'r pyjamas yn ofalus dros y ffendar synhwyrodd fod rhywbeth mawr o'i le: yr oedd cryn lathen a hanner o goes i'r pyjamas. Rhoes gip ar y pregethwr a sylwi nad oedd ei draed yn cyrraedd y llawr gan fyrred ei goesau. Bu i rai o'i gyd-fyfyrwyr newid ei byjamas am rai ei gyfaill – y Lloyd arall – a threuliodd noson wedi'i garcharu mewn pyjamas a oedd dair gwaith yn rhy fawr iddo. Yr oedd un o'r myfyrwyr hefyd wedi anfon yr emynau yn ei enw ar gyfer yr oedfa ac yn gwbl ddifeddwl lediodd y myfyriwr yr emyn cyntaf: 'Dan dy fendith wrth ymadael...' Mewn blynyddoedd diweddarach, câi Llewelyn hwyl wrth adrodd y storïau hyn. Yr oedd y dyn bach yn ddigon mawrfrydig i chwerthin am ei ben ei hun.

Daeth ei dymor coleg i ben ac yntau, fel y tystia'r prifathro, wedi elwa'n fawr o'r cwrs. A'r Rhyfel Byd Cyntaf yn tynnu i'w therfyn, yn 1917 fe ordeiniwyd Llewelyn Christmas Lloyd yn weinidog Eglwys Annibynnol Mynydd Seion, Abercraf. Bu yno am chwe blynedd, yn ddiwyd ryfeddol fel pob gwas newydd. Ond, yn ôl pob tystiolaeth ni fu'r chwe blynedd hyn yn gyfnod hapus iddo. Câi gyfnodau blin o iselder ysbryd, a'r diwedd fu iddo dorri i lawr dan y gwaeledd nerfol. Mae'n debyg y teimlai'n unig ac yn gwbl ddibrofiad i'r gwaith a chofier, gall y saint fod yn bur ddidostur wrth y gwan. Ymdrechodd yn lew a gorchfygodd ei anhwylder ac ail-gydiodd yn ei waith. Credai y byddai newid maes yn gaffaeliad i'w ysbryd. Daeth galwad iddo o ofalaeth Rhosmeirch a Bodffordd ym Môn ac fel y dywedodd rhywun, dyma'r fargen orau a gafodd Sir Fôn erioed.

Sefydlwyd Llewelyn Lloyd yng ngofalaeth Rhosmeirch yn 1923, yn ddyn ifanc di-briod, un ar bymtheg ar hugain oed. Nid rhyfedd i neb ddweud mai dyma'r fargen orau; deg punt a thrigain y flwyddyn oedd ei gyflog yn 1923–24, ond fe gododd wyth bunt y flwyddyn yn fwy erbyn 1926. A dyna fu ei gyflog hyd y flwyddyn 1936. Yn wir £160 oedd ei gyflog blwyddyn ar ddechrau'r pum degau. O gofio y bu ei holl wasanaethau y tu allan i'w weinidogaeth ffurfiol yn gwbl ddi-dâl, sut ar wyneb y ddaear y llwyddodd i gadw corff ac enaid wrth ei gilydd?

Synhwyrodd Annibynwyr Rhosmeirch a Bodffordd fod eu gweinidog newydd yn ddyn amryddawn ryfeddol a buan iawn y lledodd y sôn amdano drwy'r Ynys. Mae'n wir fod yr olwg gyntaf arno yn tynnu gwên – y corff mawr llydan ar goesau anarferol o fyr – ond yr oedd digon o ras ac o hiwmor yn Llew bach i wneud hwyl am ei ben ei hun. Yr oedd ei anwyldeb yn ennill pawb! Heb os, yr oedd Llewelyn Lloyd y dyn iawn, ar yr amser iawn, yn y lle iawn.

Bryd hynny yr oedd diddordeb mewn offerynnau cerddorol mewn ysgol a chymdeithas ym Môn, fel yn wir drwy'r wlad. Cyn ei ddyfod yma i Fôn yr oedd dosbarthiadau ffidil mewn ambell ardal: roedd un eithaf bywiog ym Marian-glas yng ngofal Gwen Powell o Langefni. Y dosbarth hwn fu cnewyllyn y gerddorfa a ffurfiwyd gan Llewelyn Lloyd. Tyfodd y dosbarth a bu raid symud i le mwy yn Ysgol Llanallgo. Yn un o'i bregethau bachog ar fore Sadwrn (*Dros fy Sbectol*, 19 Hydref 2002), cyfeiriodd John Roberts Williams at ryw dwymyn offerynnol yn Ysgol Pwllheli tua dau ddegau'r ganrif ddiwethaf. Sbardunwyd y diddordeb gan unawdydd ffidil yn Eisteddfod Pwllheli 1925, a daeth y gŵr ifanc hwnnw o Ben-y-Bont ar Ogwr yn athro cerdd i Ysgol Pwllheli. Tybed nad yw dylanwad yr athro hwnnw, sef Bil Jenkins, a fu'n ddisgybl i Walford Davies, yn aros yn Eifionydd a Llŷn? Llwyddodd i ddysgu Hen Nodiant i fab fferm o ganol cefn gwlad Eifionydd! Dan arweiniad yr athro hwn yr enillodd Cerddorfa Ysgol Pwllheli y wobr gyntaf yn Eisteddfod Caergybi yn 1927, gan ddod â chryn glod i'r ysgol ac i'r dref.

Os cafodd Llŷn ac Eifionydd athro da i ateb y gofyn offerynnol bryd hynny, cafodd Môn hefyd athro a hyfforddwr gwych yn Llewelyn Christmas Lloyd. Mor gynnar â 1926 yr oedd Llewelyn wedi sefydlu cerddorfa blant yng Nghapel Carmel, Moelfre. Y mae llun ar gael o'r plant yn ymarfer mewn cae o flaen yr Aelwyd Isaf ym Moelfre. Daeth y gerddorfa hon â chryn enwogrwydd i bentre'r Bad Achub – gan mai hi oedd y gerddorfa gyntaf i gyfeilio mewn gwasanaethau'r Sul yn Sir Fôn. Beth tybed oedd ymateb y saint o weld llond sêt fawr o offerynnau cerdd yn yr oes honno? A hynny dan hyfforddiant y gweinidog newydd i'r Sir, a chofier y mae pob gweinidog newydd a ddaw i Fôn yn aros yn newydd am hir iawn! Ond ni lwyddodd yr un sant na satan i ddistewi cerddorfa'r gweinidog newydd hwn gan gymaint ei awydd i chwyddo'r moliant ac i ddatblygu cerddoriaeth offerynnol yn y Sir.

Rhan o gyfrinach Llewelyn Lloyd, heb os, oedd y ffaith iddo barhau yn efrydydd diwyd gydol ei oes gan ddatblygu a meithrin y potensial a feddai. Gweithiodd yr efrydydd hwn yn ddyfalach na neb i drwytho'i hun mewn cerddoriaeth offerynnol. Ni chafodd Llewelyn odid ddim gwersi ffidil, cerddoriaeth nac offeryn, ond fe fanteisiodd ar bob cyfle i feistroli'r pwnc. Manteisiai ar bob cyfle, costied a gostio, i wrando ar gerddorfeydd safonol yn perfformio. Fe'i gwelid yn yr haf yn stelcian ymhlith cerddorfa'r promenâd yn Llandudno. Ymwthiai'n drwsgwl i blith yr offerynwyr proffesiynol gyda'r bwriad o fynd yn ddigon agos at chwaraewr y bas dwbl. Arhosai yno drwy'r prynhawn yn llygadu pob symudiad ac osgo'r perfformiwr hwnnw. Wedi'r cwbl, yr offeryn hwn oedd ei gariad cyntaf ac ni flinai sôn amdano. Ond pam y dewisodd dyn bychan offeryn mor fawr ac anghelfydd? Dyma un o'r offerynnau mwyaf ei faint yn y gerddorfa, yn chwe throedfedd o uchder gyda phedwar llinyn cryf ryfeddol ac oddeutu pedwar nodyn o wahaniaeth rhwng pob un. Er gwaetha'r anawsterau bu'n ddyfal wrth berffeithio'i ddawn i'w drin ac i dynnu'r gorau o'i linynnau. Yr oedd hyn i gyd yn brawf o'i ymroddiad i feistroli'r grefft. Mae'n debyg iddo ymserchu yn y bas dwbl er dyddiau coleg. Tra oedd yn Bala-Bangor yn fyfyriwr diwinyddol, ymunodd â cherddorfa'r Brifysgol ac fe barhaodd i fynychu Cerddorfa'r Coleg drwy'r blynyddoedd a chyfrifid ei gyfraniad iddi yn gaffaeliad. Âi Marian Lloyd o'r Benllech efo'r gweinidog yn wythnosol i ymarfer gyda'r gerddorfa. Yr oedd yn bur gyfeillgar â'r darlithydd, Robert Smith – oedd dros chwe throedfedd – ac ef oedd yr hyfforddwr yng nghyfnod D. E. Parry-Williams, pennaeth yr Adran Gerdd. Ar un achlysur, a hithau wedi hen basio amser dechrau'r ymarfer, nid oedd arlliw o'r gweinidog a'i fas dwbl. Mynnai Smith ei gael gan bwysiced ydoedd i'r gerddorfa felly aeth allan i chwilio amdano. Pan ddychwelodd y ddau, y darlithydd main a thal a'r pwtyn tew yn bustachu drwy'r drws a'r bas dwbl ar ei gefn, bu'r olygfa'n ormod i'r offerynwyr ac ymgollodd pawb i chwerthin. Ond, er mor anghelfydd y bartneriaeth, glynodd Llew bach wrth yr offeryn mawr. Byddai'n olygfa ddoniol ryfeddol i weld y dyn a'i gorff tew a'i freichiau byrion yn ymdrechu'n llafurus i drin y bwa ac i glepian a slapio'r llinynnau. Roedd ei gariad angerddol at yr offeryn nodedig yn brawf o'i allu cerddorol.

Bu'n ddyfal drwy'r blynyddoedd yn cyfrannu o'i allu i gerddoriaeth ym Môn, yn arbennig cerddoriaeth offerynnol. Yn ddi-os, sefydlu'r gerddorfa offerynnol fu ei gyfraniad nodedig i Fôn a chynhaliai ddosbarthiadau hyfforddi yn wythnosol yn Llanallgo. Gwariai arian gloywon ar offerynnau er mwyn dysgu ac ennyn diddordeb ei ddisgyblion. Mae sôn iddo fynd cyn belled â Chraig y Nos yn Abertawe i brynu sielo ar eu cyfer. Trwythodd sawl cenhedlaeth yn y gelfyddyd gan fod yn arloeswr yn y sir.

Deuai aelodau'r dosbarth o gylch reit eang: Amlwch, Benllech, Traeth Coch, Rhosmeirch, Llangwyllog ac, yn naturiol, Moelfre a Marian-glas mewn oes pur ddigyfleustra i drafaelio, cymaint ydoedd awydd y rhieni i'w plant gael yr hyfforddiant. Yr oedd dau ddosbarth yr un noson ar nos Iau. Cyfarfyddai'r plant am chwech o'r gloch a'r dosbarth hŷn o saith tan naw o'r gloch a chawsant ddechrau rhagorol gan athro da. Dyna dair awr soled bob wythnos yn ddi-dâl – ia'n siŵr, dyma'r gwas rhataf a gafodd Môn erioed.

Erys atgofion difyr gan amryw o'r aelodau sy'n fyw o hyd, yn arbennig felly Marian Lloyd o'r Benllech oedd â'i hamserlen yn llawn cerddoriaeth. Cofnododd Elen Roger atgofion diddorol iawn am Gerddorfa Llanallgo a'i hathro unigryw. Yr oedd Siarlot, ei chwaer, yn aelod gwreiddiol o'r gerddorfa a phan ddaeth Elen yn athrawes ifanc i Ysgol Llanallgo, fe'i perswadiwyd gan Mr Lloyd i gymryd at y sielo. Ni flinai Elen Roger ar ei ganmol gan bwysleisio os na ddysgech chwarae unrhyw offeryn dan hyfforddiant Mr Lloyd, ddysgech chi fyth. Cofiai'r athrawes ifanc yn dda fel y gofalai Llewelyn Lloyd am amrywiaeth o gerddoriaeth ar

37

gyfer ei ddosbarth – trefniadau o alawon gwerin Cymraeg, darnau o waith gan Bach, Mozart, Handel ac eraill.

Nan Griffiths, merch y Frogwy, Llangwyllog, fyddai'n arfer cario aelodau cylch Rhosmeirch i'r ymarfer yn Llanallgo; merch ifanc ffodus ryfeddol, gyda char newydd sbon pan oedd yn ddwy ar bymtheg oed. Yr offerynwyr a gâi'r fraint oedd ei chwaer Roberta, yna Iori Jones, a oedd yn byw hefo'i fodryb yng Ngherrig y Tyrn, Treagaian (tyddyn a anfarwolwyd gan Toni ac Aloma). Yr oedd Iori yn gerddor da iawn ac ar farwolaeth ei fodryb, gwerthodd y tyddyn a'i throi hi am Lundain ac yno ymuno â'r *Chamber Orchestra*. Âi Nan ymlaen wedyn i Langefni i godi Evan Hughes, prifathro Ysgol Bodorgan, mab Ty'n y Coed, Llanfair-yng-Nghornwy, yna, gyrru ar draws y sir i ddwy awr galed o ymarfer.

Yr oedd Nan a'i phriod, Richard, yn gyn-aelodau i Llewelyn Lloyd yn Ebeneser, Rhosmeirch, ac nid oedd ball ar ganmoliaeth y ddau i'w cyn-weinidog. Honnai Richard na ddaeth erioed neb tebyg i Llewelyn Lloyd dros y bont i Fôn, 'Rhoes o'i amser a'i ddoniau yn rhad ac am ddim i gerddorion Môn,' meddai. Canmolai'r ddau y fath fantais a gawsant fel plant yn cael cyfle i chwarae'r ffidil yn y Band o' Hôp. Yn wir fe droes y gweinidog bob achlysur yn gyfle i ymarfer rhyw offeryn neu'i gilydd. 'Yn ddiweddarach,' meddai Nan, 'fe gerddodd Henley Jones, y Trefnydd Cerdd Cyntaf ym Môn, i mewn i lafur Llewelyn, am gyflog anrhydeddus, a chael fod y tir wedi'i fraenaru'n barod.' Ond roedd gan Nan un ergyd arall i'w hanelu, 'a wyddoch chi mai'r Llewelyn Lloyd arall o Gemaes gafodd y clod a'r mawl gan bobl Môn, am iddo gyffwrdd eu teimladau â'i bregethu arwynebol.'

Ond nid hyfforddi a dysgu fu unig gyfraniad Mr Lloyd. Byddai'n cynnal cyngherddau ar hyd a lled y Sir gyda'r gerddorfa. Yn wir, gwawriodd byd cerddorol newydd ym Môn. Gwelais ddisgrifiadau byw a dramatig o'r nosweithiau hynny gan Elen Roger Jones yn y papur bro lleol, *Yr Arwydd*, Ebrill 1996 – weithiau cordiau sydyn 'Surprise Symphony', Haydn, neu'r tipiadau cyson yn y 'Clock Symphony' gan yr un cyfansoddwr. Cofia un noson nodedig iawn pan gyhoeddodd yr arweinydd ei fod wedi cael gafael mewn trympedwr ifanc addawol a oedd adre ar seibiant o'r fyddin. Daeth y trympedwr i'r ymarfer canlynol a chyfeilio i Alun a oedd yn canu, 'The Trumpet Shall Sound'. Yr oedd y cyngerdd i'w gynnal yng Nghapel Lloyd yn Sardis, Bodffordd. Daeth y noson a chanodd y 'trumpet' erioed yn debyg i'r noson honno, fu erioed y fath sŵn ganddo, yr oedd y milwr yn feddw gaib a thynnodd warth ar y gerddorfa a chywilydd ar ei harweinydd.

Ar wahân i'r cyngherddau, byddai'r arweinydd yn trefnu i'r gerddorfa gyfeilio mewn cymanfaoedd canu a gynhelid gan y gwahanol enwadau. Yn hyn o beth yr oedd yn torri llwybr newydd. Yr oedd Cymanfa Ganu yr Annibynwyr yn un o achlysuron pwysicaf yr enwad – pwy a feiddiai lenwi'r sêt fawr ar ddiwrnod y Gymanfa hefo offerynwyr fel y rhain? Cwynodd ambell weinidog a arferai eistedd yng nghornel y sêt fawr drwy'r Gymanfa. Ar un achlysur yng Nghaergybi bytheiriodd un, 'Beth ydi meddwl y "ffidlwr bach" yna o Rosmeirch, yn hawlio'r lle gorau i'w gerddorfa?' Ond os byddai rhai o'i frodyr yn gwgu ar ei gerddorfa, byddai pob arweinydd Cymanfa yn dotio ac yn croesawu'r syniad. Deuai dau ohonynt i'r ymarferiadau yn Llanallgo – Dr Caradog Roberts a Dr William Mathews Williams. Byddai'r arwein-wyr hyn yn awyddus i'r gerddorfa chwarae darn o'r 'Solemn Melody', arferiad newydd a hynod effeithiol. Medrwn ddychmygu Capel eang y Tabernacl, Caergybi, yn llawn yn nhri degau'r ganrif ddiwethaf – y gerddorfa ar ei gorau, y gynulleidfa yn gorfoleddu a'r arweinydd byrgoes a'i fas dwbl wedi ymgolli'n llwyr. Dyma gyhoeddiad y Gymanfa olaf y bu'r gerddorfa a'i harweinydd ynddi: Ebeneser Rhosmeirch – Mehefin 1962:

Cymanfa Ganu Sirol – Annibynwyr Môn
Arweinydd – Idris Griffiths ARCO, LRAM, Llanelli
gyda Cherddorfa Llanallgo
dan arweiniad Llewelyn C. Lloyd

Achlysur blynyddol pleserus arall y byddai'r Gerddorfa yn edrych ymlaen ati fyddai cyflwyno trefniant o garolau mewn gwasanaeth yn Seion, Biwmares. Deuai'r gwahoddiad gan y gweinidog, y Parchedig Kenyon Thomas (tad yr Athro D. R.

ap Thomas). Ymgais oedd y gwasanaeth i wahodd y bobl ifanc oddi ar y stryd. Wedi'r gwasanaeth câi'r aelodau wahoddiad gan y gweinidog a'i briod i gynhesrwydd eu haelwyd i fwynhau cwmnïaeth a phaned. Mae'n amlwg, yn ôl atgofion rhai o'r aelodau, fod Mrs Thomas yn wraig nodedig am ei chroeso.

Gyda'r blynyddoedd enillodd Llewelyn Lloyd enw fel hyfforddwr cerddorfa ac fe werthfawrogid ei wasanaeth, yn arbennig gan rieni. Nid rhyfedd i'r Pwyllgor Addysg fanteisio ar ei gymhwyster a'i wahodd yn athro teithiol i roi hyfforddiant offerynnol mewn dwy ysgol, Amlwch a Llangefni. Yr oedd Catherine Muir newydd ei phenodi yn athrawes Ffrangeg yn Ysgol Syr Thomas Jones, Amlwch, ac i roi gwersi Cerdd hefyd ac fe'i hysbyswyd fod athro rhan-amser i roi hyfforddiant offerynnau. Deil yr athrawes – Mrs J. O. Hughes bellach – i gofio'r bore y gwelodd fas dwbl yn marchogaeth moto-beic i iard yr ysgol. Golygfa nad anghofia fyth.

Dyma fel y disgrifia Elen Roger yr un olygfa yn y gyfrol *Elen Roger – Portread Harri Parri* a gyhoeddwyd gan Wasg Pantycelyn yn 2000 (t. 38): 'Pe baech yn digwydd bod yn cerdded ffyrdd culion Ynys Môn ar fin nos yn y dau ddegau, gallech daeru ambell dro i chi weld drychiolaeth!' Dyna'r argraff a gâi pawb o weld yr athro teithiol am y waith gyntaf. Ac er cael car yn ddiweddarach, roedd yr olygfa'n dal yn smala hyd ffyrdd Môn, gyda choes hir y bas dwbl yn saethu trwy sgeulat yr Austin Big Seven. Golygfa a fedyddiwyd gan fyfyriwr o Fethodist o Fodffordd fel 'Llong-danfor ar dir sych'. Ond os oedd y teithio'n anghelfydd a doniol, credai Catherine Muir fod yr athro yn wir feistr ar ei bwnc. Yn ôl ei thystiolaeth yr oedd yn greadur hynod o gerddorol ac yn gryn awdurdod ar y sielo a'r bas dwbl, a chredai y bu ei gyfraniad yn y maes hwnnw'n hynod werthfawr i adran gerdd yr ysgol.

Erbyn heddiw, y mae disgyblion direidus fel Walter Glyn Davies, William Roger Jones a Grace Pritchard yn cydnabod ei allu fel cerddor ond ei fod yn anobeithiol fel disgyblwr. Yr oedd yn llawer iawn rhy addfwyn ac yn rhy ganmolus, er y gallai'r dull hwnnw dynnu'r gorau o ambell blentyn,

'Dichon,' meddai Walter Glyn wrthyf, 'ond nid yn Amlwch, cofia.' Cofia'r tri iddynt fod yn disgwyl am yr athro i gael gwers ar y ffidil. Rhuthrodd plentyn i'r dosbarth i'w hysbysu 'Mae Mr Lloyd yn sâl iawn.' 'Y wers a gollwyd' oedd honno a chafwyd mohoni'n ôl. Ymhen rhai misoedd bu farw'r offerynnwr.

Ond sut y caniatawyd i weinidog Ymneilltuol ym Môn yn nau ddegau'r ganrif ddiwethaf dorri cwys mor wahanol? Byddai'r moto-beic yn ddigon i'w ddiarddel gan y Methodistiaid, heb sôn am y baich offerynnol ar ei gefn. Yn ddistaw bach, yr oedd Llewelyn Lloyd yn ddyledus iawn i'w ragflaenydd yn yr ofalaeth, sef y Parchedig Smyrna Jones (1855–1925) a fu'n weinidog Rhosmeirch a Sardis am ddeugain mlynedd. Yr oedd Smyrna Jones yn dipyn o gymeriad. Cyflogai rai o ferched Llangefni i wau sanau a chrysau gwlân i'w gwerthu yn y siop a gadwai ei wraig i werthu ffisig a wnâi o lysiau. Yr oedd y gweinidog hwn yn dipyn o ffermwr hefyd a gwelid ef nos a bore yn gyrru rhes o fuchod i'w godro yn Llawr y Dref, gan werthu'r llefrith i drigolion Llangefni yn ddyddiol. Yr oedd yn aelod blaenllaw o Gyngor Sir Môn hefyd, a dywedir ei fod yn gefnogwr brwd i bob mudiad llesol a da o fewn yr Ynys. O'i gymharu â'i ragflaenydd, yr oedd Llewelyn C. Lloyd yn weinidog digon confensiynol.

Ond er ei ddiddordeb angerddol mewn cerddoriaeth, nid esgeulusodd ei ddyletswyddau fel gweinidog ac roedd yn bregethwr hynod gymeradwy a phoblogaidd. Dyfynna T. H. Smith y Parchedig R. H. Williams, Chwilog, un o brif bregethwyr yr Annibynwyr yng Nghymru, yn sôn am Lewelyn fel pregethwr yn 'Y Gŵr Amryddawn', a gyhoeddwyd yn *Môn*, Gwanwyn 1964: 'Yr oedd yn un o bregethwyr mwyaf cymeradwy a phoblogaidd yr Ynys, ac yr oedd yn mynd yn fwy poblogaidd.' Ond fel sawl pregethwr mawr, yr oedd Llewelyn yntau yn greadur oriog iawn; gallai dynnu'r nefoedd i lawr weithiau, dro arall byddai mor fflat â chrempog. Arferai gyfeirio fel y dychmygai glywed Williams Pantycelyn yn dweud wrth Pitar Williams: 'Gelli di, Pitar, bregethu lawn cystal pe byddai'r Ysbryd Glân yn Ffrainc;

41

ond amdanaf fi, ni allaf wneud dim ohoni heb ei gael wrth fy mhenelin.'

Ond mae'n amlwg, yn ôl atgofion amdano, ei fod yn bregethwr hynod o ffres a diddorol ac iddo dorri ei rych ei hun. Yr oedd yn ysgrythyrwr da, a chyda'i wreiddioldeb craff, fe dynnai'r newydd a'r annisgwyl o bob adnod. Pregethai bob amser o fewn cyrraedd ei gynulleidfa a thynnai bob darlun o'u byd a'u bywyd hwy. Fe brawf ei bregethu ei fod yn adnabod ei gynulleidfa a bod ganddo gydymdeimlad real â hwy – dau rinwedd pwysicaf pob pregethwr da. Pregethai ar destunau trawiadol ac anghyffredin braidd, fel yr un o lyfr y Diarhebion: 'Ti ddiogyn, dos at y morgrugyn a sylwa ar ei ffyrdd a bydd ddoeth.' Canmolai'r pregethwr ddiwydrwydd ym mhawb a chondemniai ddiogi'n hallt. Yna, yn gwbl ddirybudd, aeth yn fud gan anwybyddu ei gynulleidfa a chraffu i'r nenfwd. Ymunodd y gynulleidfa i edrych i fyny heb wybod pam, ac yn sydyn dyna floedd, 'Bellach,' meddai gan edrych arnynt, 'pryfed cop ydan ni bawb – mi rydach chi'n eu nabod nhw.' A dyna drem i'r to eto, 'Maen nhw'n llercian yn y conglau tywyll i ddisgwyl eu cyfla i ddal ac i ddifa'r diniwed. Felly'n cenhedlaeth ni, llercian yn y tywyllwch, sugno ein cynhaliaeth oddi ar y diniwed.' Eglureb fyw, ddramatig a gwir, ac yn hynod o hawdd i'w deall a'i chofio.

Cofia Ann Mary Williams, Blaen y Wawr, Rhosmeirch, amdano yn pregethu ar nos Moddiannau Diolchgarwch yn Ebeneser. Yr oedd y Tŷ yn llawn a'r pregethwr yn ei hwyliau yn traethu ar eiriau priodol iawn, 'Y Cynhaeaf yn wir sy'n fawr...' Byrdwn y bregeth honno oedd casglu'r cynhaeaf mewn pryd. Cyfeiriodd at gymydog iddo yn ardal Dulas a fyddai ar ei hôl hi bob tymor yn casglu'r cynhaeaf. Er iddi wneud tywydd rhyfeddol o fanteisiol y tymor hwnnw, eto yr oedd y cymydog ar ei hôl hi yr un fath yn union. Mynnai'r pregethwr gael eglurhad, a holodd ei gymydog. Roedd ei ateb yn un syml iawn – 'Disgwyl y fisitors yr ydw i, maen nhw wrth eu bodd yn gweithio yn y gwair.' Eglurodd y tyddynnwr ymhellach, 'Maen nhw'n weithwyr anwadal gynddeiriog; os daw haul maen nhw'n fy ngadael am draeth Dulas neu Lligwy.' 'Ia,' meddai'r pregethwr bach, 'sut yr ydach chi'n disgwyl i'r Duw mawr gael ei gynhaeaf i fewn efo rhyw "fisitors" unwaith y flwyddyn, ar oedfa ddiolchgarwch?' Pigwyd yr euog rai yn go arw! Ond, ar y ffordd allan, sibrydodd un ohonynt wrth ei gyfaill, 'Y cythraul bach yna yn ein condemnio a'n galw ni yn "fisitors", ond chwarae teg iddo, mi ddo' i yma'r flwyddyn nesa eto!' Amlwg ddigon fod y pregethwr hwn yn medru cyrraedd ei gynulleidfa ac ar yr un pryd ennill ei chydymdeimlad.

Ond, yn sicr, awr ac oedfa fawr Llewelyn Lloyd oedd honno yn y Bala, yn Undeb Annibynwyr Cymru 1951. Fu odid erioed oedfa, gan bregethwr dieithr braidd, a chymaint o sôn amdani. Dyma'r oedfa a'i cododd i sylw'r enwad a'i genedl. Beth bynnag am dynnu'r nefoedd i lawr, mae'n wir y cododd y gynulleidfa ar ei thraed ar derfyn yr oedfa honno, rhywbeth anghyffredin yn 1951.

Gan fod capel yr Annibynwyr yn rhy fychan cafwyd benthyg Capel Tegid, y Methodistiaid, i gynnal yr oedfaon pregethu. Ond er mor nerthol y bu pregethu Sasiynau'r Methodistiaid, ar y Green neu bulpud Tegid, fe safodd y pregethwr bach o Rosmeirch, Sir Fôn, ysgwydd wrth ysgwydd â'r neb ohonynt. Dyma dystiolaeth rhai a oedd yno: '...chlywais i erioed gynulleidfa yn porthi ac yn amenio cymaint erioed.' Wedi'r cwbl yr oedd 'porthi' wedi distewi cryn dipyn bryd hynny. Heb os yr oedd pob gwrandäwr wedi ei gyffwrdd dan gyfaredd y pregethwr ac awyrgylch yr oedfa. 'Yna, yn gwbl ddigymell, safodd y gynulleidfa fel un gŵr ar derfyn yr oedfa,' meddai'r Parch. Gwyn Jones (Porthaethwy). Yr oedd Glyndwr Jones, y Rhyl, yn yr oedfa yn gohebu i'r *Tyst*:

> Cymerodd yr ail bregethwr – Llewelyn C. Lloyd – ei destun o Lyfr y Proffwyd Eseia, pennod 45 ac adnod 15: "O Dduw Israel yr Achubwr". Anodd os nad amhosibl yn wir fyddai ceisio croniclo'r bregeth hon. Cefais fy hun yn rhoi'r ysgrifbin o'r neilltu ac yn gwrando, glust a llygad. Buan iawn y teimlwyd ein bod yn eistedd wrth draed un o ddoniau mawr Môn. Gwefreiddiwyd y gynulleidfa ac enillodd y cennad feistrolaeth lwyr arni. Dieithr o beth oedd sylwi ar yr oll o'r gynulleidfa ar y llawr ac ar y llofft yn ymestyn ymlaen tuag at y cennad mewn cydymdeimlad a chydsyniad. Ni allaf ond

gosod rhai o'r dywediadau a lwyddais i'w cofnodi, ond bydd argraff a bendith y bregeth yn aros am byth.

Y mae'n hawdd cydymdeimlo â'r gohebwr druan, nid oes modd aildwymo oedfa o'r natur yna. Wrth ddarllen y bregeth mae'n amlwg ei fod yn bregethwr rhyfeddol o wreiddiol. Meddai ar ddawn a gallu i dynnu ar ei ddychymyg a'i wybodaeth, yn arbennig o fyd natur. Yr oedd Llewelyn Lloyd yn naturiaethwr craff ac yn arddwr wrth reddf. Wrth ymdrin â'i bwnc – Duw yn achub – dyfynnodd o waith Goronwy a'i gân i 'Fôn, dirion dir'. Cododd y pregethwr ei lais,

'Welodd Goronwy erioed ddaear Môn fel yr oedd ar y dechrau. Daear Môn wedi ei hachub trwy lafur a chwys to ar ôl to o feibion glew yr Ynys a welodd Goronwy.' Cyfeiriodd at y blodau poblogaidd, yr *Antirrhinum* – 'onid creu'r "llin-llyffant" a dyf wrth fôn y clawdd a wnaeth y Duw mawr, ond roedd ynddo botensial yr *Antirrhinum*. Daeth y garddwr heibio i'w achub o fyd y "llin-llyffant" melyn i fyd yr *Antirrhinum*. Er cystal ein daear y mae'n aros o hyd ym Môn ryw gors neu ddwy – ei meibion heb orffen eu hachub. Ond fe'u hachubir oll ryw ddydd.'

Yna, tua diwedd y bregeth, cafwyd y perorasiwn gan y pregethwr. Ni fyddai hyn yn arferiad gan Llewelyn Lloyd, ond yng ngwres yr awr fe bynciodd glo ei bregeth yn effeithiol iawn, 'Pwy newidiodd Ewrop? – dyn wedi'i achub, Martin Luther. Pwy newidiodd Loegr? – dyn wedi'i achub, John Wesley. Pwy newidiodd Gymru? – dynion wedi eu hachub, dynion fel Hugh Owen, Bronclydwr, a Lewis Rees – y nhw roddodd gydwybod wleidyddol i Gymru...'

Wedi'r oedfa nodedig honno yn y Bala bu mwy o alw nag erioed amdano i bregethu mewn uchel wyliau, yn Ne a Gogledd Cymru, a bu deng mlynedd olaf ei fywyd yn llawn a phrysur ryfeddol. Naturiol fyddai gofyn sut y symudai creadur bach mor drwsgl o fan i fan ar ffyrdd cyfyng, igam ogam Ynys Môn. Dyma agor y drws i olygfeydd a digwyddiadau hynod o ddoniol ym mywyd y 'cawr ar goesau byr'.

Yn fuan wedi ei ddyfodiad i Fôn, priododd Llewelyn Lloyd â merch John Roberts, Glantraeth, tyddyn ar gwr traeth Dulas a Choed y Gell yr ochr arall. Nid yn unig cafodd Llewelyn wraig fe gafodd gartref yng Nglantraeth yn y fargen a bu'r fargen hon yn gaffaeliad i weinidog a oedd ar gyflog mor isel. Ond, yn anffodus, roedd Glantraeth mewn llecyn anghysbell a chryn bymtheng milltir o'i ofalaeth yn Rhosmeirch a Bodffordd. Y mae Môn yn nodedig am ei ffyrdd culion, ei chloddiau uchel a'i ffyrdd dyfnion. Yr oedd Kate droedfedd a gwell yn dalach na'r gweinidog a chan fod piliwn y deithwraig fodfeddi'n uwch na'r gyrrwr, fu'r fath anghyfartaledd erioed ar ffyrdd gwyrgam Môn. Felly, yr oedd y naill a'r llall o gyd-deithwyr y gweinidog – y bas dwbl neu'r wraig – yn olygfa nodedig o ddigri rhwng Dulas a Llangefni. Oherwydd yr embaras yma cafodd Kate berswâd ar ei phriod i gael car yn lle'r moto-beic.

Bryd hynny yr oedd Awstin 7 yn hynod boblogaidd, yn enwedig gan weinidogion. Yn ddiamau, yr enwoca ar Ynys Môn oedd Austin 7 William Davies, Cemlyn. Aeth gweinidog Rhosmeirch gam ymhellach, neu gam yn uwch, a phrynodd 'Austin Big Seven' ac o'r herwydd, yn yr oes honno, fe dra ragorai Llewelyn Lloyd ar ei frodyr. Ond bu'r 'Big Seven' yn ddechrau gofidiau i'r gweinidog bach! Os oedd ein hofferynnwr medrus yn arddwr da ac yn bregethwr coeth, fe gydnebydd pawb, gan gynnwys Kate Lloyd, na ddysgodd Lloyd bach erioed sut i yrru car, wel nid yr 'Austin Big Seven' beth bynnag.

Os byddai clywed sŵn yr Austin yn codi ofn ar drigolion Dulas, yr oedd dwy ferch ysgol, Gwyneth a Catherine Jones, Tan y Bonc, yn gwirioni ar glywed ei sŵn. Y fath ryfeddod i blant ysgol gan mai dyma'r unig gar yn yr ardal bryd hynny. Caent eu cario o'r ysgol a chredent nad oedd ŵr bonheddig tebyg i'r dyn bach doniol hwn. Pan gyrhaeddai'r genod o'r ysgol yn gynnar gwyddai Mary Jones, eu mam, mai'r Samaritan o gymydog a roes lifft iddynt. Câi Mary Jones hithau gludiant rhad i Langefni bron bob dydd Iau ganddo a phwy a faliai am beryglon y daith yn wyneb y fath gymwynas. Wedi'r cwbl, yr oedd yn bwysig cadw ar yr ochr iawn i'r athro hwn. Cyn bob eisteddfod byddai Mary Jones yn anfon y ddwy ferch i Lantraeth at Mr Lloyd i ddysgu'r caneuon. Treuliodd y ddwy oriau yn y stydi bach hefo'r cerddor ac mae

45

Catherine yn dal i arogli peraroglau o'i ardd. Cofia hefyd gydgerdded â'r gweinidog i lawr lôn Coed y Gell i nôl dŵr o ffynnon traeth Dulas.

Ond cefnogwyr yr Austin Big Seven oeddynt hwy, ac yn ôl pob tebyg, yr unig gefnogwyr. Ni theimlai neb arall yn ddiogel ar y ffordd gul os byddai Llew bach a'i gar gerllaw. Fe hawliai'r gyrrwr y naill ochr o'r ffordd fel y llall iddo'i hun, a chymerai yn ganiataol na fyddai neb arall ond y fo a'i Austin arni. Byddai ganddo ei ddull ei hun o oresgyn cylchfannau: os oedd rhaid dal i'r dde, wel i'r dde amdani a rhyfeddai at neb yn meiddio dod i'w gyfarfod ar y cylch!

Arferai John Owen, Coch Chwillan Bach, tyddyn ar derfyn Glantraeth, hel wyau hyd yr ardal a theithiai'n hamddenol yn ei gar a merlen. Mae ei ŵyr, J. O. Hughes, yn cofio fel y deuai'r casglwr wyau adref gan ymesgusodi o fod braidd yn hwyr: 'Mi roedd y Lloyd bach yn y ffos eto heno, ond doedd o fawr gwaeth.'

Rhaid egluro mai anallu'r gyrrwr ac nid unrhyw ddylanwad arall a'i gyrrodd i'r ffos! Credai J. O. Hughes y byddai angel gwarcheidiol neu ryw ragluniaeth ddistaw yn ei gadw ef a'i Austin Big Seven rhag mynd i abergofiant ar y ffordd rhwng Dulas a Llangefni. Gan y byddai'r offeryn boliog a'i fraich hir drwy'r to yn hawlio cymaint o le byddai'n hynod o gyfyng yn y car, a'r teithwyr eraill yn gorfod crymu i gornel anghelfydd. Gwyddai Marian Lloyd beth oedd teithio felly yn ei dwbwl, ac i ychwanegu at y penyd, gyrrai'r athro mor afreolus.

Un arall o'i ddisgyblion a deithiai i Langefni yn ei gar oedd Sheila Chapman, merch sioffer y Parciau. Yr oedd Sheila yn offerynwraig hynod o addawol a gwerthfawrogai hyfforddiant proffesiynol Mr Lloyd. Synhwyrai merch y sioffer mai rhyfyg noeth oedd teithio gyda'r athro a daeth ei phryderon i fwcwl ar eu ffordd adref un noson niwlog. Llithrodd y car i'r ffos a throi ar ei ochr. Rhoes y bas dwbl goblyn o hergwd i'r disgybl ifanc gan ei tharo'n giaidd ar ei thalcen. Glynodd Sheila wrth ei hathro er hyn i gyd, ond ymorolai ei thad mai ef a yrrai ei ferch at ei hathro cerdd byth wedyn.

Byddai holl ddosbarthiadau ac ymarferiadau'r gerddorfa a

chrwydro i bregethu ar hyd a lled y wlad yn gryn dreth ar ei amser a'i gorff. Er hyn, mynnai amser i ddarllen ac ymchwilio. Magodd ddiddordeb digon iach a deallus yn y traddodiad Ymneilltuol a hanes Annibyniaeth ym Môn. Darllenodd yn eang ynghylch hanes hen gapel Ebeneser, Rhosmeirch – Capel Anghydffurfiol cyntaf Môn. Ymddiddorai yn hanes Môn yn y ddeunawfed ganrif hefyd, a chyfrifid ef yn gryn awdurdod ar hanes Morrisiaid Môn. Pan gyfarfu Cymanfa Annibynwyr Môn yn Rhosmeirch ym Mehefin 1962, anrhydeddwyd y cyn-weinidog trwy ofyn iddo annerch y Gymanfa ar ei hoff destun: 'Hanes Annibyniaeth ym Môn'. Y mae ôl darllen ac ymchwil dyfal ar yr anerchiad. Fe wariodd lawer o amser ac arian i ennill gwybodaeth am gerddoriaeth a cherddorion ac am hanes a haneswyr. Dengys ei lyfrau a'i nodiadau iddo lafurio'n fyfyrgar gydol ei oes.

Bu'n llafurio'n gorfforol yn ei ardd hefyd, trwy chwys ei wyneb y troes ardd ddi-liw John Roberts, ei dad-yng-nghyfraith, yn llecyn godidog o hardd ar gwr Coed y Gell a thraeth Dulas. Etifeddodd rai o gyfrinachau'r garddwr gan ei dad a oedd erbyn 1901 yn ben-garddwr yng ngerddi enwog Llannerch a Llewelyn, er yn blentyn, wedi dotio at geinder a phrydferthwch blodau'r ardd. Cafodd Llewelyn Lloyd oriau o bleser yn troi'r llecyn hwnnw yng Nglantraeth yn gampwaith lliwgar o flodau. Tybed ai yno y cafod weledigaeth i gyfansoddi pregeth nodedig Undeb y Bala? Yn wir, fe'i cydnabyddid yn gryn awdurdod ar dyfu a meithrin Blodau Mihangel *(Chrysanthemums)* a gwahanol fathau o rosynnau. Codai'n fore yn yr haf a byddai yn ei ardd cyn chwech o'r gloch y bore. Ymwelai'n gyson â sioeau garddwriaeth y Sir, ac yn ddieithriad fe gipiau'r gwobrau cyntaf gyda'r *Chrysanthemums* a'r rhosod. Ymwelai'n flynyddol â sioe flodau enwog yr Amwythig, a chyfeiriodd yn un o'i bregethau at y sioe fel 'creadigaethau yn Ffair Flodau Amwythig. Diamau y bu'n cystadlu yno hefyd. Bu blodau'r ardd yn rhodd nodedig gan y gweinidog i'r gwael a'r oedrannus o blith ei braidd. Yn wir, fe wyddai pawb trwy Fôn am flodau Lloyd bach ac am ei lannerch flodeuog a dynnai sylw pob ymwelydd ar eu ffordd i Draeth Dulas.

Ond ychydig iawn o bobl a wyddai fod y gweinidog yn

dipyn o botsiar hefyd er nad oedd neb yn barod i gynnwys y gamp hon o'i eiddo yn eu hatgofion. Dysgodd y gelfyddyd hon eto ar stad Llannerch pan oedd yn blentyn. Yr oedd dau gipar ar y stad; Rees Roberts oedd y pen-cipar a'i fab, Llywelyn Roberts, yn is-gipar iddo. Hawdd credu mai rhai o chwech o blant y cipar fyddai partneriaid chwarae Llewelyn Lloyd ac, fel eu tad, chwarae hela a saethu a'u difyrrai.

Yr oedd Llewelyn Lloyd yn naturiaethwr difyr a chanddo wybodaeth eang. Adwaenai bob aderyn ar draeth Dulas, a'u hwyau. Treuliai oriau difyr yn gwylio a gwrando ar adar y traeth yn siarad a ffraeo â'i gilydd. Ond adar y tir sych a apeliai fwyaf ato. Yr oedd Coed y Gell tros y ffordd i'w gartref a oedd yn rhan o diriogaeth y Foneddiges Dinorben o stad Dulas. Âi'r gweinidog yn llechwraidd i Goed y Gell, nid fel naturiaethwr ond fel potsiar â gwn o dan ei gesail. Fe ddywedir na ddychwelai'r parchedig ŵr fyth o'r goedlan honno heb ddeunydd cinio Sul. O gofio'r cyflog bach, nid oedd llawer o fai arno. Chwarae teg i Richard Roberts, trydydd cipar y stad, am edrych y ffordd arall pan welai'r potsiar Eglwysig, a chwarae teg i'r foneddiges hefyd am faddau i'r troseddwr hwn a dresbasai ar dir ei stad yn chwilio am gêm. Fodd bynnag, cafodd y Parchedig Llewelyn Christmas Lloyd ei enw yn oriel potsiars Môn, ac os yw'n ronyn o gysur i Annibynwyr Môn, nid y fo oedd y potsiar cyntaf ym Môn o blith y gwŷr Eglwysig!

Ond rhag i neb gredu mai rhyw Siôn bob swydd oedd Llewelyn Lloyd, yr oedd yn gymeriad addfwyn a swil heb uchelgais o unrhyw fath ac ni phesychodd ei ffordd i'r Cyngor Sir. Bu'n ddyfal ac yn ddiwyd fel gweinidog a gofalai'n dyner am ei bobl. Ynghlwm wrth ei bregethu yr oedd ei adnabyddiaeth o'r natur ddynol a'i gydymdeimlad â phobl. Er ei holl brysurdebau fe gadwai gyswllt clòs â'i bobl gan ymddiddori mewn llwyddiant neu uchelgais a chyd-ymdeimlo â'r trallodus a'r profedigaethus.

Fe ddywed rhywun mai prif swyddogaeth pregethu ydi creu pregethwyr. Os felly, ni fu pregethu gweinidog Rhosmeirch yn ofer; ordeiniwyd dau i'r weinidogaeth lawn amser dan ei weinidogaeth, Llewelyn Lloyd Jones o Rosmeirch ac O. J. Hughes o Sardis, Bodffordd. Codwyd dau bregethwr cynorthwyol hynod o dderbyniol hefyd, Richard Rowlands (Myfyr Môn) a Richard Hugh Edwards o Ros-meirch. Deil edmygedd a chanmoliaeth Richard Edwards yn uchel iawn hyd heddiw o'i gyn-weinidog. Bu ei gefnogaeth a'i gynghorion yn rhyfeddol o fuddiol iddo fel darpar-ymgeisydd am y weinidogaeth. Byddai'r gweinidog yn llythyru ac yn darparu math o homilïau ar ei gyfer ac y mae Richard yn dal i'w trysori. Ond, fel yn hanes llawer un yn y cyfnod hwnnw, fe dorrwyd ar gynlluniau Richard fel ymgeisydd am y weinidogaeth gan orfodaeth y Gwasanaeth Cenedlaethol. Cafodd ei hun mewn cryn gyfyngder – yr oedd y Gwasanaeth Cenedlaethol yn gwbl groes i'w argyhoedd-iadau fel heddychwr Cristnogol. Ar y llaw arall ni fynnai roi'r argraff ei fod am ddefnyddio'r weinidogaeth yn groes i'w gwir swyddogaeth. Bu'n gyfnod anodd ryfeddol i ŵr ifanc o argyhoeddiad. Ymunodd Richard â'r Llynges yn 1948, er ei fod wedi ei dderbyn fel ymgeisydd gan ei enwad a chan goleg yr enwad. Ar derfyn ac yn ystod ei dymor yn y Llynges teimlai yn bur ansicr i fentro i'r weinidogaeth wedyn. Fu neb yn fwy siomedig na'i weinidog, ar wahân i Richard Hugh ei hun. Byddai Llewelyn Lloyd yn falch o wybod y rhoes Richard Edwards dymor da fel diacon i Ebeneser, Rhos-meirch, ac onid 'diacon' oedd ei Feistr?

Heb os, bu Llewelyn Lloyd yntau yn ddiacon da i'w braidd. Bu yn eu plith fel un yn 'gweini'. Fu neb erioed â mwy i'w gynnig i'r weinidogaeth nag ef. Fe rannodd ei hun i'w gymdeithas, yn ddawn a dysg ac argyhoeddiad. Yr oedd yn ddyn bach bywiog, hwyliog a hynod o ddiddan ei gwmni.

Ni fyddai raid iddo wrth ryw ganllawiau crefyddol i gynnal sgwrs. Galwai'n gyson heibio i Gruffydd Richard, Penycoed, Rhosmeirch, nad oedd yn ddiacon na swyddog Eglwysig ond byddai wrth ei fodd yng nghwmni'r gweinidog a'r gweinidog wrth ei fodd yn ei gwmni yntau. Pobl yr ardal fyddai testun y sgwrs, y doniol a'r dwys. Byddai'r ddau ar yr un donfedd a fyddai dim siarad siop na seiat rhyngddynt. Yn syth wedi claddu'r gweinidog yn Rhagfyr 1962 fe bwrcasodd gŵr Penycoed lecyn wrth ochr bedd ei weinidog ar gyfer ei fedd ei hun; lle bu erioed well cymeradwyaeth i weinidog? 'Da was da a ffyddlon, mi fuost ffyddlon ar ychydig iawn.'

Yn sicr, bu yn was hynod o fuddiol i Fôn a'i gyfraniad yn werthfawr iawn, fel y dywedodd y barnwr Eifion Roberts fel Llywydd y Dydd yn Eisteddfod Môn, Biwmares, 1964, flwyddyn neu ddwy wedi claddu Llewelyn Lloyd: 'Cofiaf yn dda am y cerddor byrgoes hwnnw, Llewelyn Lloyd, a'i fas dwbl a oedd yn fwy nag ef ei hun, golygfa nas anghofir yn siŵr. Ond faint a fyddem yn ei wybod am gerddorfa offerynnol ym Môn heddiw oni bai am ddycnwch y cerddor hwnnw a'i gyfraniad rhyfeddol fel athro cerdd ac arweinydd cerddorfa?'

Cydnabyddir:
Staff Archifdy Rhuthun.
Ann Mary Williams, Rhosmeirch.
Richard H. Edwards, Rhosmeirch.
Richard John a Nan Griffiths, Rhostrehwfa.
Ellis Wyn, Bodffordd.
Marian Lloyd, Benllech.
Gwyn Jones, Y Borth.
John ac Eunice Williams, Waunarlwydd, Abertawe.
John Watcyn, Conwy.
Mr a Mrs J. O. Hughes, Amlwch.
Gwyneth a Catherine, Dulas.
Tros y Tresi, Huw T. Edwards, Gwasg Gee, 1956.
Elen Roger Jones, Harri Parri, Gwasg Pantycelyn, 2000.
Crwydro Gorllewin Dinbych, Frank Price Jones,
Llyfrau'r Dryw, 1967.
Llawlyfr Undeb Môn, Gol. Emrys Hughes,
Gwasg John Penri, 1964.
Môn, 'Y Gŵr Amryddawn', T. H. Smith, Gwanwyn 1964.
Yr Arwydd, Medi 1966, 'Dwy Gerddorfa', Elen Roger Jones.

EMLYN JOHN
(1917–   )

Aelodau o Gyngor Myfyrwyr (S.R.C.) y Brifysgol Bangor,
1943–44; Emlyn John, yr ysgrifennydd, yn y cefn ar y chwith.

Dywedodd Daniel Owen, fel y dyfynnir yn *Gweision Gwahanol* (Llyfrfa'r MC, Caernarfon, 1974, t. 95), ar ôl clywed Evan Dafis, Cilcain, yn pregethu ym Methesda'r Wyddgrug un tro: 'Dyma'r tebycaf iddo ef ei hun a fu yn y pulpud hwn ers blynyddoedd.' Fel cyfaill a chymydog i'r Parchedig Emlyn John ers dros ddeugain mlynedd, mi ddywedwn innau yn gwbl ddibetrus, mai dyma'r cymeriad tebycaf iddo ef ei hun a adnabûm ac a glywais erioed. Nid amcanodd fod yn neb arall ond ef ei hun, beth bynnag a olygai hynny. Dyma yn siŵr a'i gwna'n gymeriad mor wahanol, yn ddiddorol o wahanol. Bûm yn dyfalu droeon pa ddeunydd a roddwyd ynddo ac ym mhle y cafodd y Crochenydd dwyfol y fath ddeunydd. Rwy'n eithaf siŵr fod a wnelo ambell fro ac ardal â chynhyrchu y math yma o bobl. Beth bynnag am hynny, y mae lle i ofni fod y mowld a batryma bobl wreiddiol wedi ei ddiddymu.

Byddai Mam yn gwneud blwmonj ers talwm, nid mewn powlen ffansi batrymog ond mewn hen bowlen degan wen a chrac ddu hir ar draws ei chwman. Rhyfeddem ni'r plant o weld mor debyg fyddai'r blwmonj i'r bowlen a'i lluniodd. Yr oedd yr un crac yn union yn y blwmonj ag a oedd yn y bowlen. Tybed ai rhywbeth fel yna ydi dylanwad cynefin ac ardal ar gymeriad? Wedi dros hanner can mlynedd ym Môn y mae Emlyn John wedi cadw acen gogledd Penfro heb ddylu dim arni. Fe berthyn iddo nodweddion a'i lleola'n hwylus ym Mynachlog-ddu, y darn gwlad hwnnw rhwng dwy afon – y Witwg i Grymych yn y gogledd, a'r Wern i'r de a Llangolman, fel y canodd Waldo,

> A'm llawr o'r Witwg i'r Wern ac i lawr i'r Efail
> Lle tasgodd y gwreichion sydd yn hŷn na harn.
>
> ('Preseli', *Dail Pren*,
> Gwasg Aberystwyth, 1957, t. 30)

Credir yn siŵr mai'r 'Efailwen' sydd ym meddwl y bardd yma, lle tasgodd gwreichion gwrthdaro Beca tua chanol y bedwaredd ganrif ar bymtheg, pan ymosododd terfysgwyr ar y tollbyrth. Yma, rhwng y ddwy afon y ganwyd ac y magwyd Emlyn John, ac er mwyn ei adnabod yn well mae'n rhaid gwybod rhywbeth am Fynachlog-ddu ym mro'r Preselau. Rwy'n eithaf siŵr y bu'r ardal nodedig hon a'i phobl yn ddylanwad neilltuol iawn yn y broses o batrymu'r cymeriad hwn. Wrth feddwl am y fro daw cwpled enwog R. Williams Parry o 'Eifionydd' i'r cof,

> Hen, hen yw murmur llawer man
> Sydd rhwng dwy afon yn Rhoslan.

Dyma gyfeiriad, yn ôl John Gwilym Jones mewn darlith yn y Brifysgol yn 1956, at y ddwy afon, y Tigris a'r Ewffrates, a rhyngddynt gorweddai gwely gwareiddiad hen Babilonia. Gwyddai'r bardd yn burion y bu'r llecyn hwnnw rhwng y ddwy afon yn Rhoslan hefyd yn fagwrfa i feirdd, emynwyr a llenorion da.

Rhwng y ddwy afon, y Witwg a'r Wern, y dysgodd y bardd mawr, Waldo Williams, yr iaith Gymraeg gynt ac yntau'n hogyn deg oed. Yn yr ysgol yng nghysgod y Preselau, gyda help Morfudd, ei chwaer, y syrthiodd mewn cariad â barddoniaeth Gymraeg. Ac, yn siŵr, tirlun y fro hon a fu'n ysbrydoliaeth i'w farddoniaeth ac a fu'n destun myfyrdod ar themâu ehangach – yn bennaf heddwch byd. Yma y meithrinodd ryw annibyniaeth barn; yma y gwerthfawrogai'r mur a fu'n fantais i feithrin y fath farn – Moel Drigarn, Carn Gyfrwy a Thal Mynydd. Rhwng y bryniau hyn y cododd un o'n beirdd mwyaf heb ffug na ffalsedd ar ei gyfyl. Yr oedd natur carreg las y Preselau yn nodweddu gwytnwch anhygoel y bardd.

Ar ffin y plwyf, mewn bwthyn bach llwm o'r enw 'Llety', y ganwyd ac y magwyd Niclas y Glais. Gŵr y chwyldro fu yntau gydol ei oes. Oherwydd iddo gael ei boeni gan yr heddlu a'i gondemnio gan wrthwynebwyr gwleidyddol a chrefyddol am iddo siarad yn erbyn y rhyfel, dysgodd Nicholas a'i wraig grefft deintyddiaeth. Perthynai iddo yntau annibyniaeth barn a rhyw wytnwch di-ildio yn wyneb pob rhyw fygwth a fu arno. Fe'i magwyd yntau, y deintydd o heddychwr a'r pregethwr comiwnyddol, ym mro'r Preselau. Ond, ar wahân i'r cymeriadau amlwg hyn, magwyd sawl gwerinwr diwylliedig na fu cyfrif ohonynt ym mhlwyf Mynachlog-ddu, a gwn fod Emlyn John yn cyfrif ei fargen o gael ei fagu a'i fwydo ymhlith y rhai hyn. Yr oedd E. T. Lewis, yr ysgolfeistr, yn ddylanwad da yn yr ardal. Âi Emlyn John hefyd, ar ei dro, i efail y gof ym Mhen'rallt i chwythu'r fegin ac i ymgomio â'r gof diddan hwnnw wrth ei waith.

Ar wahân i ddylanwad ardal a bro, y mae gan etifeddeg gryn ddylanwad arnom. Ni allwn ddianc rhag hon. Yn ôl cyfaill i Emlyn, sef Benjamin G. Owen, Aberystwyth, a fagwyd yng Ngallt y Gog, Mynachlog-ddu, y mae bendithion Emlyn John yn ddeublyg – wedi'i fagu ym Mro'r Preselau ac, yn bwysig iawn, yn hanu o deulu enwog y Johniaid, Sir Benfro. Yn ôl y sôn roeddynt yn deulu pur ganghennog a nodweddid gan wreiddioldeb naturiol a rhyw lewder dihafal. Y glewder hwnnw a'u gyrrai ymlaen yn wyneb pob rhwystr ac nid ar chwarae bach y byddai'r Johniaid yn ildio. Ni châi'r hynafgwr o Aberystwyth fawr o drafferth i nodi enghreifftiau o lwyddiant y teulu. 'Arhoswch,' meddai, 'dyna Denzil John yn weinidog ar un o'n heglwysi mwyaf yn y brifddinas, a Sheila Saer, un arall o'r Johniaid yn is-ysgrifennydd y Sioe Frenhinol; enillwyd y Rhuban Glas gan un arall o'r teulu. O ia, y mae'r glewaf ohonynt i gyd efo chi yn Sir Fôn!'

Eithaf gwir, dyma'r glewaf o'r teulu yn siŵr. Fe'i ganwyd ar yr wythfed o Ionawr 1917 yn un o wyth o blant William a Jane John, y Dolau Newydd ym mhlwyf Mynachlog-ddu. Gadawodd yr ysgol elfennol yn bedair ar ddeg oed. Dim ond i ychydig iawn yr oedd amgylchiadau yn caniatáu addysg bellach yn yr oes honno. Pedair ar ddeg oedd oed gadael ysgol yn nau a thri degau'r ganrif ddiwethaf. Ond fe lwyddodd y prifathro, E. T. Lewis, i ddeffro awch ac awydd yn Emlyn am fwy o wybodaeth er gwaetha'r amgylchiadau. Ac er iddo adael yr ysgol ni chefnodd ar addysg ac ymchwil, a chyda phrociad yr athro a chyfeillgarwch ei weinidog, fe gadwyd y fflam ynghynn.

Ond blynyddoedd llwm a thlawd oedd dechrau'r tri degau ac nid oedd fawr o ddewis i Emlyn, yn un o wyth o blant, ond bwrw prentisiaeth i ddilyn crefft gyntaf dynol-ryw, crefft nad ymadawodd â hi gydol ei oes. Yr oedd bywyd yn galed ar dir mynyddig a'r dyddiau'n ddrwg ryfeddol i amaethu. Âi William John, y tad, i lawr i Gwm Aberdâr i ennill ychwanegiad at ei enillion prin ar adegau, gan adael y fferm yng ngofal un neu ddau o'r meibion a'u mam. Wedi blwyddyn gartref i galedu peth cyflogwyd Emlyn gan Caleb James, Bryngolman, ym mhlwyf cyfagos Llangolman, yn agos i Ffynnon Samson. Bu cwmni a chymdeithas y gwerinwr gwreiddiol hwn yn ysgol werthfawr i'r llanc o Fynachlog-ddu. Yr oedd nodweddion y fro yn drwm ar Caleb; ni phlygai ronyn i gonfensiynau'r dydd ac ni chafodd y gwas drafferth yn y byd i gydymffurfio â'i feistr – onid oedd yr un anian ynddo yntau? Ymorchestai'r ddau mewn dal a thorri ebol cwbl ddidoriad, 'ar yr hwn nid eisteddodd dyn erioed'. Bodlonid Caleb Jones yn fawr wrth wylio'r ysgarmes rhwng y gwas a'r ebol – y gwron glew yn dofi'r gwylltineb. Y mae sawl stori am was bach Bryngolman a'i feistr yn dal a dofi ceffylau, gwaith a ofynnai am arbenigrwydd y joci. Cyflawnid holl waith y fferm bryd hynny gan geffylau a chedwid cyfrif da ohonynt ym mhob fferm o faint.

Ond er cymaint o foddhad a gâi Emlyn ar y fferm, mae'n amlwg fod tynfa i gyfeiriad arall. Nid yw hi fyth yn hawdd newid cyfeiriad mewn galwedigaeth, ac yn siŵr nid oedd hi'n hawdd i lanc ifanc ar ddechrau tri degau'r ganrif ddiwethaf wneud hynny. Gadawodd Emlyn Fryngolman yn 1933 a daeth adref i ddigon o waith a gwell cyfle i ystyried y dyfodol. Os oedd hi'n ddyddiau tlawd a chaled i wneud bywoliaeth wrth odre'r Preselau, yr oedd yna ryw gyfoeth rhyfeddol yn y gymdeithas ym Mynachlog-ddu, gyda Bethel, capel y Bedyddwyr, yn ddylanwad mawr, yn enwedig ar y bobl ifanc. Dywedodd Benjamin George, mewn sgwrs ffôn yn ystod Ionawr eleni, mai dyma'r plwyf mwyaf Bedyddiedig yn y wlad! Yr oedd Benjamin yn ddeuddeg oed pan welodd y capel Methodist cyntaf erioed, pan aeth i Ysgol Uwchradd Aberteifi – hen gapel Moelwyn oedd hwnnw. Bu raid iddo aros am chwe blynedd arall cyn y gwelodd y capel Wesla cyntaf erioed, a hynny pan aeth i'r Coleg yn Aberystwyth. Nid oedd dewis ym Mynachlog-ddu, Bethel y Bedyddwyr neu Eglwys y Plwyf, ac nid oedd neb yn mynd yno ond y person a'i ddwy ferch. Yn ôl pob sôn yr oedd gweinidog Bethel yn llond ardal o ddyn – y Parchedig Robert Parri Roberts. Yr oedd yn ddyn cadarn ac ynddo ryw garisma hudolus. Gŵr o Fodedern ym Môn ydoedd ac er treulio'i oes yng ngogledd Penfro, ni chollodd acen ei sir enedigol. Dechreuodd ei weinidogaeth yn Ffordd Las, ger Cyffordd Llandudno, a bu yno o 1912 hyd 1924. Derbyniodd alwad i Fethel yn 1924 a bu yno yn frenin ar ei deyrnas hyd derfyn ei oes, ar y seithfed ar hugain o Fai 1968. Yr oedd yn ddyn o feddwl dwfn ac o argyhoeddiadau cymdeithasol cryfion. Nid oedd ynddo ddim gweniaith na ffalsedd, rhinwedd a fu'n gaffaeliad i ffurfio dolen o gyfeillgarwch rhyngddo a llawer o ieuenctid yr ardal, ac yn arbennig ag Emlyn John.

Pan holais fy nghyfaill am ei alwad neu'r cymhellion i'r weinidogaeth, y math o gwestiynau sy'n arferol i'w gofyn, a chwestiynau y mae digonedd o atebion confensiynol parod ar eu cyfer, mi ddylaswn wybod yn amgenach a pheidio gofyn cwestiynau mor ffôl. Rhoes gilwg sydyn ac meddai, 'Edrych 'ma, os oedd yna gymhelliad o gwbwl i'r weinidogaeth, cymhelliad o'r tu fas ac nid o'r tu fewn oedd o.' Gwelai yn y weinidogaeth gyfle a rhyddid i wasanaethu dyn a'i gymdeithas. Rhoddais gynnig arall arni, gan holi a oedd ganddo arwr a fu'n gymhelliad iddo ddechrau ar baratoad i'r weinidogaeth? Beth am Parri Roberts? 'Na, nid arwr oedd y gweinidog i mi,' meddai, 'fy mherthynas â Parri Roberts

oedd cyfeillgarwch arbennig – dau ar yr un gwastad.'
Gwyddwn fod ganddo ormod o annibyniaeth barn i wneud
neb yn arwr. Gwn yn iawn fod i 'gyfeillgarwch' ddyfnder
rhyfeddol i Emlyn John, a dyna oedd ei berthynas â'i
weinidog – dau ar yr un gwastad. Pan ddywedodd yr Athro
D. Eirwyn Morgan wrth Emlyn, wedi deall am farw Parri
Roberts, 'Alla i feddwl iddo adael llawer iawn o'i stamp arnat
ti,' meddai Emlyn: 'Do, debyg iawn. Y mae pawb ohonom yn
gynnyrch rhyw ddylanwadau, ac fe gafodd rhai freintiau y
gellir ymfalchïo ynddynt ... Ie, braint fwyaf fy mywyd
ydoedd 'nabod Parri Roberts, oedi yn ei gwmni a bod yn
aelod distadl o Ysgol y Proffwydi a losgodd gymaint o lo a
golau yn "Academi Brynhyfryd".'

Bydd rhaid gwybod rhywbeth am yr 'adnabod' yna i
ninnau adnabod Emlyn John. Cynnyrch dylanwad yr enaid
rhyfeddol Parri Roberts yw Emlyn, pan fu iddo oedi yn ei
gwmni ar y groesffordd sensitif rhwng y fferm a'r coleg yn ei
hanes. Nid arwr i ryfeddu a dotio ato oedd arno eisiau ond
cymhelliad a chyfeiriad i fynd ymlaen, ac fe'i cafodd gan ei
weinidog. Ond nid stydi fwll ac aroglau mwg cetyn fyddai'r
unig fan cyfarfod i'r athro a'i ddisgybl. Y mae'n gof gan
Hedd, mab Parri Roberts, am y ddau ar fore braf o wanwyn
yng ngardd Brynhyfryd a'u rhawiau coeshir yn rhwygo'r tir;
Emlyn John yn palu a'r gweinidog yn plannu. Fu erioed y
fath sgwrsio mewn gardd a'r ddau â'u trwynau tua'r ddaear.
Credai Hedd fod rhywbeth mwy o lawer na thrin yr ardd yn
digwydd. Yr oedd yna fraenaru arall yn digwydd yn siŵr ac fe
heuwyd had a oedd i dyfu gydol gweinidogaeth Emlyn.

Cafodd yr had radicalaidd a heuwyd yn dyner ddyfnder
daear, gan bwyll, yn enaid y llanc hwn. Bu i'r 'cylch trafod'
yng nghegin Brynhyfryd ddyfnhau'r angerdd a goleuo peth
ar ei lwybr. Nid oedd yn hawdd i fachgen a adawodd yr ysgol
yn bedair ar ddeg oed ailgodi'r mesglyn o addysg ffurfiol eto.
Ond yr oedd eisoes, ac yntau ond ifanc, wedi magu rhyw
ethos o annibyniaeth gwrth-sefydliadol yng nghwmni ei
weinidog. Yn y cwmni hwnnw y sylweddolodd fod Cymru a'i
hiaith yn rhyfeddol o bwysig ac yn y seiat anffurfiol honno fe
werthfawrogid hawl pawb i fyw yn unol â'i gydwybod. Ar un

wedd, tybed na chafodd y myfyriwr hwn ragorach manteis-
ion na'i gyd-fyfyrwyr?

Taniwyd fflam yr heddychwr, nas diffoddwyd, yn enaid
Emlyn gan ddewrder Parri Roberts a Joseff James yn arwain
ymgyrch yn erbyn bygythiad y Swyddfa Ryfel i gymryd tir
ym mro'r Preselau i ymarfer eu crefft filitaraidd. Byddai
Parri Roberts wrth ei fodd yn ail-fyw y digwyddiad hwnnw,
wrth gofio fel y galwyd pobl y cylch i gyfarfod yn festri
Bethel i drafod strategaeth i achub y tir. Yr oedd bywoliaeth
pobl y mynydd yn y fantol gan ddihirod yn dysgu lladd –
colli treftadaeth i'r rhain? Fel y dywed T. J. Davies yn ei lyfr
Namyn Bugail am yr achlysur, 'Bu dylanwad y frwydr hon ar
fywyd yr ardal fel diwygiad – grymusodd fywyd y capeli.
Gwroniaid y frwydr oedd Parri bach a Joseff James.' Wedi'r
cwbl y mae'r Efailwen yn agos at Fynachlog-ddu mewn mwy
nag un ystyr, ac amlwg fod cyffro cymdeithasol helyntion
Beca tua 1839 yn loetran yn y fro hon ar ôl can mlynedd. Yn
yr ysbryd hwnnw y llwyddwyd i 'gadw'r mur rhag y bwystfil,
a'r ffynnon rhag y baw'.

Wedi'r math yna o fedydd yn 'Academi Brynhyfryd' a
dewrder pobl ei fro y cychwynnodd Emlyn John ar bererin-
dod mor ddieithr, fel Abram gynt; 'aeth yntau allan heb
wybod yn iawn i ba le yr oedd yn myned.'

Cam cynta'r daith fu tymor yn Ysgol Baratoi'r Parchedig
Powell Griffiths, Rhosllannerchrugog. Yr oedd yntau'n gryn
radical ac erys ei ddylanwad ar Emlyn o hyd. O bryd i'w
gilydd, wedi gwell na thrigain mlynedd, fe sonia yn annwyl
iawn am ei hen athro gan ryfeddu at ei amynedd a'i
oddefgarwch yn gwneud gwaith mor rhagorol o ddeunydd
digon anhydrin! Disgyblion heb ddim ond addysg sylfaenol
oeddynt ac, fel Emlyn, wedi gadael yr ysgol yn bedair ar ddeg
oed. Fe weithiodd ef mor ddyfal â neb yno a buan iawn y
daeth glewder y Johniaid i'r golwg! Wedi mesur da o
lwyddiant yn y Rhos a chyrraedd safon y 'matriculation'
bondigrybwyll, fe'i cyfarwyddwyd i ddilyn cwrs dan y
'Correspondence' o Wolsley Hall, Rhydychen. Gan na châi
geiniog o grant o unman, aeth adref i weithio ar y cwrs hwn a
chael gwaith rhan-amser at ei gynnal. Cafodd waith gan ficer
y plwyf, cymeriad nodedig iawn, yr hen deip o berson plwyf.

Hanai William Evans o Goginan yn Sir Aberteifi. Yr oedd erbyn hyn yn ŵr gweddw a chanddo ddwy ferch a morwyn, a dyna faint ei gynulleidfa ar y Sul. Gan na allai'r ddwy chwaer gyd-fyw, trefnwyd bod un yn cysgu'r nos a'r llall yn cysgu'r dydd. I bwrpas ychwanegu at ei gyflog yr oedd gan y person anferth o dŷ gwydr i dyfu tomatos. Ar yn ail â thyfu'r llysiau hyn, fe gadwai William Evans gannoedd o ieir. Yn ystod y tymor hwnnw claddu'r ieir marw fyddai prif swydd y gwas bach! Gan na chredai'r person y dylid eu bwydo nid oedd dim amdani ond marw. Yn yr un modd byddai'r cynhaeaf tomatos yn fwy o golled nag o ennill. Ond, er gwaetha'r colledion, fe gâi Emlyn ei gyflog yn rheolaidd a chinio gwerth eistedd wrtho yng nghwmni 'merch y dydd' a'i thad. Daw gwên i wyneb Emlyn o hyd wrth sôn am yr hen berson gan ddyfynnu un o'i ddywediadau yn nodi ei syniad am waith. 'Wel, tydi hi'n fawr o job, ond mae hi beth yn well nag oedd hi gynt.'

Ond beth bynnag fu colledion tŷ gwydr y person, cafodd Emlyn John lwyddiant yn ei ymdrechion. Daeth yn ail yn ei ddosbarth yn y 'matriculation' yn 1938 a bu i Goleg y Bedyddwyr, yn naturiol, ei gymeradwyo i'r Brifysgol ym Mangor, lle cafodd ei dderbyn yn efrydydd yn 1939 – blwyddyn dechrau'r Ail Ryfel Byd.

Astudiodd Gymraeg ym Mangor dan Syr Ifor Williams, Thomas Parry ac R. Williams Parry. Ni bydd ball ar ei ganmoliaeth ohonynt – pwy all fesur maint cyfraniad y tri hyn? Bu'n lletya – ac roedd lletya yn rhan bwysig iawn o fywyd myfyriwr bryd hynny – gydag Aneurin Davies, Gwilym Iorwerth, Glyn Jones (Aberdaron), John Wyn Williams (Hen Golwyn) ac Aled Roberts (y Felinheli). Dim ond Aneurin ac Emlyn sydd ar ôl bellach.

Roedd y rhyfel yn effeithio ar bawb a phopeth ac nid oedd bywyd y coleg yn normal iawn. Yn ei drydedd flwyddyn ymunodd Emlyn, gyda thri arall, fel gwylwyr tân y coleg. Yr oedd hon yn swydd gyfrifol iawn, ac fe ymddiriedwyd holl allweddau'r coleg iddynt: Emlyn, Llew Madog, Tomi Morris a Joseff Elfed Lewis. Yr athro Hebraeg, H. H. Rowley, oedd yr Is-brifathro a chanddo gyfrifoldeb am ddiogelwch yr adeiladau. Nid rhyfedd iddo ddewis y gwŷr hyn yn wylwyr ar y mur! Yr oedd i'r swydd rai manteision amlwg, caent un o'r ystafelloedd ymchwil iddynt eu hunain a chaent frecwast sylweddol a hwnnw'n rhad ac am ddim. Parhaodd y swydd hon hyd Hydref 1944.

Er gwaethaf y rhyfel a'i heffaith ar fywyd y coleg, eto fe fanteisiodd Emlyn John ar holl fywyd y Brifysgol a bu yn aelod hynod o ddefnyddiol ym mywyd y Coleg. Fel ym mhob cylch arall y bu ynddo, fe ganfuwyd fod gan Emlyn gymwysterau arbennig iawn i fod yn ysgrifennydd i gymdeithas neu achos. A heb os, mae llwyddiant, neu aflwyddiant unrhyw gymdeithas, yn dibynnu'n hollol bron ar yr ysgrifennydd. Gwn y cytuna'r neb sy'n adnabod Emlyn John yn go dda ei fod yn ysgrifennydd tan gamp. Medd ar ddawn i ddilyn a deall trafodaeth bwyllgor, ac wedi'r pwyllgor, i fynd ati'n ddiymdroi i anfon gohebiaethau ac ailgopïo a darllen y cofnodion yn ofalus. Cofia'n barhaus gyngor D. J. Williams iddo, 'Os oes raid gwneud rhywbeth, y ffordd orau i'w wneud ydi mynd ati'n ddiymdroi.' O ganlyniad i'r ddawn neilltuol hon o'i eiddo bu Emlyn yn ysgrifennydd ar odid bob cymdeithas a berthynai i'r Brifysgol. Bu'n ysgrifennydd yr Eisteddfod Ryng-golegol (1942-43) a olygai gryn fedrusrwydd gan na chaniateid teithio o le i le oherwydd y rhyfel; o ganlyniad fe grwydrai'r beirniaid o gylch y colegau a bu'n rhaid i'r ysgrifennydd druan drefnu'r teithiau. Fe'i hetholwyd hefyd yn ysgrifennydd Cyngor Myfyrwyr y Brifysgol (S.R.C.) yn ystod llywyddiaeth Glenys Jones Williams, gydag Ann Edwards o Gaergybi yn is-ysgrifennydd. Fel y gallesid disgwyl, ef oedd ysgrifennydd Cangen Plaid Cymru tra y bu yn y coleg. Yn y cyfnod hwn hefyd yr oedd math ar gymdeithas gudd yn perthyn i'r coleg, 'Cymdeithas y Tair P' y'i gelwid. Gwarchod y Gymraeg oedd ei phrif ddiben a sicrhau y byddai Cymro neu Gymraes yn sefyll mewn etholiad i'r gwahanol gymdeithasau o fewn y coleg. Pwy yn well nag Emlyn John fel ysgrifennydd y fath gymdeithas?

Er nad oedd yn actor o unrhyw fath, eto fe'i dewiswyd yn ysgrifennydd Cymdeithas Ddrama'r Coleg hefyd. Dyna gryn record i unrhyw fyfyriwr a hynny'n brawf o'i allu a'i gymhwyster neilltuol yn ogystal â bod yn brawf o'i boblogrwydd ymhlith ei gyd-fyfyrwyr.

Er ei holl weithgareddau, a hynny mewn cyfnod digon ansefydlog, graddiodd Emlyn gydag anrhydedd ar derfyn tair blynedd. Yn ystod y blynyddoedd prysur a llawn hyn fe gyfarfu â Gwyneth, merch â'i gwreiddiau yn ddwfn yn Nyffryn Nantlle. Roedd Gwyneth yn fyfyrwraig yn y Coleg Normal ac o'r un anian ac yn rhannu'r un argyhoeddiadau cenedlaethol ag Emlyn. Bu'n athrawes ymroddedig ar staff Ysgol Eifionydd, Porthmadog; Ysgol Syr Thomas Jones, Amlwch ac, am ugain mlynedd, yn bennaeth yn yr Adran Addysg Arbennig. Ar gyfrif ei sêl dros yr iaith a'r diwylliant Cymraeg, ymroes i hyfforddi a dysgu sawl cenhedlaeth o blant i adrodd a chydadrodd. Cafodd lwyddiant rhyfeddol dros y blynyddoedd gan iddi ennyn diddordeb sawl plentyn mewn adrodd a chystadlu. Uchafbwynt y flwyddyn iddi fyddai Eisteddfod Genedlaethol yr Urdd a daeth ei pharti cydadrodd â sawl gwobr yn glod i'w hysgol ac i'w sir. Bu farw Gwyneth yn gymharol ifanc, yn ystod wythnos Eisteddfod yr Urdd, Bro Glyndŵr.

Ar derfyn tair blynedd o gwrs diwinyddol gradd B.D. daeth galwad i Emlyn gan ddwy Eglwys Fedyddiedig – Cemais a Mynydd Mechell yng ngogledd-orllewin Môn. Derbyniodd yr alwad gyda'r syniad o gwblhau ei radd. Erbyn hyn roedd yn 1945 a'r rhyfel newydd orffen; daeth Emlyn i Gemais ac yn unol â'i anian a'i natur ymdaflodd i'w waith gan anghofio'r cwbl am orffen y B.D! Yr oedd hynny'n resyn gan fod meddwl uchel ohono gan y Prifathro, John Williams Hughes, a J. T. Evans, ac erys dylanwad y ddau yn drwm arno. Yr oedd Cemais yn bell iawn o Fangor bryd hynny, yn llawer rhy bell i Emlyn ymdrafferthu mynd yn ôl a blaen i'r coleg. Ni chafodd drafferth yn y byd i ymgartrefu ar lan y môr er ei fod mor wahanol i'r wlad ym mro'r Preselau. Cafodd gymdogion da yn llawn cefnogaeth yn y Parchedigion Daniel Aubrey, Gruffydd Owen a Morris Jones, y person.

Daeth Gruffydd Owen i Gemais at y Presbyteriaid ddwy flynedd ynghynt, yn ddyn ifanc talgryf, llawn egni ac yn fwrlwm o syniadau ac wrth ei fodd yn arbrofi ei ddelfrydau ar y saint. Dyma, heb os, y gweinidog mwyaf brwdfrydig fu gan y Presbyteriaid. Canmolai Emlyn John iddo gael cwmni gŵr fel Gruff Owen i ddechrau ei weinidogaeth. Sefydlwyd Cymdeithas Eglwysi Cyngor Undebol ganddynt a bu cryn lafur a llwyddiant iddi. Trefnwyd, dan nawdd y Gymdeithas, Ŵyl Bregethu flynyddol o bum oedfa. Dan nawdd y Gymdeithas eto gwahoddid yr holl ardal, yn enwedig y rhai na fynychai lan na chapel, ar nos Sul i neuadd y pentref. Ni chafwyd fawr o hwyl ar y fenter hon, a Gruff Owen oedd y cyntaf i gydnabod hynny, a dyna ran o'i fawredd.

Yn ystod y blynyddoedd bu cryn newid a symud ymhlith gweinidogion a phersoniaid cylch Cemais. Ond arhosodd Emlyn John i weld sawl tro ar fyd ac eglwys – gan aros am yn agos i drigain mlynedd. Torrodd lwybr iddo'i hunan fel gweinidog a hwnnw'n llwybr unigryw a chwbl wahanol. Nid oes dim yn debyg i weinidog gwahanol! Yn wir bu Emlyn John fel lefain yn holl fywyd y gymdeithas. Bod o wasanaeth cyffredinol i bawb, heb falio beth fyddai natur y gwasanaeth hwnnw, nac ychwaith i bwy y cyflawnid y gwasanaeth – dyna ystyr y weinidogaeth Gristnogol iddo. Rwy'n cydnabod nad oes modd cau Emlyn na'i weinidogaeth i unrhyw ffrâm gyfundrefnol. Bron na ddywedwn iddo batrymu ei weinidogaeth, heb yn wybod, ar anogaeth ei nawddsant: 'Byddwch lawen, cedwch y ffydd a gwnewch y pethau bach a welsoch ac a glywsoch ynof fi.' Gydol y blynyddoedd cyflawnodd y gweinidog hwn y pethau bach – y pethau bychain hynny y mae hi mor gynddeiriog o anodd cael neb i'w cyflawni a'r pethau hynny na cheir dim sylw wrth eu cyflawni. Ni chafodd ei raw, na'i bladur na'i gryman chwaith erioed segurdod ganddo i gasglu rhwd, a chofier nid yn ei ardd ei hun, na'i wrychoedd ei hun, nac ychwaith wrth dorri ei lawnt ei hun, y bu'n gloywi'r arfau hyn. Gwyddai Emlyn yn iawn pwy fyddai angen help i dorri'r borfa, neu wrych pwy a ddylai gael ei thorri. Nid ar ddydd angladd mewn siwt ddu a chrys gwyn y gwelid gweinidog Calfaria yn y fynwent ond ar unrhyw awr gyda'i gryman brathog yn twtio ac yn tacluso o gwmpas pob bedd, boed hwnnw yn fedd y Pharisead culaf neu'r pechadur pennaf. Gyda'r blynyddoedd daeth yn gryn giamstar ar beiriannau newydd a'r ffefryn ohonynt i gyd oedd y stribynnwr. Mwynhâi ei hun yn y tes a'r gwres yn llyfnhau rhwng y cerrig beddau hefo'i stribynnwr. Tra byddai pob person plwyf a gweinidog yn cwyno hyd at syrffed am gyflwr jynglaidd y mynwentydd byddai Emlyn yn mwynhau'r gwaith ei hun – 'yn gwneud y pethau bychain'. Fe ddywed John Watson yn un o'i bregethau yn y *Book of Best Sermons* (t. 123), 'To serve the Highest I must take the place of the lowest.' Emlyn John yw'r unig weinidog y gwn i amdano a gyflawnai'r ddelwedd yna.

Tystia ffermwyr y gymdogaeth i ddycnwch a llafur y gweinidog ar ddiwrnod cynhaeaf. Byddai partneriaeth dda rhyngddo a'r bicfforch a'r gribin. Codai wair rhydd o'i fwdwl ochr yn ochr ag unrhyw ddyn ddwywaith ei faint ond er ei gariad at gribin a phicfforch, buan iawn y bu iddo ddygymod â'r bêls beichus.

Rwy'n cofio cydgerdded ag ef o gae gwair cymydog ar nos Sadwrn braf, a'n dau wedi fflarbio'n lân. Stopiodd yn sydyn a chan godi'i fys ataf, 'Edrych 'ma,' meddai, 'rwy'n hanner cant oed heddi.' Gwyddwn nad oedd yn dymuno dathliad o unrhyw fath; cyfle oedd hyn i ddweud rhywbeth arall. 'Clyw, tydw i mo'r dyn o'n i'n arfer bod. Mi fyddi'n cofio fy ngeirie, pan fyddi dithau yn hanner cant o'd.' Y nefoedd yn unig a ŵyr sawl awr o wasanaeth a roes yn y cynhaeaf i dyddynwyr y gymdogaeth. Llwyddai i gyflwyno'i hun yn y fath fodd fel y credai pawb ei fod i *fod* yno! Yn ei waith mynnai gymryd at ben trymaf pob baich a gwyddai i'r dim, ar ddiwrnod gwair, ym mhle y byddai fwyaf ei angen. Rhoes oriau o wasanaeth i'r ardaloedd yn cyflawni caledwaith heb ddisgwyl tâl na sylw. Yn wir, allai'r un pwyllgor nac oedfa ei dynnu o'r cae gwair gan y mynnai mai yno yr oedd y gofyn mwyaf amdano.

Yr oedd hefyd yr un mor fedrus a'r un mor bleserus gyda'i frwsh paent. Y mae sawl tŷ a chartref yn yr ardal y bu gofal y gweinidog yn eu cadw dan gaenen o baent. Ni châi heli'r môr na'r stormydd fyth gyfle ganddo i gam-drin ffenestri na landeri ei gapel ger y môr, ac er mor uchel yw'r talcen isaf, ni fyddai brig yr aden fyth o gyrraedd llyfiad ei frwsh. Yr oedd hyn, wrth gwrs, ymhell cyn bod sôn am Reolau Diogelwch! Byddai'r un mor barod ei gymwynas yn papuro a phaentio tu fewn i'r tai. Yn wir, daeth yn gryn arbenigwr yn y gelfyddyd o bapuro.

Cafodd wahoddiad i arddangos ei ddawn a'i gelfyddyd ar raglen deledu unwaith. Yr oedd ganddo arfau pwrpasol i bob gwaith a gwasanaeth; ni fu'r un garej gweinidog drwy'r deyrnas â chymaint o amrywiaeth mewn arfau – cymaint fel y byddai rhaid i'r car aros wrth y drws. Byddai ganddo ddillad gwaith ac esgidiau gweithio wrth law bob amser yng nghist y car. Heb ffws na ffwdan nac ystafell wisgo byddai Emlyn wedi newid i'w gêr gwaith ac mewn dim o dro roedd yn barod. Os bu 'Siôn bob swydd' erioed, Emlyn John yw hwnnw. Ond, i Emlyn, gwasanaeth a chymwynas oedd pob gwaith ac yn rhan iddo Ef o'r weinidogaeth Gristnogol. Fel Islwyn, y bardd, felly Emlyn John, 'mae'r oll yn gysegredig'. Cyflawnodd yntau'r pethau bychain, ac ni fu erioed was yng Nghwmwd Talybolion a weithiodd mor ddygn am gyflog cyn lleied.

Ond yr oedd gan Emlyn John stydi arall ac arfau eraill at ei waith. Bu'n weinidog ffyddlon a da mewn ystyr gyfundrefnol hefyd. Yr oedd ei air a'i gyngor, ei ofal a'i gariad at ei bobl yn destun edmygedd pawb ohonom. Nid yn unig y cyflawnodd y pethau na ddisgwylid i weinidog eu gwneud ond fe ddilynai'r patrwm hefyd gan gyflawni'r pethau a ddisgwylid ganddo. Bu'n ddarllenwr cyson a deallus ac ni ddeuai'r un gyfrol Gymraeg o'r wasg na fu iddo ei phrynu a'i darllen, gan amlaf y diwrnod y prynodd hi! Y mae'n ddarllenwr beirniadol hefyd ac os caiff damaid wrth ei fodd, nid oes taw arno. Tueddiad a themtasiwn pregethwr yw darllen i bwrpas pregethu yn unig. Byddai'r Parchedig Richard Williams, Amlwch, yn arfer holi am lyfr bob amser, 'Will it preach?' (tymor yn Llundain oedd i gyfrif am y Saesneg weithiau!) Ond i Emlyn John mae yna ystyriaeth lawer ehangach i lyfr nag ildio pregeth! Gwelai Emlyn bregeth mewn sefyllfa ac amgylchiadau cyfoes, yn lleol neu ar lwyfan byd.

Er hynny nid oedd Emlyn fyth yn cadw at y patrwm traddodiadol o weinidogaeth. Ni faliai am gadw cyfrif gofalus o'i ymweliadau â chartrefi ei ofalaeth. Fu ganddo erioed gardiau bach twt yn nodi ei gredensials na rhifo ei raddau a gofidio fod y teulu druan wedi colli ymweliad eu gweinidog y pnawn hwnnw! Ni fyddai rhyw damaid o gerdyn ffurfiol fel yna fyth yn nodi'n llawn rinweddau'r gweinidog hwn. Ac, wrth gwrs, nid rhyw berthynas fel yna oedd rhyngddo a'i bobl. Dyma fel yr ysgrifennodd am ei hen weinidog yn *Ffarwél i'r Brenin*, a olygwyd gan Idwal W. Jones, ac fe dystia pobl y cwmwd hwn yn ddibetrus yr un peth amdano yntau, '... eilbeth ei weinidogaeth lachar ydoedd cerdded tai ond byddai pob ymweliad o'i eiddo yn llond y tŷ.' Y mae Emlyn yntau yn llond tŷ o ymwelydd. Fe egyr yntau y drws, cerdda i mewn gan alw ar uchaf ei lais yn acen groyw Sir Benfro, 'O's 'ma bobol?' Beth bynnag fyddai ar droed byddai'n rhaid gollwng a gwrando. Gŵyr sawl cartref yn y gymdogaeth am ei alwadau distaw a dwys yn hwyr, hwyr y nos am fod rhywun annwyl yn wael. Nid darllen Salm na phenlinio i weddi a wna'r gweinidog hwn, yn hytrach mynnu i'r teulu fynd i orffwys ac yntau yn aros hefo'r claf ran helaeth o'r nos.

Ymddiddorai'n fawr mewn plant a phobl ifanc a bu'n gefn gwerthfawr iddynt gydol y blynyddoedd. Gwyddai sut i gefnogi a chymell y neb a fethodd a gwyddai'n burion hefyd sut i longyfarch yn gynnil yr un a lwyddodd. Bu'n am-ddiffynnol ohonynt yn wyneb pob beirniadaeth ac, er iddynt ei siomi droeon, daliodd i gredu'r gorau amdanynt.

Sefydlodd Glwb Ieuenctid yng Nghemais yn Neuadd y Pentref yn 1948 ar ei liwt ei hun, cyn bod Trefnydd Ieuenctid dan nawdd y Pwyllgor Addysg ym Môn. Yn y clwb fe gâi'r ieuanc fan cyfarfod â'i gilydd a goddef ei gilydd dan yr unto am ddwyawr. Ni fyddai ganddo fyth raglen benodedig ar eu cyfer; yr oedd yn holl bwysig i Emlyn eu bod yn dysgu goddef a chyd-fyw â'i gilydd. Cyfarfyddai'r clwb ddwy noson yr wythnos – nos Iau a nos Sadwrn ac ymdroai Emlyn yn eu mysg gan ennill eu cyfeillgarwch a'u parch. Yr oedd yr Arweinydd cystal chwaraewr tenis bwrdd â'r un ohonynt, ac fe ragorai ar y gorau ohonynt mewn gêm o ddraffts. Ni fyddai dim yn rhoi mwy o foddhad iddo na chael gair o ddiolch gan rai o'r rhieni a werthfawrogai ei ymdrechion ac yn rhoi'r rhyddid iddo ymwneud â'r plant fel y gwelai ef orau.

Trefnai ddisgo ar nos Sadyrnau yn yr haf ac yn y sŵn a'r dadwrdd byddarol, a oedd mor nodweddiadol o'r difyrrwch hwnnw, fe oddefai'r arweinydd y cyfan yn dawel gan gadw llygaid ar ei braidd ifanc yn gollwng stêm yn y golau amryliw. Pe holid ef sut y gallai oddef y fath dwrw, dyma'i ateb, 'Mi rydw i'n enjoio'u gweld nhw yn enjoio'u hunain!' Pa weinidog roddai ddwy awr o'i nos Sadwrn mewn disgo? Ond i Emlyn John yr oedd hyn hefyd yn rhan o estyniad y weinidogaeth Gristnogol. Fe roes bron i ddeugain mlynedd o wasanaeth gwiw a da i'r ieuenctid ac fe dystia'r Trefnwyr Ieuenctid gwahanol dros y blynyddoedd y bu Cemais yn lwcus ryfeddol o'i Harweinydd Ieuenctid.

Ond, nid oedd gweinidogaeth amrywiol Emlyn John wedi ei chyfyngu i gylch ei ofalaeth. Bu'n gynrychiolydd da i'w enwad i Gymanfa Bedyddwyr Môn ac i Undeb Bedyddwyr Cymru. Mewn sawl cyfarfod a chynhadledd, lleisiodd ei safbwyntiau a heriodd y sefydliad, ac os codai ar ei draed yng nghynadleddau Undeb Bedyddwyr Cymru, roedd selogion y cyfarfodydd hynny yn gwybod yn iawn bod rhyw her wreiddiol a bywiog ar gael ei chyflwyno. Byddai'n anodd iawn ei ddistewi nes y câi ei faen i'r wal. Ni fyddai Emlyn fyth yn poeni'r un iot am bechu yn erbyn neb, na thraed pwy a sathrai; rhyw ystyriaethau bach dibwys iawn fyddai pethau felly yn ei olwg.

Fe'i hanrhydeddwyd gan Undeb y Bedyddwyr i annerch ac i bregethu yn eu huchel wyliau a rhoes gyfrif anghyffredin ohono'i hun. Ni fu ganddo erioed ddiddordeb yn ystyr Sir Fôn o bregethu. Dysgodd gan ei weinidog beth oedd gwir ystyr a diben pregeth. 'Pa ddiben i mi,' meddai Parri Roberts, 'anelu neges o bulpud Bethel at wrandawyr anweledig?' Felly Emlyn John hefyd. Ni fynnai yntau er dim gael ei wahanu oddi wrth ei gynulleidfa yng nghapel Towyn a Chalfaria. Ond gallai godi yn go uchel ar achlysuron arbennig. Fe gofir yn hir am ei bregeth yn Undeb y Bedyddwyr 1968 yn Siloam, Brynaman. Clywais ei gyfaill, Benjamin Owen, Aberystwyth, yn dweud mai dyna'r bregeth fwyaf gwreiddiol a glywodd erioed, ac onid 'gwreiddioldeb' yw un o rinweddau pennaf pregeth? Yn y bregeth honno y bathodd y gair 'dalifynd-rwydd'. Mae ganddo'r ddawn i fathu gair newydd os na chaiff ei blesio yn yr eirfa a fedd. Ef hefyd biau'r term 'fi fïaeth felltith', ac un da iawn ydi o hefyd.

Yn yr oedfa honno yn Siloam, Brynaman, y bore hwnnw, yn ôl y sôn, fe gydiodd yn ei gynulleidfa yn syth gyda'r gosodiad syml, 'Gweinidog yn dweud ei brofiad sydd gen i y bore yma'. Aeth yn ei flaen yn bwyllog i gyhoeddi ei destun o Lyfr y Proffwyd Jeremiah: '"O na bai fy mhen yn ddyfroedd a'm llygaid yn ffynnon o ddagrau." Proffwyd a gas gryn drafferth i afael yn ei waith oedd Jeremiah, a phan ymroes ati fe droes y bobol yn greulon yn ei erbyn, ac yntau yn ŵr ifanc sensitif ryfeddol!' Yna cododd y pregethwr ei lais, 'Pwy a welai fai arno am ei phaco hi lan? Ond ar waetha popeth fe ddaliodd y proffwyd hwn ati.' Cydiodd y pregethwr ei neges, hynod o gyfoes, wrth amgylchiadau ei destun a helyntion y proffwyd. Yn ôl y pregethwr fe ddaliodd y proffwyd ati oherwydd iddo siarad ag ef ei hun. Wynebodd ei hun yn onest – 'pan ddaeth ato'i hun'. Yna wedi siarad ag ef ei hun fe sylweddola fod raid i rywun gymryd at y gwaith a ymddiriedwyd iddo. Ond heb os, yn ôl pregethwr yr oedfa honno ym Mrynaman, fe ddaliodd y proffwyd ati pan sylweddolodd fod yr hyn a oedd ganddo i'w wneud yn werth ei wneud.

Y mae rhai rhinweddau na flina Emlyn John eu canmol ac un o'r rheini yw 'dal ati'. Bydd wrth ei fodd yn dyfynnu araith fwyaf Winston Churchill pan wahoddwyd ef i gyfarfod gwobrwyo yn ei hen ysgol. Roedd pawb, yn staff a phlant, wedi gosod eu hunain i wrando'i araith, a dyma hi, 'Never, never, never give up!' ac eisteddodd i lawr. Nid rhyfedd i'r Parchedig Emlyn John gael gafael yn ei fater ac yn ei gynulleidfa yn uchel ŵyl ei enwad. Yr oedd yn destun wrth fodd ei galon – 'Dal ati'.

Yn y flwyddyn 2001 gwahoddwyd Emlyn gan Gymdeithas Heddwch yr Undeb i draddodi Darlith Goffa Lewis Valentine. Yn briodol iawn i'r darlithydd, cyfarfu'r Undeb y flwyddyn honno ym Methabara, Crymych – cynefin Emlyn. Byddai'n anodd meddwl am neb a fagwyd dan ddylanwad Parri Roberts yn ddim ond heddychwr. Bu i Emlyn feithrin yr argyhoeddiadau hyn dros y blynyddoedd fel na welai gyfiawnhad i ryfel dan unrhyw amgylchiadau. Ar hyd ei weinidogaeth bu'n gyson ac ymroddedig i sefyll o blaid mudiadau heddwch, oddi fewn ac oddi allan i Undeb y Bedyddwyr. Bu'n hynod gefnogol i PAWB – mudiad gwrthniwclear ar Ynys Môn ac i CND, ac yn ddiweddarach i Grŵp Heddwch a Chyfiawnder Bangor. Safodd, heb ildio modfedd, ar egwyddorion sylfaenol a grynhoir yng ngeiriau Waldo yn ei gerdd 'Brawdoliaeth' allan o *Cerddi Waldo Williams*.

> Pa werth na dry yn wawd
> Pan laddo dyn ei frawd.

Yn gwbl nodweddiadol ohono fe ddewisodd yn destun i'w ddarlith yn 2001, 'Rhai o heddychwyr Bro'r Preselau'. Yn ei ddull cwbl gartrefol sgwrsiodd mor naturiol â phe bai'n eistedd yn sgwrsio ar ei aelwyd. Cawsom orig i'w chofio byth. Tystia Ted Hughes a minnau, a adawodd Cemais cyn cŵn Caer y bore hwnnw mai dyma'r siwrnai fwyaf buddiol erioed inni!

Yr oedd y darlithydd yn ymwybodol iawn wrth godi ym mhulpud Bethabara y bore hwnnw ei fod mewn olyniaeth neilltuol iawn. Awgrymodd enwau rai ohonynt: D. R. Thomas, Emlyn Jenkins, Pryderi Llwyd Jones, Nia Rhosier ac Ieuan Wyn Jones. Cyflwynwyd ni gan y darlithydd i heddychwyr bro'r Preselau, hyn wedi ei bwysleisio nifer o weithiau, ac o bryd i'w gilydd fe ddeuai'r balchder i'r wyneb. Llwyddodd, mewn modd na allai neb arall, i agor drws Bethabara yn ddigon llydan i'r gwroniaid hyn ddod yn ôl. Daeth Parri Roberts i mewn – y corffyn gwyrgam eiddil ac Emlyn, ei ddisgybl, yn curo'i gefn mewn edmygedd a diolch. Dacw Niclas y Glais yn wên o glust i glust, cyfaill Keir Hardie ac edmygydd yr awdur Radicalaidd hwnnw, R. J. Derfel. Dilynwyd y rhain gan Thomas Rees a Ben Owen ac amlwg fod y darlithydd yr un mor werthfawrogol o'u cyfraniad hwy ill dau. Treuliodd fwy o amser yng nghwmni Waldo – nid Waldo'r bardd, ond Waldo'r enaid mawr, cadarn ac eofn. Yn wir bron na chlywem fryniau'r Preselau yn crynu pan gerddodd Waldo i'r oedfa honno. Mae'n amlwg fod llawer iawn o'r haearn a oedd yng ngwaed y dewrion hyn yng ngwaed y darlithydd a dyna, debyg, a roes wefr i'r ddarlith heddwch yn Undeb y Bedyddwyr y flwyddyn honno.

Y mae meysydd eraill hefyd y bu Emlyn yn weithgar ynddynt a sawl achos y bu'n frwd drostynt. Bu ei wasanaeth a'i ymdrechion i lywodraeth leol yn anhygoel. Rhoes well na deugain mlynedd fel Clerc i Gyngor Plwyf Llanbadrig ac nid ei bìn ysgrifennu fu ei unig erfyn yn y swydd honno.

Gwelwyd ef, ar hafau crasboeth, yn cerdded y llwybrau â'i gryman. Safodd yn ddiwyro dros gadw'r Cyngor yn Gymraeg ei iaith a'i awyrgylch a gwnaeth hyn yn wyneb cryn wrthwynebiad a bygythiad yn aml. A pha ryfedd, gan y plediodd Emlyn achosion amhoblogaidd ar hyd ei oes. Nid oedd modd ei gadw tu fewn i gyfundrefn i ddweud a gwneud yr hyn a ddisgwylid i weinidog eu gwneud a'u dweud. Y mae Emlyn yn rebel wrth anian.

Bu'r iaith Gymraeg yn hynod o bwysig iddo dros y blynyddoedd a dangosodd gefnogaeth amlwg i bob mudiad a hyrwyddai'r amcanion i sicrhau statws iddi. Cerddodd yr ail filltir i gefnogi Plaid Cymru a Chymdeithas yr Iaith Gymraeg. Pwy ond Emlyn John fyddai'n meiddio, yn 1945, a phob blaenor a diacon yn gefnogwr brwd i'r Blaid Ryddfrydol a Megan Lloyd George, gwahodd Wynne Samuel i Gemais i sefydlu cangen o Blaid Cymru? Pwy nad edmygai ei annibyniaeth barn a'i ddewrder i sefyll heb chwennych ffafr neb nac ofni fflangell neb? Yr oedd ei anian a'i argyhoeddiad personol yn cynnal ei angerdd o blaid yr hunaniaeth Gymraeg.

Mae ganddo barch eithriadol tuag at sylfaenwyr y Blaid Genedlaethol a byddai enwau megis Lewis Valentine, Gwynfor Evans a D. J. Williams yn sicr o ddenu edmygedd a chefnogaeth ganddo. Yn yr un modd, pan ysbardunid rhywrai i gefnogi'r alwad am fudiad iaith byddai Emlyn John yn siŵr o fod ymysg y dorf. Erys ei edmygedd o'r mudiad ac o unigolion fel Ffred Ffransis ac Angharad Tomos – a gwelodd yn dda i hyrwyddo'r achos mewn sawl ffordd. Yr oedd hefyd yn barod iawn i weithredu ac, fel y gellid disgwyl, yr oedd yn rhan o'r brotest o blaid Sianel Gymraeg trwy wrthod talu'r dreth deledu. Penderfynodd na thalai'r dreth hon ac er pob bygwth a thaerineb arno i dalu'n ddistaw, mynnai fynd â'r maen i'r wal. Daeth y cyfan i fwcwl ac nid oedd dim amdani ond wynebu carchar. Yr oedd cefnogaeth ei deulu, Gwyneth, ei briod ac Eleri a Gwilym, y plant, yn gadarn o'i du gan edmygu ei safiad a'i ddewrder. Rhennid yr edmygedd hwn gan gylch eang iawn a chan amryw na chredent yn yr hyn y safai drosto. Trefnwyd Cyfarfod Cyhoeddus yn Llangefni ar y nos Sadwrn cyn y Llun 'pen set' gan Meinir Gwynfor, Bryn

Roberts a Wil Sam. Rhoddwyd cyfle i lais y dorf honno ddangos ei gwerthfawrogiad o safiad dewr un arall a oedd yn barod i aberthu dros Sianel Gymraeg.

Y bore Llun canlynol aeth Emlyn i'r ardd ac yno yr oedd yn palu'n benderfynol. Tybed na ddaeth atgofion am balu gardd ei hen weinidog ym Mynachlog-ddu, a sgwrsio diddan Parri Roberts yn ôl iddo y bore hwnnw? Tybed na chlywodd lais yr hen weinidog yn sibrwd, 'Wel done, Emlyn bach'? Ond dros y Sul hwnnw daeth llythyr i Lys Caergybi ac fe hysbyswyd Emlyn gan Glerc y Llys, Peredur Hughes, fod rhywun am dalu'r ddirwy ac, o ganlyniad, ni fyddai raid ei garcharu. Bu cryn ddyfalu pwy oedd hwnnw a gamodd i'r adwy ar ben yr awr. Mynn rhai mai Meredydd Edwards fu'r cymwynaswr, tra cred eraill, a minnau i'w canlyn, mai Dr Hywel Jones o Gemais a achubodd ei gyfaill rhag carchar. Yr oedd y doctor yn un o edmygwyr pennaf Emlyn John – edmygai ei safiad a'i argyhoeddiadau. Yr oedd y doctor yn Gadeirydd Mainc Ynadon Gogledd Môn!

Profodd a dangosodd Emlyn ei fod yn barod i sefyll i'r eithaf dros yr hyn a gredai mor angerddol ynddo. Daeth drwy'r cyfan heb gymaint â sawr y tân arno, a honno ydi'r gamp.

Fel pob ymgyrchwr a phleidiwr achosion amhoblogaidd, gŵyr Emlyn yn dda am sawl siom ac unigrwydd ond fe'i cynhaliwyd a'i yrru ymlaen gan ryw ddycnwch rhyfeddol. Er gwaethaf pob gwrthwynebiad a siom a gafodd drwy'r blynyddoedd, fe ddaliodd ati yn gwbl ddi-ofn. Heb os, y rhyfeddod pennaf amdano yw'r ffaith fod ei frwdfrydedd cymaint ag erioed, heb oeri dim. Fe gadwodd y tân i losgi drwy ddifaterwch y blynyddoedd. Deil o hyd i fwynhau cwmni ac asbri pobl ifanc yn hytrach nag atgofion cwynfannus ei genhedlaeth ei hun. Er ei fod yng ngolwg ei ddeg a phedwar ugain, deil i edrych i'r dyfodol am her a sialens.

Rhyfedda Angharad Tomos yn yr erthygl a ddyfynnir isod fel y mae argyhoeddiad ac angerdd yn cael eu trosglwyddo o un genhedlaeth i'r llall. Y mae hynny'n wir iawn yn hanes Emlyn John a'i deulu. Bu dylanwad ac angerdd argyhoeddiad eu tad yn amlwg ar Eleri a Gwilym. Yn wir, bu'r ddau yn eu tro yn y carchar am ddilyn yn ôl camrau eu tad. Edmygent eu tad a gŵyr y ddau yn well na neb am ei aberth a'i ddycnwch distaw dros y gwir. Nid rhyfedd i'r edmygedd hwnnw droi'n rhywbeth deinamig gweithredol. Ond nid i'r plant yn unig yr estynnwyd y dylanwad hwn. Fe dystia Rhys, mab Eleri, fod argyhoeddiadau ei daid yn heintus ac yn ei gymell yntau. Dyma fel yr ysgrifennodd Angharad Tomos yn yr *Herald Gymraeg*, Rhagfyr 1995, dan y pennawd 'Rydan ni wedi methu â gwarchod y genhedlaeth ifanc rhag talu'r pris'.

Rhyw hel meddyliau yr oeddwn yng nghyntedd Llys Ynadon Caernarfon ddydd Iau diwethaf. Llanc ifanc, Rhys Owen o Ddyffryn Nantlle oedd o flaen ei well.

Flwyddyn yn ôl, aeth Rhys a Lleucu, merch Ffred Ffransis, i adeilad Bwrdd yr Iaith a chreu difrod yno. Rhan o weithgarwch wythnosol ydoedd yn erbyn y Cwango Iaith ac o blaid system addysg deg i Gymru. Cawsant £250 o ddirwy yr un am eu gweithred a phenderfynodd Rhys nad oedd am dalu. Bu'n disgwyl blwyddyn am ei dynged ac roedd yn hanner disgwyl dedfryd o garchar y diwrnod hwnnw. Yr oedd cyntedd y Llys yn arbennig o lawn gyda phobl tref Caernarfon yn sefyllian yn flinedig ac yn dyfalu sut hwyliau oedd ar y Fa_inc y bore hwnnw.

Un peth sy'n lleddfu'r diflastod yw gweld cefnogwyr yn galw heibio. Cawsom sgwrs gyda hwn a hwn a hon a hon ac yna daeth y Parch. Emlyn John i mewn – ymgyrchwr selog nad oeddwn wedi ei weld ers tro. Wedi holi a hel achau, dyma ddeall ei fod yn daid i Rhys. Rhyfedd fel y mae argyhoeddiad ac angerdd yn cael eu trosglwyddo o un genhedlaeth i'r llall. Siarad am enwau y buom ac Emlyn John yn ymddiheuro am iddo adael ei beiriant clywed adref (pwynt pigog iawn gan Emlyn). 'Doedd dim tosturi i'w gael gan y clerc.

Yr oedd Cai, mab bychan Branwen Nicholas, yn chwarae wrth fy nhroed. Mor ddiniwed oedd ei ben melyn yn difyrru'i hun hefo'i gap toslyn, yn gwasgaru creision o gwmpas y lle. Ddeunaw mlynedd yn ôl dyma oedd oedran Rhys a Lleucu. Wrth i'w rhieni hwy ymddangos gerbron llysoedd y saith degau, gydag ymgyrchoedd arwyddion ffyrdd a'r Sianel, ddaru nhw erioed feddwl y byddai eu plant hwy yn ymddangos mewn llysoedd ynadon yn y naw degau. Mor debygol ydoedd y byddai Cai yntau, yn ei dro, mewn cwta bymtheng mlynedd efallai, yn sefyllian yn nerfus cyn ei achos llys cyntaf.

Yn hwyrach y noson honno, cefais alwad ffôn i ddweud beth ddigwyddodd yn y llys. Yr oedd achos Rhys wedi'i adael, fel petai o ran sbeit, tan yr olaf un; o ddeg o'r gloch y bore hyd hanner awr wedi pedwar y prynhawn a Rhys, ei deulu a'i ffrindiau, yn aros yn amyneddgar am benderfyniad y Fainc. Gwadwyd iddo'r sylw y byddai dedfryd o garchar yn ei roi. Dewis yr opsiwn hawdd a wnaethant a mynnu y byddai dwy bunt a hanner can ceiniog yn daladwy i'r llys, a dyna glymu Rhys druan i ildio'r swm yma o'i fudd-dal pitw, am gant ac ugain o wythnosau. Ond bob wythnos am y 120 o wythnosau i ddod, byddaf yn cofio fod dros £2 o fudd-dal pitw Rhys yn cael ei ddwyn gan y wladwriaeth i dalu'r ddirwy.

Tydi'r math yma o stori ddim yn gwneud penawdau newyddion bellach. Soniwyd yr un gair y noson honno ar y teledu na'r radio am ddiwrnod hir Rhys a'r cymysgwch o deimladau a brofodd wedi'r achos llys. Yn nyddiau ei rieni, byddai stori o'r fath wedi cyrraedd tudalennau'r papurau newyddion o leiaf a byddai wedi teimlo peth gwerth yn yr aberth. Fel un o'r ail genhedlaeth rhaid iddo frwydro heb i'r Wasg na fawr o neb arall gymryd sylw.

A chyda'r aberth ddistaw yma, mi fyddaf yn sylweddoli inni fethu gwarchod cenhedlaeth Rhys a Lleucu rhag gorfod talu'r pris. Ys gwn i a allwn arbed cenhedlaeth Cai?

Mae Emlyn John ac Angharad Tomos yn unfryd-unfarn ac o'r un feddwl yn hollol ynglŷn â'r pethau hyn. Y mae Emlyn ymhlith yr ychydig sydd wedi dygnu arni heb wyro iot, ac i weld ei ŵyr yn ei ddilyn.

Y mae'r ymgyrchu a'r gweithredu yma gan Emlyn yn canghennu'n naturiol o'i ffydd a'i gred Gristnogol. Estyniad o'i weinidogaeth yw pob gweithred o'i eiddo. Iddo ef nid oes yr un maes y dylai'r gweinidog gadw'n glir oddi wrtho.

Gofynnwyd iddo ddweud gair ar derfyn cyfarfod a drefnwyd ar achlysur ei ymddeoliad. Bu'n hynod o anniddig gydol y cyfarfod am fod pawb yn ei ganmol. O ganlyniad, cafwyd cryn drafferth i'w berswadio. O'r diwedd cytunodd ac meddai, 'Dyw'r dirywio a'r cefnu a'r lleihad llethol yn ein cynulleidfaoedd ddim yn ormod o achos pryder imi, pryderu am ansawdd yr ychydig sy'n weddill ydw i.' Ac eisteddodd i lawr, nid eistedd mewn ymddeoliad o gwbl, eistedd i godi ac i ailddechrau eto. Mewn cyfarfod tebyg pan oedd yr Athro A. J. Gossip yn ymddeol, gofynnodd un o'i gyd-athrawon iddo beth wnâi'n awr wedi ymddeol. Dyma ateb y gŵr hwnnw, 'Do man! Keep on living till I'm dead.' (*Devotional readings for every day – Through the Year*, William Barclay, H.&D., 1971) Mi ddywedwn ninnau am y gwron hwn – bydd fyw byth!

Cydnabyddir:
Denzil Ieuan John, Caerdydd (ei nai).
Hedd Parri Roberts, Llanuwchllyn.
Beti Davies, Mynachlogddu.
Eric John, Mynachlogddu.
Angharad Tomos, Pen-y-groes.
Benjamin George Owen, Aberystwyth.

EVAN PRITCHARD ROBERTS (E.P.)
(1889–1950)

E. P. Roberts, Pengarnedd.

Oni cheir rhyw amrywiaeth o enwau a theitlau ar bregethwyr ac offeiriaid, mwy felly fe ymddengys, nag unrhyw alwedigaeth arall? Mae'n debyg fod i bob un arwyddocâd o ryw fath. Tueddir bellach i gyfarch pob pregethwr, fel pawb arall, wrth ei enw cyntaf – arferiad a ddaeth i Loegr o'r Amerig ac, fel popeth arall, yn ddiwethaf oll fe ddaeth atom ni. Ond hyd yma mae'r arfer yn gyndyn iawn o gydio yng nghefn gwlad Cymru, er fod ambell weinidog yn gwneud ei orau i hybu'r peth. Mae'r holl beth, rhywfodd, fel agor blodyn â chyllell, yn gwbl groes i'r graen. Mae'r cyfarchiad yn dibynnu llawer iawn ar y person a gyferchir, wrth gwrs. Mi fynn rhai yr oll o'r trimiadau dyladwy iddynt mewn ffurf o ragddodiad ac ôl-ddodiad, neu fel y cyfeiria un hen frawd gwreiddiol o gefn gwlad atynt, penffust a thindres – iaith y stabal ers talwm. Amrywia'r rhagddodiaid gryn dipyn o'r Gwir Barchedig neu Barchedicaf i ddim ond Parchedig syml. Yn naturiol amrywia'r ôl-ddodiad hwythau yn ôl gallu academaidd y person. Y mae i ambell un gynffon hir iawn, ac fe fynnant ei

73

dynnu ar eu holau i bobman. Fe ddywedir mai'r paun, o'r holl adar, sydd â'r mwyaf o feddwl o'i gynffon! Ond o dipyn i beth enilla pob pregethwr, fel pawb arall, ei enw a'i lasenw wrth ba un y caiff ei adnabod. Gorchwyl anodd iawn fydd dileu unrhyw nod a roir arnom gan gymdeithas. Mae hanesyn am y Parchedig Cwyfan Hughes, Amlwch, pan ddaeth yn weinidog i'r dref honno yn 1919, iddo daro ar gymêr a ofynnodd iddo beth oedd ei enw, 'Wel, Cwyfan y mae pawb yn fy ngalw,' meddai'r gŵr mawr hwnnw yn ddigon gostyngedig wrtho. 'Wel, does yma ryw ddiawl o le yn Amlwch yma, wyddoch chi beth maen nhw'n fy ngalw i yma? Tinw!' meddai'r cymêr gan gredu'n siŵr mai glasenw oedd Cwyfan! Yn ôl y sôn, byddai pregethwyr Gwalchmai yn mynnu y byddai 'Gwalchmai' yn rhan o'u henwau. Wedi'r cwbl, yr oedd sawl Thomas Williams i'w cael, ond dim ond un Thomas Williams Gwalchmai a geid.

Ond o'r holl gyfarchion a theitlau a geir ar glerigwyr, y rhai mwyaf diddorol yw'r rhai dwy lythyren – y blaen-lythrennau yn unig. Y mae hwn yn gyfarchiad o anwyldeb ac o agosatrwydd. Mae lle i gredu mai o fyd amaeth cefn gwlad y tarddodd yr arfer hwn. Y mae'r arfer o farcio'r defaid â blaen-lythrennau'r perchennog yn hen iawn. Yn yr un modd y cofrestrid ceir, mewn cyfnod diweddarach. Wrth gymharu, ychydig a deilynga'r nod arbennig yma. Yn ystod y ganrif ddiwethaf, rhyw bump yn unig a hawliai'r ddwy lythyren gyntaf. Dyma rai ohonynt: C.O. sef C. O. Lewis, Llanfair-pwll; W.J. sef W. J. Jones, Bodedern (Enlli cyn hynny); J.D. sef J. D. Jones, Llangaffo; H.D. sef Henry David Hughes, Caergybi, ac E.P. sef Evan Pritchard Roberts, Gilead.

Cytunir y perthyn rhyw nodweddion arbennig i'r gweinidogion hyn. Yr oeddynt yn ffraeth gyda llawer o hiwmor a rhyw anwyldeb sy'n anodd iawn ei ddisgrifio. Roeddynt hefyd yn gymeriadau adnabyddus yn y gymdeithas ac yn bur boblogaidd. Erbyn hyn mae'r nodweddion hyn yn pylu wrth i'r gweinidog fynd yn llai amlwg ac yn ddieithriach yn ein cymdeithas.

Roedd yr hynodrwydd arbennig hwn yn amlwg yn E.P., Pengarnedd. Er ei fod yn ddyn swil, eto yr oedd yn hynod o ffraeth a gwreiddiol fel llenor a phregethwr. Meddai ar bersonoliaeth annwyl ac agos atoch, mae'n debyg mai 'carisma' fyddai'r gair i'w ddisgrifio heddiw. Yr oedd hefyd yn weinidog adnabyddus a hynod boblogaidd gan bawb drwy'r sir a thrwy ei gyfraniadau cyson i lenyddiaeth y Cyfundeb yr oedd ei enw yn wybyddus drwy'r wlad. Medrai fod yn ogleisiol a chwareus fel tipyn o fardd gwlad hefyd. Yn 1927, ac yntau ond newydd ddod i Fôn yn weinidog ifanc, aeth ati i enwi holl weinidogion Methodistiaid y Sir, cymwynas fuddiol a hynod o ddiddorol. Dyma nhw fel y rhestrwyd hwy gan E.P:

Pregethwyr M.C. Môn yn 1927
Cyffes Hen Wrandawr

Mae'r Doctor, sy'n fyd-enwog,
   Wrth fy modd;
A Thomas ei gymydog
   Wrth fy modd;
Mae Lewis o Landegfan,
Ben Ellis Jones, y Dwyran,
A William Hughes o Baran,
   Wrth fy modd;
A W. H. Bryngwran,
   Wrth fy modd.

Mae J. Price Williams, Bethel,
   Wrth fy modd;
R. W. Rowlands, Peniel,
   Wrth fy modd;
Mae R. Rees Owen dirion,
R.O., dysgawdwr cyson,
E.G., y cyfaill ffyddlon,
   Wrth fy modd;
A W.P. amryddawn
   Wrth fy modd.

Mae J. H. Griffith, Llangoed,
   Wrth fy modd;
A J. Mills Jones fel iengoed,
   Wrth fy modd;
Mae Williams, Penymynydd,

G.W. yn ddywenydd,
John Evans, fwyn awenydd,
  Wrth fy modd;
A Griffith Williams beunydd
  Wrth fy modd.

Mae W.J. Bodedern
  Wrth fy modd;
A Stephen Tudur, Gaerwen,
  Wrth fy modd;
Mae J. J. Evans fywiog
A Thomas Hughes dalentog,
A'r Doctor Williams hwyliog
  Wrth fy modd;
A Griffiths o Lanfwrog
  Wrth fy modd.

Mae R. O. Owen ddiddan
  Wrth fy modd;
A Parry o Landegfan
  Wrth fy modd;
Mae Rowland, Llangristiolus,
A'r ardderchoca Theophilus,
A Chwyfan, gennad grymus,
  Wrth fy modd;
Ac Emyr, brydydd melys,
  Wrth fy modd.

Mae Lewis o Fiwmaris
  Wrth fy modd;
A'r hysbys William Morris
  Wrth fy modd;
Mae William Davies, Cemlyn,
A J. E. Hughes, Brynsiencyn,
Ynghyd â Lewis, Dublin,
  Wrth fy modd;
Hugh Roberts, Elim, wedyn,
  Wrth fy modd.

Mae William Roberts, Gorslwyd,
  Wrth fy modd;

Hugh Williams, Amlwch hefyd,
   Wrth fy modd;
Mae Davies o Landdona,
Ac R.T. o Bethania,
A J. O. Jones, Armenia,
   Wrth fy modd;
Ac H. D. Hughes, Disgwylfa,
   Wrth fy modd.

Mae J. H. Williams, Cemaes,
   Wrth fy modd;
Ac O. R. Owen, Llynfaes,
   Wrth fy modd;
Mae R. R. Jones, Llanallgo,
A Richard Mathews, Nebo,
Ac R. R. Hughes o Newbro
   Wrth fy modd;
A Sidney Morris, Berffro,
   Wrth fy modd.

Mae Thomas Evans, Talwrn,
   Wrth fy modd;
A Roberts o Lansadwrn
   Wrth fy modd;
Mae Robert Hughes, y Valley,
Ac S. T. Hughes, Caergybi,
Prys Owen o Langefni
   Wrth fy modd;
A'r sawl wyf heb eu henwi
   Wrth fy modd.

(Cyhoeddwyd yn y *Goleuad*)

Yn ardal y Golan ym mhlwyf Penmorfa yn Eifionydd y ganwyd E.P. yn 1889 ac ymhyfrydai yn ei dras lenyddol. Dyma wlad Eben Fardd, Robert ap Gwilym Ddu, Siôn Wyn, Pedr Fardd, Richard Jones y Wern, Eifion Wyn a Nicander ac ni flinai E.P. sôn am y cwmwl tystion llengar hyn. Yfodd yn helaeth o'u hysbryd a thrysorodd lawer o'u gwaith ar ei gof gan ei ddefnyddio'n gywrain i bwrpas pregeth ac ysgrif. Oddi ar lethrau'r Golan, gwelai E.P. wlad eang Eifionydd a dichon y bu rhywrai'n cyfeirio'i olwg at ffermdai enwog y fro oddi tano. Mewn darlith ar yr ardal byddai Syr Ifor Williams yn dyfalu ystyr yr enw 'Golan'. Wrth dorri'r gair yn ddau fe geid 'go' 'lan' yn golygu pentref bychan ar lan afon. Câi'r dewin hwnnw hwyl garw yn cywiro'i hun wedyn, ac yn brysio i gywiro'r camgymeriad! Enw Beiblaidd ar gapel bychan yn yr ardal yw Golan. Yr oedd yr hen dadau yn gwybod eu Beiblau mor drylwyr gan fod cyfeiriad yn Llyfr Josua at Golan fel dinas noddfa i leiddiaid Basan yn ogystal ag yn Llyfr Deuteronomium. Yn ôl y Dr Gwilym H. Jones mewn sgwrs ffôn, ystyr gwreiddiol y gair fyddai 'lle crwn', fel yn yr enw Gilgal sy'n golygu 'lle crwn i amddiffyn'. Yr oedd yn enw ar wlad go eang yn nyddiau Josua. Bu'r Ucheldir hwn yn y newyddion ar gyfrif y rhyfeloedd gwaedlyd yn chwe degau'r ugeinfed ganrif, ar y ffin rhwng Syria ac Israel. Oddi ar lethrau'r Golan hwnnw gwelwn fynydd Hermon a'i eira todd yn ffrwythloni dyffryn Jesreel.

Yr oedd teulu Clawddrhos yn weddol gyfforddus, er mai chwarelwyr oeddynt fel y rhan fwyaf o drigolion y Golan. Yn wahanol i fechgyn eraill ni fu E.P. mewn gwaith ar ôl gorffen yr ysgol a chafodd well addysg na'r rhelyw o blant y cyfnod. Gwyddom iddo adael yr Ysgol Elfennol yn ddeuddeg oed ac mae'n debyg iddo fod gartref rhwng 1901 a 1905. Gwyddom hefyd iddo ddod yn drwm dan ddylanwad y Diwygiad a than y dwymyn honno yr aeth i Ysgol Ramadeg Clynnog yn 1905. Yr oedd yn fwrlwm o ysfa pregethu. Yn ôl ei gyfaill C.O. Lewis, wrth ddyfynnu John Owen yn y *Goleuad*, Mawrth 1951, 'Fe'i ganwyd yn bregethwr; ni feddyliodd am fod yn ddim arall, a dechreuodd ar ei orchwyl mawr pan oedd yn un ar bymtheg oed.' Ond, o ganlyniad i'r diwygiad ac awyrgylch grefyddol y cyfnod, yr oedd gan Gyfarfod Misol Llŷn ac Eifionydd doreth o wŷr ifanc yn ymgeiswyr am y weini-dogaeth. Nid rhyfedd i'r tadau berswadio'r llanc ifanc o'r Golan i ddal arni am sbel a magu tipyn o brofiad. Cododd y Parch. John Owen MA, Cricieth, yn yr Henaduriaeth a phlediodd, 'Gadewch iddo fynd ymlaen, mi aiff yn hen yn ddigon buan, fel y gweddill ohonom!' Gwireddwyd breudd-dwydion bywyd E. P. Roberts, dechreuodd bregethu ac fe'i derbyniwyd yn fyfyriwr i'r Athrofa yn y Bala. Ymhen blynyddoedd wedyn arferai ddweud y pill hwn:

Mi fûm yn rhy ifanc,
Mi fûm yn rhy fychan,
Mi fûm yn rhy gloff,
Erbyn hyn – mi rydw i'n rhy hir,
Mi rydw i'n rhy hen ac yn rhy rhywbeth neu'i gilydd
– rhyfedd o fyd.

Wedi tair blynedd yn y Bala, ordeiniwyd E.P. yng Nghymdeithasfa Caergybi yn 1917, yr un adeg â'r Parch. William Morris a Cynan, a derbyniodd alwad i Eglwys Gymraeg Newcastle Road, Sunderland. Ychydig a wyddom am yr Eglwys hon – gwyddom lawer mwy am y tîm pêl-droed yn Roker Park! Y mae'r capel Cymraeg wedi cau ers diwedd pedwar degau'r ganrif ddiwethaf ac, yn ôl cyfaill o Gemais, ni fydd y tîm pêl-droed o gwmpas yn hir eto! Y mae Iolo Llywelyn yn cofio mynd i Sunderland hefo'i dad, y Parchedig Llywelyn Jones, a oedd yn weinidog yn Lerpwl, tua chanol y pedwar degau. Roedd gweinidogion Henaduriaeth Lerpwl yn arolygu'r Eglwys yn y blynyddoedd hynny gan na allent gynnal gweinidog. Bu'r Parch. Isaac Parry, Penbedw, yno yn ei dro a chofia rhai am adroddiad a roddodd i'r Cwrdd Misol wedi dychwelyd. 'Mae yn fy mryd,' meddai, 'i ysgrifennu llyfr, a pham lai, mae gennym *Alice in Wonderland*, wel beth am "Isaac in Sunderland"?'

Ond pam, yn enw popeth, yr aeth y llanc hwn o'r Golan, o gefndir llengar Cymreig, i Sunderland o holl leoedd y byd? Mae'n wir fod yno gryn dipyn o Gymry yn y gweithfeydd adeiladu llongau a'r pyllau glo ond gweithwyr caled a diwreiddiau oedd llawer ohonynt, y math o bobl a fyddai'n bur ddieithr i E.P. Mae'n hawdd iawn credu y bu'n gyfnod hiraethus iawn yn ei hanes. Yr oedd yn ifanc, yn ddibrofiad yng ngwaith y weinidogaeth ac, yn waeth na dim, yr oedd mor unig a digwmni. Nid oedd ganddo neb i rannu'i bryderon â hwy ac nid rhyfedd iddo gredu fod y Cyfundeb a Chymru wedi ei anghofio a'i anwybyddu'n llwyr. Gyda chynifer o weinidogion ifanc, dibrofiad o fywyd a gwaith y Cymundeb, trefnwyd bod gweinidogion addas yn bugeilio'r bugeiliaid unig a hiraethus hyn. Mewn modd nas gwyddom, cysylltodd y Parch. W. J. Williams, Cemais, â'r gweinidog alltud yn Swydd Durham tua chanol 1920. Treuliodd E.P. rai dyddiau yng Nghemais a threfnodd W.J. iddo ddod i Gyfarfod Misol Môn a oedd, yn yr oes honno, yn ffair gyflogi dda. Nid oedd yn hawdd i'r un gweinidog gael ei drwyn i mewn i Fôn.

Yr oedd gan y Methodistiaid yn unig drigain o weini-dogion ordeiniedig ar yr ynys yn 1920 ond fe lwyddodd E.P. i wneud argraff ffafriol ar y saint yn Llanfaethlu, pentref a chanddo draddodiad llengar. Bu yno ddynion o gryn ddylanwad: David Jones, Penrhosddu; Richard Davies, Bottan, a G. Madog Jones, yr Ysgolfeistr a oedd yn awdur llyfryn o hanes yr Achos sef *Carreg ar Garreg* (1910). Y Parch. John Roberts fu'r gweinidog cyntaf yma, ac o ganlyniad i'w weinidogaeth ef bu cynnydd amlwg mewn gwybodaeth ymhlith y plant a'r bobl ifanc. Cerddodd y Parch. Robert Hughes yn ôl troed John Roberts, ei ragflaenydd, gan dalu sylw neilltuol i addysg grefyddol yr ifanc. Cyhoeddwyd traethawd buddugol o'i waith yn Eisteddfod Môn (1912) ar 'Enwogion Môn' ac ysgrifennai'n gyson i gylchgronau'r enwad. Symudodd Robert Hughes i Dabor, y Fali, yn 1906 wedi llwyddo i gadw enw da Llanfaethlu fel eglwys ddiwyll-iedig.

Pwy yn well i barhau'r gwys hon yn Llanfaethlu nag E.P. Roberts, a oedd yn prysur wneud enw iddo'i hun fel ysgrifennwr i gylchgronau safonol ei enwad? Derbyniodd alwad yr eglwys ac fe'i sefydlwyd yn weinidog Ebeneser, Llanfaethlu, yn Nhachwedd 1920. Yn anffodus, ni chafodd ei warchodwr o Gemais fyw i'w sefydlu, gan y bu farw W. J. Williams yn sydyn ryfeddol ddiwrnod cyn y Nadolig 1920. Bu E.P. yn byw yn y tŷ capel am y ddwy flynedd gyntaf ac yna symudodd at hen ferch dduwiol ym Mrynllwyd, o fewn cyrraedd hwylus i'r capel, ac yno y bu hyd derfyn ei weinido-gaeth yno.

Buan iawn y synhwyrodd y gweinidog ifanc fod gogledd Môn yn llawer iawn mwy cydnaws â'i anian a'i ysbryd na gogledd Lloegr. Yr oedd yma bobl lengar a chanddynt archwaeth am yr Ysbrydol yn Llanfaethlu, ond dichon, yn well na'r cyfan, y cafodd gwmni da a chymdogion caredig. Yr oedd y Parch. Venmore Williams, Llanrhuddlad, yn gefn ac yn gyfaill gwerthfawr iddo ac, i'r cyfeiriad arall, yr oedd y Parch. Hugh Roberts, Elim, Llanddeusant. Yr oedd Hugh Roberts â'i gynefin yng Nghwm Pennant ac ni thawai â sôn am y nefoedd honno ac, o'r diwedd, cafodd gymydog a gytunai'n llwyr ag ef. Clymai John Cadwaladr Jones, Cnwchdernog, a oedd yn flaenor yn Elim, y gorffennol â'r presennol. I Gnwchdernog y daeth William Pritchard yn Ymneilltuwr cynnar, yntau o Eifionydd. Yr oedd gwreiddiau J. C. Jones o Gwmystradllyn, dafliad carreg o'r Golan; mab y Waen, o'r cwm hwnnw, ydoedd, a fentrodd i Rydgroes ym mhlwyf Llanbadrig tua 1890 ac oddi yno i Gnwchdernog. Yn ddiweddarach symudodd, ar ddechrau'r Rhyfel Byd Cyntaf, i Gafnan yn ardal Cemlyn. Heb os bu'r ddau hyn – y gweinidog a'r blaenor – yn gaffaeliad rhyfeddol i E.P. gartrefu ym Môn ac ymlyfu yn y weinidogaeth. Mae'n amlwg i gyfeillgarwch glòs dyfu rhyngddo a J.C. gan y galwyd arno o Benygarnedd i roi teyrnged i'r gŵr mawr hwnnw o Gwmystradllyn ym Methesda, Cemais.

Enillodd E.P. enw da iawn iddo'i hun yn Llanfaethlu yn enwedig fel seiadwr gwreiddiol a difyr, a chyda'r un gwreiddioldeb pwyllog y pregethai. Nodweddid ei bregethu gan ryw felyster neilltuol. Yr oedd yn gryn gymeradwyaeth i weinidog ym Môn y blynyddoedd hynny i dynnu gwell cynulleidfa nag unrhyw bregethwr dieithr, poblogaidd yn ei bulpud ei hun, ac fe lwyddai E.P. yn well na neb. Yr oedd hyn i'w briodoli i'w ymdrech ddyfal yn paratoi a chaboli ei bregethau.

Yn fuan iawn lledaenodd enw E.P. fel pregethwr poblogaidd ond, cyn i bobl Llanfaethlu gael cyfle i ymhyfrydu yn eu gweinidog, daeth galwad iddo o gwr arall y sir, o Benygarnedd a Phenucheldre. Mae hi'n anodd meddwl am ddwy eglwys o'u maint ac ynddynt y fath ddoniau. Yn wir, y mae rhai o enwau ffermydd y fro hon yn rhan annatod o hanes Methodistiaeth Môn: Richard Owen y Diwygiwr ym Mhenrhos House, Tŷ Croes, a'r Fferam Gorniog, William Roberts, y Gorslwyd, o Gae'r Gors. Yr oedd triawd enwog o frodyr Fferam Gorniog – David, Thomas John ac Ifor

Roberts – yn gynulleidfa ynddynt eu hunain. Dyma sialens iawn i weinidog ieuanc, eiddgar a buan iawn y tynnodd y rhain y gorau o E.P.

Yr oedd yn yr ardal hon eto bobl o Eifionydd – deuai EP. o hyd i'r rheini o bell ac agos, fel ci hela. Un diddan tu hwnt oedd Hugh Jones o Lŷn a oedd yn byw ar fynydd Llwydiarth. Deuai Griffith Roberts, Cae Isa, Penmynydd, y mwyaf gwreiddiol o blant dynion, o Roslan yn wreiddiol a byddai ef a'r gweinidog yn dallt ei gilydd i'r dim. Disgrifiodd ar ei weddi unwaith, yn ôl traddodiad llafar, ddydd digofaint Duw fel diwrnod ofnadwy iawn, ac meddai'n sydyn, fel pe bai wedi gweld dihangfa: 'Fydd dim inni ei wneud ond mynd i guddio i dyllau'r cwningod!' Gyda'r manteision hyn ymgartrefodd E.P. yn rhwydd a hapus yn ei ofalaeth newydd – Pengarnedd a Phenucheldre – ac ymroes i ddarparu ar eu cyfer mewn pregethau a seiadau.

Aeth E.P. i gwr arall yr Ynys i geisio gwraig a chafodd yn Margaret Ann, merch William Jones, Tan Lan, Niwbwrch, gymar rhyfeddol o dda. Symudodd William Jones a'r teulu o Faes Mawr, Llanfechell, i ardal Rhosyr pan oedd y plentyn ieuengaf yn ddeuddeg oed. Penodwyd Margaret yn athrawes yn ysgol Niwbwrch wedi iddi gwblhau cwrs yn y Coleg Normal, Bangor, ar ddiwedd y Rhyfel Byd Cyntaf. Yr oedd yn athrawes neilltuol iawn yn yr ysgol a hefyd yn yr ardal. Os synhwyrai fod ambell blentyn yn methu dilyn y wers yn y dosbarth, trefnai i roi gwers arbennig iddo ar ôl amser ysgol. Yn haf 1923 gwnaeth gais am swydd prifathrawes Ysgol Llandegfan. Profa tystlythyrau a gafodd, a fenthycais gan Eifion, y mab, ei doniau a'i gallu fel athrawes ac fel personoliaeth neilltuol. Dyma gip ar rai ohonynt yn iaith swyddogol y cyfnod: 'Miss Jones is very popular, and highly respected by pupils and parents, with whom she shows much sympathy and a real desire to help forward their interests both in and out of school.' Yna gair gan S. J. Evans, prifathro Ysgol Sir Llangefni: 'Miss Jones would be eminently successful as a headmistress and that the Education Committee would never regret her appointment.' Yna gair gan ei gweinidog, R. R. Hughes: 'Her interest in the children and in the welfare of young people generally has not been confined to her work in School, but she has undertaken almost untold work on their behalf in connection with meetings in the Pritchard-Jones Institute and in other ways.' Fe'i penodwyd yn brifathrawes ac fe wireddwyd y geirda a roddwyd iddi. Bu'n gymorth difesur i'w phriod a rhoes wasanaeth nodedig iawn i blant a phobl ifanc bro yr ofalaeth am flynyddoedd lawer.

Ond nid athrawes yn unig a fu Margaret Ann, y hi yn ddios oedd brenhines y cartref ac yr oedd E.P. yn gwbl ddibynnol arni ynglŷn â'r cartref. Tystia'r ddau fab, Eifion a Wyn, na chafodd neb well mam na nhw eu dau. Llwyddodd i gadw cartref ac aelwyd gysurus, hapus gyda disgyblaeth gadarn, a hyn i gyd ar gyflog bychan iawn. Cafodd y ddau fab bob mantais addysgol yn yr ysgol a'r cartref; yr oedd y fam yn dal yn athrawes, wrth gwrs. Graddiodd Eifion, y mab hynaf, yn y gyfraith ym Mhrifysgol Aberystwyth ac o Goleg Exeter, Rhydychen. Fe'i dyrchafwyd yn farnwr yng Nghylchdaith Caer. Enillodd Wyn ysgoloriaeth Syr Henry Verney – Quinquennie Scholarship i Ysgol Harrow, y cyntaf o Fôn, ar wahân i'r breiniol, i dderbyn yr ysgoloriaeth hon a daeth â chryn glod i'w rieni ac i Ysgol Sir Biwmares. Oddi yno sicrhaodd ysgoloriaeth agored i Brifysgol Rhydychen. Glynodd y ddau gydol y blynyddoedd wrth y traddodiadau y'u magwyd ynddynt ac fe gydnebydd y ddau y bu aberth eu rhieni yn destun edmygedd idynt.

Mae'n amlwg ddigon fod E.P. wedi cael cartref cysurus a chefnogol a bob llwydd ac amser i ddilyn ei ddarllen a'i ysgrifennu. Yr oedd bellach wedi tyfu yn un o bregethwyr poblogaidd pulpudau Môn. Eto, nodwedd fwyaf arbennig E.P., fel pregethwr, llenor ac fel dyn, oedd ei fod yn enaid ysbrydol tu hwnt. Er mwyn gwerthfawrogi ei gyfraniad rhaid inni adnabod y natur hon a oedd yn elfen mor llywodraethol ar ei fywyd. Pan holais Eifion a Wyn, a hynny ar wahân i'w gilydd, beth oedd nodwedd amlycaf eu tad, yr un ateb yn gywir a gefais gan y ddau – 'dyn ysbrydol'.

Heb os, y Diwygiad fu'r cymhelliad mwyaf arno i'r weinidogaeth ac arhosodd dylanwad y Diwygiad hwnnw arno ar hyd ei oes. Ond nid cymeriad cul a phiwritanaidd oedd E.P.; yr oedd ganddo ddynoliaeth eang, radlon braf, yn fwrlwm o hiwmor ac o wreiddioldeb. Yr oedd, wrth natur, yn ddyn swil, hynod o ostyngedig ac yn caru'r encilion ac ni fyddai byth yn ei wthio'i hun i flaen y llwyfan mewn cwmni na thrafodaeth. Ni chodai fyth ar ei draed heb fod ganddo rywbeth neilltuol i'w ddweud. Ni fyddai E.P. fyth yn 'malu ar felin wag'. Daw ei bwyslais ar yr 'ysbrydol' yn amlwg yn ei anerchiad, mewn oedfa fawr yn Sasiwn y Bala (1945), ar 'Cofio'r dyddiau gynt', a gyhoeddwyd yn *Y Drysorfa*, 1946. Clywyd ei ddawn gyda thinc yr hen bregethwyr yn melysu'r anerchiad, a bu cryn sôn am yr oedfa honno. 'Gwywo'n ebrwydd a wna ein Cyfundeb ni heb ei draddodiad ysbrydol, aeth y Methodistiaid yn rhy fydol i gynnal gweinidogaeth y Gair,' meddai. Aeth ymlaen i sôn fel yr oedd amrywiaeth barn am Gymru yn y Diwygiad Methodistaidd, 'ond does ond un farn amdani ar ôl y Diwygiad – "Wele y gaeaf a aeth heibio".' Rhannodd ei anerchiad dan ddau bennawd:

(i) *Dyddiau'r Ymweliadau nefol*: Rhestrodd y diwygiadau a fu yng Nghymru dros y blynyddoedd a'r rheini yn dilyn rhyfeloedd gwaedlyd – Waterloo, Crimea a'r Transvaal. Ond daeth y diwygiadau trwy gyfrwng pregethwyr mawr.

(ii) *Dyddiau'r chwaeth ysbrydol*: Nid rhyw dân naddion yw diwygiad yn nhyb E.P., yn hytrach cyfrwng i fagu a meithrin archwaeth ysbrydol, ac i bwrpas hynny yr oedd oedfaon yr Eglwys mewn seiat, pregeth a llenyddiaeth yn gwbl hanfodol.

Yn sicr magodd E.P. archwaeth ysbrydol, a dyma fu cyfrinach ei gymeriad. Ei hobi oedd darllen, a darllenodd lawer iawn o gofiannau am wŷr mawr Cymru a Lloegr ac emynwyr, yn arbennig Pantycelyn (a oedd yn arwr iddo), gyda Robert ap Gwilym Ddu yn ail da. Darllenai am bregethwyr, yn enwedig pregethwyr mawr Môn, yn wir, byd pregethu a phregethwyr oedd ei fyd a'i fywyd. Yr oedd fel gwenynen yn casglu mêl o bobman.

Gwnaeth gymwynas fuddiol yn ei ysgrifau ar y 'Charlesiaid' yn *Y Drysorfa* (1947) – 'Nid Charlesiaid Caerfyrddin na'r Bala y tro yma, eithr "Charlesiaid Gwalchmai",' meddai. Rhydd amlinelliad byr a digon cryno am bump o'r Charlesiaid hyn gan ddyfynnu sylwadau bachog o'u pregethau. Cytunai E.P. â'r farn gyffredin mai William Charles, a ddechreuodd bregethu yn ddwy ar bymtheg oed, oedd yr enwocaf o'r Charlesiaid hyn a'r mwyaf poblogaidd o holl bregethwyr Môn yn ei ddydd. Credai E.P. i'w fantell ddisgyn ar ei nai, sef Thomas Charles Williams. Yr oedd T.C. yn gryn ffefryn gan E.P. a manteisiai ar ei gyfle i ddyfynnu pennau ei bregeth enwog ar y tair Croes: Croes y perffaith, Croes y colledig a Chroes yr edifeiriol. Daw hoffter E.P. o drin a thrafod y gelfyddyd o gyfansoddi pregeth yn amlwg yn yr ysgrifau diddorol hyn o'i eiddo. Ni flinai sôn a siarad am bregethu ac am bregethau, ac ymdrwythodd yn hanes pregethwyr a phregethu Môn, eu harddull a'u doniau neilltuol.

Ychydig iawn o ddiddordeb a fyddai gan E.P. y tu allan i'r hyn a gyfrifid yn briod waith gweinidog ac ni chymerai odid ddim diddordeb mewn gwleidyddiaeth na chwestiynau cymdeithasol y dydd ac nid oedd ganddo fawr o archwaeth at weithiau athronyddol na'r ddiwinyddiaeth fodern, fel y'i gelwid.

Yn ystod yr Ail Ryfel Byd ac wedi hynny, byddai sawl gweinidog yn dyfynnu ambell athronydd neu ddiwinydd cyfoes â'i henwau dieithr yn drimings ar bregeth fach eiddil, gan godi amheuon. Ond ni chafodd gweinidog Pengarnedd ei boeni gan amheuon. Yr oedd ganddo fôr o adnodau ac emynau a olchai ymaith bob amheuaeth. Ond, er hyn, mae'n rhaid pwysleisio nad pregethwr sych a henffasiwn oedd E.P. Yn ei ddull arbennig o bregethu yr oedd yn gyfoes, yn ffres, yn newydd ac, uwchlaw popeth, yn fwy gwreiddiol na'r un pregethwr. Oni ddywedodd yr Archesgob Rowan Williams yn y *Sunday Times*, Ebrill 2003, mai 'gwreiddioldeb' yw un o rinweddau pennaf pregethu. Yr oedd E.P. yn bregethwr o flaen ei oes! Llwyddodd yn anhygoel i gyfuno'r ysbrydol a'r doniol, a'i lapio mewn hiwmor iach. Cofir amdano'n dweud am ryw bregethwr: '... gormod yw i bregethwr fod yn sych, heb sôn am fod yn sych a maith!'

Eto, fel llenor y cofir am E.P. a daeth ei enw yn gyfarwydd ledled Cymru oherwydd ei gyfraniadau cyson i gylchgronau'r enwad. Ym mis Mawrth 1951, wedi ei farw, cyfeiriodd Golygydd *Y Cloriannydd* ato fel 'Gweinidog Llengar' ac meddai R. R. Hughes, Niwbwrch, golygydd y *Goleuad*, 'Yr oedd gan E.P. ddawn i ddweud pethau cyffredin mewn modd aruchel a choeth.'

Ym mis Rhagfyr 1925, fe'i gwahoddwyd i annerch Cyfarfod Gweinidogion Môn yn Llangefni ar y testun: 'Tueddiadau diweddar mewn llenyddiaeth Gymreig yn eu perthynas â chrefydd'. Clamp o destun! Yr oedd yn gryn orchwyl i ymgodymu â'r fath fater o flaen cynulleidfa o lenorion praff fel R. R. Hughes, Niwbwrch; J. E. Hughes, Brynsiencyn; Cynan a Griffith Owen, Bryndu. Testun a oedd hefyd dan gryn drafodaeth gan weinidogion yn nau ddegau'r ugeinfed ganrif. Mae'r ffaith i'r gweinidogion ofyn i E.P. yn brawf o'u hymddiriedaeth ynddo a'i allu i ymgymryd â'r orchwyl fel meistr ar y pwnc a llenor abl. Cyhoeddwyd ei anerchiad yn *Y Drysorfa* (1926) a chafodd gryn sylw gan ei ddarllenwyr. Yr oedd yn bur amheus o weithiau'r beirdd diweddar a thynnodd enghreifftiau i ddangos nad oedd fawr o gydymdeimlad â chrefydd ganddynt. Y mae'r ysgrif yn gwbl nodweddiadol o feddwl a syniadau'r oes, a diddorol fyddai cael trafodaeth ar yr un testun heddiw.

Fe'i gwahoddwyd hefyd i annerch oddi ar y Maen Llog yn Eisteddfod Gadeiriol Môn ddwywaith a byddai rhyw ffresni a newydd-deb yn britho'i anerchiadau, fel ei bregethau. Er nad oedd huodledd yn ei ddull a'i ddawn, eto llwyddai i ddal a chadw'r gynulleidfa yn well na neb. Y mae'r arawd a gyflwynodd yn Eisteddfod Porthaethwy yn brawf o'i allu fel llenor ac o'i gonsýrn am fuddiannau Sir Fôn. Trefnai ei ddeunydd ar batrwm pregeth a fyddai'n haws i'r siaradwr a'r gwrandawr ei gofio. Rhannodd ei destun yn yr eisteddfod dan sylw fel hyn: Môn – Ei Phobl, Ei Hiaith a'i Chrefydd. Cafodd hwyl anghyffredin yn canmol Sir Fôn fel y fam a ymorolai am ei phlant:

> ... rhydd fenyn tew ar frechdanau ei phlant. Sylwaf y tu allan i'r Ynys, daw rhywrai ataf a dweud, "Un o Sir Fôn ydw i". Yn rhyfedd fydda i byth yn clywed neb yn dweud eu bod yn dŵad o unrhyw sir arall! Mae'n amlwg fod Môn yn caru ei phlant yn fwy nag unrhyw sir arall ac amlwg fod ei phlant yn ei charu hithau. (Y *Cloriannydd*, Mehefin 10, 1954)

Gwyddai E.P. i'r dim sut i annerch pobl yr ynys!

Gan fod ganddo gymaint o feddwl o emynwyr a'u hemynau, ac yn cyfeirio'n barhaus at fro ei febyd a'i hemynwyr, nid rhyfedd iddo droi i chwilio am rai o emynwyr Môn hefyd. Cydnebydd, ar y dechrau, mai eiddo Sir Gaerfyrddin ac Eifionydd yw'n hemynwyr mawr, tra gall Môn ymffrostio yn ei phregethwyr mawr. Ond mynnai E.P. fod gan Môn ei hemynwyr hefyd, er eu bod yn ychydig, ac ambell un yn awdur dim ond un emyn. Daeth o hyd i bedwar emynydd ar bymtheg yn ei ymchwil, sy'n ymestyn o un o'r Morrisiaid, sef William Morris (1707–1763). Cred E.P. i William Morris, yn wahanol i'w frodyr, gael rhyw din y gawod o'r Diwygiad, ac iddo gyfansoddi'r emyn adnabyddus:

> Golchwyd Magdalen yn ddisglair
> A Manasse ddu yn wyn.

Ond, yn ôl Dr Dafydd Wyn Wiliam, golygydd *Tlysau'r Hen Oesoedd*, Cylchgrawn y Morrisiaid, dilyn damcaniaethau rhai fel John Morris-Jones a wnaeth E.P., fel eraill, ac mae'n ein goleuo ar awduraeth yr emyn yn rhif 10 o'r cylchgrawn. Ond rhoes E.P. inni ddarlun cryno gyda manylion byr a gwerthfawr am bob un a hefyd, bennill neu gwpled o'u hemynau mwyaf poblogaidd. Rhoes inni argraffiad poced o emynwyr Môn, cymwynas hynod werthfawr (*Y Drysorfa*, Ebrill a Mehefin 1944).

Eto yn sicr, cyfraniad mwyaf gwerthfawr E.P. fu ei loffion cyson i'r *Goleuad* dros gyfnod hirfaith. Y mae'n gryn orchwyl cynnal colofn wythnosol a chadw diddordeb yr un darllenwyr, ond llwyddodd yn well na neb arall. Tystiai'r darllenwyr hyd y diwedd nad oedd ysgrifennwr mwy cyson na melysach nag ef yn y wasg Gymraeg. Yr oedd yn ddyn o feddwl a phersonoliaeth wreiddiol; âi'r cyffredin yn anghyfredin a'r ystrydebol yn newydd dan ei law. Dyna yn siŵr bennaf camp y colofnydd cyson. Ond yr oedd E.P. yn golofnydd arbennig iawn, yn ysgrifennu math o newyddiaduraeth grefyddol mewn colofn glecs, ac eto ni fyddai fyth yn tarfu ar neb. Dysgodd holl nodweddion y newyddiaduraeth hon i'r dim heb awr o gwrs yn y grefft, ac yn amlwg yr oedd newyddiaduraeth yn gynhenid ynddo.

Fel clebrwr, ymorolai siarad yn y person cyntaf lluosog yn

ddieithriad ac, o ganlyniad, nid E.P. a siaradai! 'Cawsom gopi o gân na bu erioed mewn argraff,' dywedai gan olygu mai E.P. a gafodd y copi, wrth gwrs. 'Yr wythnos o'r blaen yr oeddym yn cydymdeimlo...' ac eto '...Ar un achlysur yn unig y digwyddodd i ni glywed...' Fe gadwai'n glòs iawn at y rheol yna o eiddo'r colofnydd clecs. Yr oedd hefyd yn bwysig iawn i'r math hwn o newyddiadura amrywio ei newyddion a rhoi croestoriad a fyddai'n siŵr o gynnig tamaid i bawb. Yr oedd yn bwysig taflu'r rhwyd mor eang â phosib a defnyddio'r holl ddalfa, fel bod rhywbeth ar gyfer pawb ynddi. Rhaid cofio, hanner canrif a mwy yn ôl, nad oedd gan E.P. ffôn statig heb sôn am un symudol!

Mae Eifion a Wyn, ei feibion, yn cofio'n dda am ddydd Mercher, gan mai dyna'r diwrnod rhoi trefn ar y lloffion. Y tŷ yn dawel fel tŷ galar a drws y stydi wedi'i gau yn sownd. Yr oedd hi fel dydd Sul ynghanol yr wythnos. Treuliai'r Colofnydd ran gynta'r diwrnod yn darllen yr *Herald* a'r *Cloriannydd* ynghyd â cholofn werthfawr marwolaethau'r *Daily Post*, a honno'n ddi-feth ar y ddalen gefn, nid wedi ei chuddio hwnt ac yma mewn gwahanol dudalennau. Ni fyddai E.P. fyth yn crwydro i unman, boed bell neu agos, heb fynd â'r sgrepan clecs i'w ganlyn. Yn wir, fe gâi gan y Saint weithiau damaid digon blasus i'w gasglu hefo'r lloffion. Byddai diwrnod cyfan mewn tŷ capel ym mhen draw'r sir yn ildio cnydiad da.

Mi ddysgodd Thomas Owen, y pobydd o Langoed, adael tŷ gweinidog Pengarnedd tan yr ola er mwyn iddo gael digon o amser i storïa hefo E.P. Gan fod Llangoed ym mlaen troed yr ynys ac, yn yr oes honno, yn lle digon cwerylgar yn ôl y sôn, yr oedd dyn y fan fara yn gaffaeliad gwerthfawr i'r Colofnydd. Byddai'r pobydd wedi crwydro o Langoed trwy Landdona, Llanfaes, hen dref Biwmares a thrwy Landegfan i Lansadwrn. Dim rhyfedd i Thomas Owen gael croeso mawr yn Llys Myfyr. Caffaeliad gwerthfawr arall i'r colofnydd fyddai ei wybodaeth gyffredinol eang a'i wybodaeth fanwl o'i Feibl a'r Llyfr Emynau. Gwyddai i'r dim sut i fritho'r lloffion â dyfyniadau o'i Feibl ac o farddoniaeth Gymraeg.

Nid rhyfedd iddi ddod yn un o golofnau mwyaf poblogaidd *Y Goleuad*. Byddai pob gweinidog yn awchu am gael ei enw ynddi – wedi'r cwbl yr oedd y wlad ben bwy'i gilydd yn darllen hon. Beth a fyddai'n well hysbyseb? Derbyniai lythyrau yn gyson mewn ymateb i'r Lloffion; llythyrau o ddiolch a gwerthfawrogiad gydag awgrym ar gynffon ambell un y byddai pob croeso iddo gyfeirio atynt. Yn wir, darllenais lythyr felly a dderbyniodd gan Nantlais o bawb, yn ymfalchïo iddo gael ei enw yng ngholofn y gŵr o Fôn.

Yr oedd gan E.P. ei hun dipyn o feddwl o'i golofn hefyd. Byddai'n arfer dweud, 'Cyn bod Sylwedydd, yr wyf fi' – ei gyd-golofnydd oedd Sylwedydd, sef Dr John Owen, Morfa Nefyn. Safai E.P. ysgwydd wrth ysgwydd â neb yn Fleet Street fel colofnydd a'i golofn yn fyr, bachog a beiddgar. Ond i R. R. Hughes, a oedd yn Olygydd dros dro i'r *Goleuad*, y mae'r clod. Dyma'r 'pigwr perlau' yn siŵr. Rhoes wahoddiad i E.P. gyfrannu, yn ôl ei ffansi, i'r *Goleuad*, tua chanol y dau ddegau. Pytiau blasus byr dan y pennawd 'Lloffion o Fôn' oedd cais y Golygydd. Ar ddechrau'r tri degau, penodwyd y Parch. G. Wyn Griffith yn Olygydd a daliodd ei afael yn y Lloffion gyda'r awgrym iddo'i galw yn 'Lloffion E.P.' Gresyn na fyddai rhywun wedi eu casglu yn llyfryn; mi fyddai'n ysgub frigog, yn siŵr. Casglwyd colofnau John Owen yn 1949 a'u cyhoeddi dan y pennawd *Sylwadau Sylwedydd* gan Lyfrfa'r Methodistiaid yng Nghaernarfon. Barnaf y byddai 'Lloffion E.P.' yn fwy derbyniol!

Mi redwn drwyddynt fel buwch mewn adladd yn chwilio am y tameidiau mwyaf blasus:

Lloffion E.P.

25 Mawrth 1936
Darllenwn fod Eglwys Bethania Llangaffo yn estyn galwad i'r Parch. J. D. Jones, Melin y Coed ger Llanrwst, yn olynydd i'r Parch. R. T. Owen.

26 Awst 1936
Da gennym glywed fod gweddïau arbennig am dywydd braf yn cael eu hoffrymu yng Nghymanfa Bregethu Undebol Rhoshirwaen yn Lleyn. Yn anffodus dal i ddisgwyl wrth y 'weather glass' a'r wireless a wnawn ni ym Môn. Nid oes gennym ni ddim yn erbyn y rhain, ond ni fyddem ddim

gwaeth o drio porth y nef, ac yn niffyg hynny temtir ni i ofyn – pa un ai myned yn gallach ai myned yn galetach yr ydym. Traddododd Syr Harry Verney anerchiad godidog i Arwest Beirdd Môn yn ei westy ardraethol ei hun yn Wern y Wylan, Llanddona. Y Sul canlynol daeth cannoedd o bell ac agos i agor Neuadd ynglŷn â'r Gwesty. Cymerwyd rhan gan amryw bendefigion llên a cherdd, a thraddodwyd yr arawd agoriadol gan y Prifathro Evans, Coleg y Brifysgol, Bangor.

2 Medi 1936

Un o'r colofnau yng Nghemlyn yn yr hen amser oedd Mrs Hughes, Penyrorsedd, a ddisgrifir yn yr ardal fel 'gwraig eithriadol iawn'. Medrai Roeg yn dda ac ni byddai gŵr mor enwog â Dr Lewis Edwards byth yn dod i'r cyffiniau heb ymweld â hi.

Nid pregethwr Sasiwn yn unig yw Llywelyn Lloyd. Traethodd yn rymus y nos o'r blaen ar y Sgwâr yn Llangefni i dorf fawr. Mae'r gŵr hwn yn rhodd arbennig i werin Cymru heddiw. Mae'r hyn a oedd yn wir am yr Athro yn wir amdano yntau: 'And the common people heard him gladly.'

7 Hydref 1936

Llongyfarchwn y cyfaill ieuanc, John Evans, Tynymaen, wedi iddo lwyddo i fynd trwy y porth cyfyng i'r Coleg Diwinyddol, Aberystwyth. Eglwys fechan yw Tynymaen ond un o'r Eglwysi hynaf ac ohoni hi yr elai y gyfraith allan yn nyddiau John Jones, Bodnolyn, arweinydd cyntaf y Methodistiaid yn y Sir. Y mae ei gadair fawr yn y tŷ capel o hyd.

22 Chwefror 1939

Chwith i lawer, yn arbennig i bobol Lleyn, fu marw L. J. Roberts, Pentraeth – brodor o Langoed a bu'n brifathro Ysgol Ganolraddol Botwnnog ac yn flaenor yn Rhydbach.

24 Mai 1939

Balch o weld Llywelyn Lloyd yn y Cyfarfod Misol yn Aberffraw wedi gwaeledd hir. Dymunwyd yn dda iddo gan Hugh Roberts, Elim a Thomas Williams, Gwalchmai. (Y mae'r nodyn hwn yn ein hatgofio o ymateb Evan Davies, Cilcain pan aeth yntau i'r Cwrdd Misol wedi gwaeledd, meddai – 'Meddyliais am ysgrifennu atoch i ddiolch am eich llythyr i mi, eithr daeth gorchymyn i'm cof – "Dangos dy hun i'r Offeiriaid", a dyma fi wedi dod.')

20 Gorffennaf 1938

Ar un achlysur yn unig y digwyddodd i ni glywed y diweddar Barch Keinion Thomas (A) yn pregethu, a hynny tua diwedd ei oes, ac ni chlywsom neb yn traethu cymaint o synnwyr heb na brys na chyffro mewn 'chwarter awr'.

30 Awst 1950

Ymddengys fod amryw o weinidogion Môn yn bwriadu ymddeol a buasent wedi gwneuthur eisoes oni bai am brinder tai. Nid ydynt i gyd yn hen ac nid oes un ohonynt yn fethedig.

30 Awst 1950

Yn ystod y rhyfel disgynnodd dwy fom ar bentre Pentre Berw a gwnaed cryn ddifrod ar y capel. Derbyniwyd £40 o'r 'War Damage Commission' tuag at atgyweirio'r ffenestri.

3 Ionawr 1951

Wrth ddod o gyhoeddiad nos Sul olaf o Dachwedd (1950) digwyddodd inni lithro ar y rhew ac anafu – 'Ond nid yw'r celfyd hwn i farwolaeth'. Gorchymyn y meddyg mai'r feddyginiaeth yw 'gorffwys'. Tybed ai dyna ran fawr o feddyginiaeth anhwylder byd ac Eglwys heddiw yw gorffwys? Cofiwn eiriau'r Iesu – 'Deuwch eich hunain i le anghyfannedd o'r neilltu a gorffwyswch encyd.'

14 Chwefror 1951

Nid yw Sir Fôn, mwy na siroedd eraill, wedi osgoi yr afiechyd blin a ymdaenodd dros y wlad yn ddiweddar. Ar amser cyffelyb i hyn arferai'r hen bregethwr Thomas Griffith, Brynmelyn ledio'r hen bennill a ganlyn yn y Seiat:

> Newydd marw glywa i yma
> Newydd marw glywa i draw;
> Dyma'r newydd fydd gan eraill
> Amdana' innau maes o law.

(Ymddangosodd y nodyn yna yn y 'Lloffion' ddiwrnod cyn marw E.P.)

14 Chwefror 1951

Rhywsut yr ydym i gyd fel Pedr ac Ioan yn rhedeg tua'r bedd, ond fod rhai yn cyrraedd yn gynt nag eraill.

21 Chwefror 1951

Diolch i'r Parch. Gomer M. Roberts am ein hysbysu yn y *Goleuad* yr wythnos o'r blaen mai William Thomas, cyfrwywr a phregethwr cynorthwyol gyda'r Methodistiaid Wesleaidd yw awdur y pennill a gyplysir ag emyn adnabyddus Pedr Hir:

> Pan ddelo'r pererinion
> I gwrddyd yn y nef,
> Rhyw ganu mawr diddiwedd
> A glywir 'Iddo Ef'.

Yr oedd E. P. Roberts, awdur y 'Lloffion' wedi ei gladdu ers deuddydd pan ymddangosodd y nodyn arwyddocaol yna o'i eiddo. Dyna'r 'Lloffion' olaf o'i eiddo. Trysorwyd inni'r 'Lloffion' gwreiddiol a diddorol hyn, ac er bod dros hanner canrif ers colli E.P. mae'n rhyfeddol mor berthnasol ydynt o hyd ac mor iraidd.

Ond fe ddeil Emyr Jones, y Wigoedd, mai cofio'r pregethwr a'r gweinidog a wna. Heb os, fe'i cyfrifid yn bregethwr nodedig iawn ym Môn, nid ar gyfrif ei ddawn a'i huodledd ond ar gyfrif ei ddywediadau pert a'i ddarluniad cofiadwy. Yn ôl ei gyfaill, C.O:

> Ymdrafferthai gyda'i bregethau gan godi pennau gwreiddiol a diddorol. Mynnai amser i gaboli ei bregethau; fyddai E.P. fyth yn gollwng pregeth hyd nes y byddai'n fodlon arni. Fyddai'r pregethwr yma fyth yn gadael yr hyn a ddylai ef ei wneud i'r Ysbryd Glân. Fyddai o fyth yn goeg-ddysgedig nac ychwaith yn ystrydebol. Wrth ddiolch iddo ar derfyn oedfa ym Mhorthaethwy fe ddywedodd Syr Ifor Williams, a oedd yn flaenor yno, 'Mi fydda i wrth fy modd yn gwrando Mr Roberts yma bob amser, y mae'n bregethwr hynod o wreiddiol. Yr unig beth yn ei bregethau nad ydynt wreiddiol yw'r ffaith fod iddynt dri phen, a tydi'r tri phen ddim yn wreiddiol.' Yn ôl y sôn fe ddeuai gwên i wyneb cynulleidfa wrth glywed cyhoeddi: 'Mi fydd E. P. Roberts, Pengarnedd yma y Sul nesaf.' Clywais i wraig fach oedrannus ddweud wrth fynd allan o oedfa lle bu'n gwrando ar E.P., 'T'oedd yr hen ŵr bach yna o Bengarnedd yn pregethu'n felys?'

Pregethai ar nodyn lleddf iawn gyda'i ddagrau'n disgyn yn

ddireol, yn ôl un a'i cofiai, 'Ar wahân i *wrando* E.P., yr oedd ei *weld* yn cyffwrdd teimladau'r gynulleidfa hefyd.' Ond yn ddiffael cyn diwedd yr oedfa deuai pelydrau o hiwmor fel llafn o haul rhwng cymylau trymion. Yna, byddai'r gynulleidfa yn ymlacio, ac fel yr arferai Tom Nefyn ddweud ar ei bregeth weithiau, 'Gadwch inni lacio llinyn y bwa, ffrindiau!' Felly E.P. hefyd, tynnai wên dawel i wyneb ei gynulleidfa. Byddai ganddo stôr o ddyfyniadau, weithiau golygfeydd o nofelau Daniel Owen. Cofia Owen Parry amdano'n pregethu yn Llangwyllog ac yn sôn am godi Pont y Borth i bwrpas y bregeth, ac yna'n dyfynnu hen bill digon doniol:

> Roedd yno waith i'r ifanc
> A gwaith i'r canol oed,
> A gwaith i'r hen Siôn Morris
> Na wnaeth o strôc erioed.

Dro arall tua diwedd y bregeth codai ei lais yn sydyn, yn null yr hen bregethwyr, a chlywid bryd hynny dinc o'r hen hwyl Gymreig yn ei lais. Yn ôl rhai fe dueddai i ffrwyno'i hwyl fel pe bai ofn ei gollwng ac iddo golli rheolaeth arni. Yr oedd yr hen hwyl yn dechrau cilio o'r pulpud erbyn canol yr ugeinfed ganrif a'r dull darlithiol yn dod yn fwy poblogaidd gan y pregethwyr, ond nid gan y gynulleidfa.

Mi holais Wyn, ei fab, unwaith, beth a gofiai am bregethu ei dad. Yn gwbl ddibetrus meddai, 'Dyma bregath ora 'nhad – pregath Epaphroditus – 'fy mrawd a'm cyd-weithiwr a'm cyd-filwr. Adeiladodd ei bregeth ar y tair perthynas yna: Brawd, Cydweithiwr a Chyd-filwr.' Mi fyddwn yn hoff o gymharu pregethu'r gorffennol â rhai heddiw. Credwn pe deuai rhai o'r pregethwyr mawr a phoblogaidd gynt yn ôl na wnaent unrhyw argraff ar bobl heddiw. Boed hynny fel y bo, rwy'n siŵr braidd y byddai pregethu E.P., o ran dull a chynnwys, yn apelio'n fawr at gynulleidfa heddiw.

Yr oedd perthynas agos rhwng gweinidogaeth fugeiliol E.P. â'i bregethu. Yr oedd yn weinidog hynod o gydwybodol a heb os, pobl ei ofalaeth a gafodd o'i orau. Mynn rhai a'i cofia mai wrth fwrdd y Cymun ac yn y Seiat y ceid E.P. ar ei orau. Yn y seiadau y deuai i adnabod ei bobl ac i wybod eu hangen mewn sawl profiad o'u heiddo. Câi pobl y seiat flasu'r lloffion cyn i'r byd mawr gael eu darllen.

Rhan, a rhan bwysig iawn, o weinidogaeth E.P. oedd Ysgoldy Rhoscefnhir, sy'n enwog iawn drwy'r holl sir. Bu yno Ysgol Sul nodedig iawn ond yn sicr pinacl y flwyddyn fyddai'r Eisteddfod Nadolig. Gwnaeth E.P. enw iddo'i hun fel arweinydd y 'Steddfod hon, gyda'i hiwmor a'i wreiddioldeb fe 'gadwai bethau i fynd' am oriau lawer. Deil pobl ardal Rhoscefnhir i sôn yn hiraethus am yr hen 'Ysgol Bach'. Pam lai, canys o hon y codwyd un o bileri'r Babell Lên bresennol – Dafydd Islwyn. Ar lwyfan hon y canodd Menna (priod y Parch. Emrys Thomas) am y waith gyntaf, a mynd ymlaen i gipio'r wobr gyntaf ar yr unawd Soprano yn Eisteddfod Genedlaethol Glyn Nedd. Bu Tony ac Aloma yno hefyd a rhoes Ysgol Bach y Rhos sbardun iddynt hwythau. Bu yno Eisteddfod o 1902 hyd 1959.

Eto, er mor llawn fyddai agenda E.P. fel pregethwr a llenor cynhyrchiol, fe'i gwelid yn gyson ar ffyrdd tawel yr ardal yn cyrchu i gartrefi'r fro. Gan ei fod yn bur gloff oherwydd ei glun nid oedd teithio yn hwylus iddo felly; i hwyluso'r gwaith yr oedd ganddo Rover 8 a oedd yn gryn atyniad mewn oes ddi-geir. Rhyw greadur rhwng sbortscar a char salŵn oedd y Rover, gyda chap clwt a sbôcs llydan, smart ryfeddol. Dyna un oruchwyliaeth – gyrru car – na fu i'r gweinidog erioed ei meistroli; doedd ganddo mo'r ddawn na'r amynedd. Diolch i'r drefn fod cerbydau yn brin iawn ar ffyrdd Môn yn oes E.P.; dim ond William Davies, Cemlyn a Christmas Lloyd, Rhosmeirch, oedd â cheir a doedd yna ddim dewis rhwng yr un o'r tri.

Stopiwyd E.P. un nos Sul ac yntau ar ei ffordd o Gaergybi. Dyfalai'r gyrrwr beth allasai'r achos fod ac meddai wrth yr heddwas, mewn tôn edifeiriol, 'Gyrru gormod oeddwn i?' 'Nage,' meddai'r swyddog yn gwta, 'llusgo.'

Cof gan un a fynn fod yn ddienw, iddo gael lifft gan E.P. ac wrth deithio drwy Bentraeth fe darodd yr olwyn ar gwr y palmant. Ceisiais amddiffyn cam y gweinidog a dweud y bu i minnau daro ymyl y palmant droeon, 'Ond nid yr ochr dde, gobeithio,' meddai'r dyn! Er hyn, yr oedd yn reit ofalus o'r car. Ni fyddai o byth yn ei yrru ar hyd y ffyrdd cul, tyllog a arweiniai at amryw o'r ffermydd, yn hytrach gadawai'r Rover ar ben y ffordd a cherdded. Yr oedd yn ymwelydd diddan ac yn ei afiaith yn sgwrsio i unrhyw gyfeiriad, gyda'i ddiddordebau eang. Nid oedd ysmygu yn bechod yn oes E.P.; yr oedd ei genhedlaeth wedi clywed digon o sôn am Faco'r Achos ym mhob capel. Pe bai'r baco'n bechod, yna E.P. fyddai'r pechadur pennaf. Yr oedd yn smociwr trwm a châi bob help gan ei aelodau gan y byddent yn gofalu am sigaréts ar gyfer y gweinidog. Pan alwai E.P. yn Nhŷ Croes, cartref David a Margaret Roberts, cyn eistedd byddai'n bodiachu'r silff-bentân lle byddai gwraig y tŷ wedi ymorol am nythaid o sigaréts ar ei gyfer. Ni wisgodd neb esgid mor garedig â Margaret Roberts, nid oedd fyth ball ar ei haelioni, a hynny er bod David Roberts yn bur ofalus o enau'r sach.

Galwai'r gweinidog yn ei dro i ymweld â Griffith Roberts, Plas Uchaf, hen frawd gwreiddiol iawn. Rhoddai gwraig y tŷ drenglan o faco i'r ddau ac yno y byddent drwy'r prynhawn a'r parlwr bach yn fwy na llawn – o fwg. Cof da gan Emyr, mab y Wigoedd, Rhoscefnhir, i'r gweinidog alw a chael croeso tywysogaidd gan Dyfnan, gŵr y tŷ. Yn ôl arfer yr oes aeth y wraig ati'n ddiymdroi i wneud crempog i'r ymwelydd. Yr oedd y te ar y bwrdd mewn dim o dro a'r gweinidog yn gwneud cyfiawnder â'r crempogau cynnes. Yn sydyn arhosodd yn syn a throi at awdur y crempogau, 'Tybed,' meddai mewn llais tawel, 'a gawswn i un neu ddwy o'r rhein, wel maen nhw'n dda, i fynd adra i Eifion bach?' Mae'n debyg fod Wyn yn rhy ifanc i grempog eto.

Yr oedd ganddo feddwl y byd o'r ddau fab a siaradai yn barhaus amdanynt. Yn wir yr oedd ganddo feddwl o bob plentyn ac yr oedd yntau yn gryn ffefryn ganddynt hwythau. Byddai galw cyson arno yn Nosbarth Biwmares i holi'r plant mewn Cyfarfod Ysgol a Chymanfa. Ar un o'r achlysuron hyn methodd yr holwr dewisedig gadw'i gyhoeddiad. Galwyd yn gwbl ddirybudd ar E.P. i lanw'r bwlch; pwy yn well? Cododd, wedi ymdrech, ac ymlwybrodd yn herciog at y Sêt Fawr gan sibrwd yn glywadwy i bawb, 'Llanw bwlch, llanw bwlch'. Cyn ei gyflwyno'i hun na chyfarch y plant gofynnodd yn uchel ei lais, 'Efo beth y bydd ffermwyr Sir Fôn yn cau

95

bwlch, 'y mhlant i?' Cafodd gôr o ateb gan y plant – 'Drain', a chafodd ei fodloni'r fawr.

Dro arall fe holai'r plant ar y maes a oedd yn cynnwys yr hanesyn am Andreas yn dod â'i frawd, Simon Pedr, at Iesu Grist. 'Dyma hanes pregethwr bach yn dod â phregethwr mawr at yr Iesu,' meddai'r holwr. Yna aeth ar drywydd cwbl ddieithr, 'Glywsoch chi fi'n pregethu rywbryd, 'y mhlant i?' Cafodd gôr o ateb eto, 'Do.' Aeth yr holwr yn ei flaen, 'Pregethwr bach ynteu pregethwr mawr a ddwedech chi ydw i, 'mhlant i?' Yn gwbl ddibetrus daeth yr ateb, heb flewyn o amheuaeth, 'Un bach,' meddent. Credai'r plant mai at faintioli corfforol a thaldra y cyfeiriai'r holwr! Ond yr oedd gan E.P. ddawn ryfeddol i weld ac i werthfawrogi'r ochr ddoniol ym mhob sefyllfa.

Gyda'r un ddawn y byddai'n trafod pobl hŷn hefyd. Yr oedd yn holi hanes yr achos yn eglwys Cefn Bach – chwaer eglwys Llanfairpwll. Am ryw reswm ni fyddai E.P. byth yn cael gwahoddiad i bregethu yn Llanfair. 'Maddeuwch,' meddai wrth bobl Cefn Bach, 'imi holi, dydw i'n gwybod dim am Lanfairpwll ac, o ganlyniad, ychydig a wn i amdanoch chi. Ond rwyf am fanteisio ar y cyfla i wybod rhywbeth amdanynt. Dydw i ddim yn meddwl fy mod i allan o drefn wrth holi amdanynt hwy. Mae yna adnod yn rhywle, diolch byth – "Ac yr oedd yn rhaid iddo fyned trwy Samaria," felly minnau. Yr oedd yn rhaid imi ddod trwy Lanfairpwll i gyrraedd yma!'

Ond nid doniau cyhoeddus yn unig a feddai E.P., yr oedd yn gwmnïwr tan gamp, yn enwedig os câi ddigon o faco wrth law. Câi Dyfnan (John Jones) hwyl anghyffredin yn adrodd hanes y ddau yn teithio i Lanelli, gan fod E.P. wedi cael gwahoddiad i bregethu yng nghyrddau mawr y Trinity – eglwys y Parch. Emrys Thomas, brawd-yng-nghyfraith Dyfnan. Gadawodd y ddau deithiwr Lansadwrn am hanner awr wedi saith y bore a chyrraedd Llanelli am dri y prynhawn, gyda Dyfnan yng ngofal y gyrru. Fu erioed ddifyrrach siwrnai, yn ôl y sôn. Y oedd gan E.P. strytyn bach am bob pentref a chapel ar hyd y daith. Cysylltai â phob ardal enw bardd a phregethwr a rhyfeddai'r blaenor at ei wybodaeth drylwyr am hanes ein beirdd a'n llenorion.

Trannoeth y Sul aeth y ddau bererin draw i Bantycelyn. Wedi cyrraedd yno, i gartref y pencerdd, mae'n amlwg fod E.P. wedi ei gyffwrdd â'r lle, yn wir fe gerddai fel pe bai'r ddaear a phob dim arall yno yn gysegredig. 'Dyma fraint fwyaf fy mywyd, rwyf wedi gweddïo llawer am gael dod yma. Mi fuasai'n braf cael mynd i'r nefoedd o'r fan yma yn awr,' meddai. Ond fe'i hatgoffwyd mewn dim ei fod â'i draed ar ddaear y byd hwn wrth weld gyrr o wartheg byr-gorn yn pori'n dalog yno, a tharw enfawr yn eu plith. Holodd E.P. yn bur nerfus, 'Oes yna darw hefo'r gwartheg yma, Dyfnan?' 'Oes,' meddai hwnnw. 'Diolch am eich cwmni,' meddai'r gweinidog, 'fuaswn i fyth yn mentro heibio iddynt fy hun.' Yn sydyn fe droes at Dyfnan â gwên fawr ar ei wyneb, 'Ond hyd yn oed pe cawswn gorniad ganddo, tarw Pantycelyn ydi o wedi'r cwbl!' fel pe na bai hwnnw yn medru niweidio!

Hebryngwyd y ddau bererin o Fôn drwy'r tŷ gan hynafgwr difyr yn dweud pwt am bob dodrefnyn oedd yno, ac yr oeddynt yn eu seithfed nef.

Bu cwmni a chefnogaeth E.P. yn gaffaeliad mawr i ddau ddyn ifanc gychwyn i'r weinidogaeth o Eglwys Gilead – O. J. Roberts ac Alun Wyn Owen. Ni fu neb erioed yn haws mynd ato a gofyn am unrhyw ffafr, yn ôl y ddau. Yr oedd E.P. yn tynnu at derfyn ei weinidogaeth erbyn hyn. Ar derfyn oedfa un nos Sul gofynnodd y gweinidog i Alun a fuasai'n pregethu yn y Seiat yr wythnos ddilynol, a rhoes batrwm o bregeth iddo i'w helpu i baratoi. Bu'r cais dirybudd yn ddychryn i Alun druan, wedi'r cwbwl bachgen ysgol oedd. Ond er ei ofnau, cafodd eithaf hwyl ar ei bregeth gyntaf a thystia y gwyddai E.P. i'r dim sut i helpu dyn ifanc i'r weinidogaeth. Er fod R. E. Hughes, Nefyn, un o hogia Rhoscefnhir, beth yn iau, eto mae'n debyg ei fod yntau yn un o'r plant yng Nghymanfa Biwmaris gynt, yn sôn am y drain i gau y bwlch! Beth bynnag am hynny, y mae gan y tri fel ei gilydd air da a choffadwriaeth felys am eu cyn-weinidog, E. P. Roberts, Pengarnedd.

Rhoes y Parch. C. O. Lewis yntau deyrnged deilwng iawn i'w gyfaill yn *Y Goleuad* ar 7 Mawrth 1951. O ganlyniad i ddamwain, pan syrthiodd ar y rhew wrth y tŷ, bu raid i E.P. orffwyso ac aros gartref. Galwodd C.O. heibio i weld ei gyfaill gan rannu newyddion ag o. Troes E.P. ato gan ddweud, 'Un rhyfedd ydi'r Brenin Mawr – yr oeddwn wedi cyrraedd yn ôl nos Sul o'm cyhoeddiad yn y Gaerwen. Pregethais fy ngorau glas trosto drwy'r dydd. Wrth ddod i lawr o'r car bach, ar y ffordd o flaen y tŷ yma, llithrais ar glwt o rew ac anafu 'nghoes. Hen goesau digon sâl oedd gen i gynt ac mi wyddai'r Brenin Mawr hynny yn iawn. Prin ei bod hi'n deg iddo fy nhrin i fel y triniodd o Jacob gynt. O ia, un rhyfedd ydi'r Brenin Mawr!' Rwy'n clywed C.O. yn chwerthin yn harti.

Yn yr un ysbryd y mae'n cloi ei anerchiad yn Adroddiad Pengarnedd am 1950:

> Oherwydd y ddamwain a'm goddiweddodd, mae'n ddrwg gennyf fy mod yn methu â dilyn y gwersyll, a hynny am y waith gyntaf er pan ddechreuais bregethu bum mlynedd a deugain yn ôl. Dywaid Llyfr y Pregethwr fod 'amser i rwygo ac amser i wnïo' ac o'r ddau y mae 'amser i wnïo' yn llawer hwy na'r 'amser i rwygo'. Caffed amynedd ei pherffaith waith.

Cydnabyddir:

Syr Wyn Roberts / Y Barnwr H. Eifion Roberts; y ddau fab.

Emyr Jones, Y Wigoedd.

Megan Lloyd, Pentraeth.

D. H. Roberts, Tŷ Croes.

R. E. Hughes, Nefyn.

Eric Williams, Llandegfan.

Eirwen Morgan, Amlwch.

O. J. Roberts, Conwy.

Alun Wyn Owen, Dinbych.

Ieuan Lloyd, Prestatyn.

Medwyn Hughes, Malltraeth.

Beryl Lloyd, Llanrhaeadr, Dinbych.

HENRY DAVID HUGHES (H.D.)
(1885–1947)

H.D. (ar y chwith) gyda'i gyfaill Cwyfan Hughes.

Oaleri'r chwarel y cychwynnodd H. D. Hughes i'r weinidogaeth yn 1906, pan sychai chwys y Diwygiad – chwarel lechi enwog Dinorwig – un o chwareli enwoca'r byd! Gorfu i Harry Hughes, fel ei gyfoedion, adael ysgol yn ddeuddeg oed i ddechrau prentisiaeth, fel ei dadau oll, yn chwarelwr. Fe ddywed gwybodusion byd mai amgylchedd bore oes sydd yn mowldio cymeriad dyn, ac er mai fel gweinidog Methodist y cofir am H.D., eto yn Chwarel Dinorwig y naddwyd ei gymeriad. Yn wir, ni fu i'r chwarel erioed ei adael; yr oedd y llechen las a'i llwch yn ei waed i'r diwedd. Bu'n chwarelwr hyd derfyn ei oes. Yn hyn o beth y mae'r chwarelwr a'r plismon yn ddigon tebyg i'w gilydd – 'unwaith yn blismon …'

Byddai Syr Ifor Williams yn arfer dweud, gyda chryn ymffrost, mai chwarelwr oedd ei dad, yn Chwarel Cae, Bethesda. Treuliodd ddiwrnod llawn yn y chwarel gyda'i dad ac yntau ond yn blentyn ifanc ac yn nhyb y plentyn o Dregarth, nid oedd yr un athrofa i'w chymharu â'r chwarel. Ym mro'r chwareli edmygai pob plentyn ei dad gyda balchder, gyda'i ddwylo mawr yr un lliw â'r garreg, nid rhyw ddwylo gwyn meddal fel dwylo'r 'sgŵl' neu'r 'sgethwr'. Oni adnabu W. J. Gruffydd y teimlad i'r dim?

> Bachgen dengmlwydd gerddodd ryw ben bore,
> Lawer dydd yn ôl, i gwr y gwaith;
> Gobaith fflachiai yn ei lygaid gleision
> Olau dengmlwydd i'r dyfodol maith.
>
> ('Cerdd yr Hen Chwarelwr', *Caneuon a Cherddi*,
> W. J. Gruffydd, t. 53)

Fe wyddai H. D. Hughes yn iawn am y profiad yna ac nis anghofiodd y bore hwnnw y cerddodd gyda'i dad, David Hughes, Fron Heulog, ac fel y fflachiai gobaith yn ei lygaid yntau hefyd.

Y mae'n ddiddorol sylwi ar y gwahanol weithiau a galwedigaethau y bu pregethwyr ein gwlad ynddynt – o fodd nid o raid – cyn mynd i'r weinidogaeth. Gadawodd y galwedigaethau eu dylanwad yn amlwg arnynt gan fritho'u profiadau. Bu i ardal enwog Dinorwig a'i thraddodiadau crefyddol a diwylliannol droi'n gefndir i feddwl H. D. Hughes gydol ei oes. Rhoes y cefndir hwn ryw ruddin neilltuol iawn i'w bersonoliaeth hardd a'i ddynoliaeth eang. Yr oedd ganddo gyflawnder o atgofion difyr am gymeriadau gwreiddiol a straeon llawn hiwmor am y chwarelwyr yr ymfalchïai o fod yn un ohonynt. Ireiddiwyd ei bregethau a'i sgwrs â'r atgofion hyn.

Yr oedd ystyr a dyfnder arbennig iawn i ymffrost ac atgofion H. D. Hughes am ei hiliogaeth chwarelyddol. Ni flinai ar olrhain ei achau gan ddweud mai chwarelwyr fu'r dynion yn ei deulu er y flwyddyn 1720, os nad cynt, gan ychwanegu gyda balchder, 'ac fel chwarelwr y dechreuais innau fy ngyrfa'. Rwy'n siŵr braidd y byddai'n fuddiol, er adnabod y cymeriad neilltuol hwn, inni graffu tipyn ar y graig y naddwyd ef ohoni gyda chymorth parod yr hanesydd lleol, David Whiteside Thomas. Diolch am bobl wybodus y byd yma a diolch mwy am bobl sy'n barod i rannu eu gwybodaeth â ni. Pwysaf yn drwm ar ei ganllawiau gyda chymorth 'Cof-lyfr Griffith Ellis', *Morris Hughes, y Felinheli, trem ar ei fywyd, ei waith a'i amserau* gan T. Gwynedd Roberts

(Caernarfon, 1903) ynghyd ag ysgrif yn *Y Drysorfa* (Ebrill 1861).

Y mae'n weddol rwydd olrhain y teulu yn ôl i William Morris, a ddaeth i'r Fachwen o ardal Clynnog tua'r flwyddyn 1720. Mab iddo oedd Morris William, a drigai gyda'i wraig, Margaret, yn y Fachwen ac a gymerodd chwarel fechan gerllaw ar lethrau'r Elidir Fach a'i galw'n Chwarel Fachwen. Yr oedd y tyddyn a'r chwarel yn eiddo i'r Arglwydd Newborough ond fe'i prynwyd yn ddiweddarach gan Asheton Smith o'r Faenol. Dyma'r chwarel gyntaf yn ardal Llanberis a Morris William a'i gweithiodd gyntaf. Dywedir mai ef oedd y cyntaf yn yr ardal i ddefnyddio pylor i chwythu'r graig. Ganddo ef, hefyd, yr oedd yr unig oriawr yn y fro am flynyddoedd. O gofio hyn nid rhyfedd yn y byd fod Harry Hughes yn dipyn o lanc ar ei ffordd i'r chwarel y bore cyntaf hwnnw; onid oedd, wedi'r cwbl, yn un o'r teulu a gloddiodd y llechen gyntaf!

Mae'n siŵr mai chwarela digon cyntefig a fu ar y dechrau gan gludo'r llechi di-raen mewn math o gar-llusg i lawr i'r Felinheli. Ond, erbyn 1788, fe weithid Chwarel Dinorwig ar raddfa reit eang. Yr oedd Morris yn dilyn y Methodistiaid ac yn arfer mynychu eu haddoldy yn y Capel Coch, Llanberis. Cludai rai o'r addolwyr o ardal y Fachwen i Lanberis mewn cwch ar draws Rhyd y Bala yn y cyfnod cyn i bont gael ei chodi yno.

Yr oedd dau fab i Morris a Margaret William, sef William a Hugh Morris, a rhannodd y ddau y Fachwen rhyngddynt, gan ei fod yn dŷ digon helaeth. Cafodd Hugh Morris rywfaint o addysg gyda John Morgan yn Eglwys Nant Peris. Yr oedd yn gyd-ddisgybl â Dafydd Ddu Eryri, Bardd Du Eryri a Gutyn Peris. Cafodd hefyd rywfaint o ysgol gydag Evan Richardson yng Nghaernarfon a bu'n flaenor yn y Capel Coch cyn gadael i sefydlu eglwys Dinorwig. Yr oedd yn briod â Siân Jones, merch y Ddôl Ddeitio, Llanddeiniolen, oedd yn un o bedair o wragedd a oedd yn aelodau cynnar a chyson yn y Capel Coch. Bu iddynt naw o blant ond bu nifer ohonynt farw'n ifanc. Un o'r meibion oedd Morris Hughes (y ceir y Cofiant iddo), a briododd â Catherine, merch William Rowlands, Ty'n y Fawnog, Dinorwig.

Merch i Hugh a Siân Morris oedd Ann Hughes a briododd â Henry Parry, Fronheulog, Dinorwig. Brodor o Nefyn oedd Henry Parry a ddaeth i Ddinorwig tua 1831, ac a fu'n flaenor yng nghapel Dinorwig am hanner can mlynedd. Dywed traddodiad ei fod yn medru rhag-weld damweiniau yn digwydd yn y chwarel mewn breuddwydion. Roedd ganddynt o leiaf dri o blant: Robert a aeth i America, Hugh Henry Parry a fu'n arwain y canu yn Ninorwig am chwe blynedd ar hugain a'r Parch. John Hughes Parry.

Mab arall i Hugh a Siân oedd John Hughes, sef hen daid y Parch. H. D. Hughes. Ganed John Hughes yn 1803 ac ymdrechodd i godi capel yn Ninorwig gan sefydlu mynwent Macpela yn Neiniolen ac, yn ddiweddarach, llwyddodd i sefydlu ysgol ddyddiol yn Ninorwig. Mab i John Hughes a Gaenor oedd Henry Hughes, Fron Dirion, Dinorwig. Roedd iddynt o leiaf saith o blant. David Hughes, y mab hynaf a anwyd yn 1864 oedd tad H.D., Caergybi, ac yn briod ag Anne. Roeddynt yn byw yn y Fron Heulog, Dinorwig, adeg Cyfrifiad 1901 er y gwyddom iddynt, fel teulu, symud i Bontrhythallt, Llanrug, y flwyddyn honno gan fyw yn Dinorwig House. Roeddynt yn un o'r teuluoedd a sefydlodd eglwys y Methodistiaid ym Mhontrhythallt yn 1907.

Yr oedd H.D. eisoes yn bymtheg oed yn 1901 ac yn gweithio yn chwarel Dinorwig ond gadawodd yn 1907, ac yntau'n un ar hugain oed, i fynd i Ysgol Clynnog. Yr oedd chwaer iddo, Anne, yn byw gartref ac yn cadw siop fach y pentref – Siop Eryri neu Eryri Stores a rhoi'r enw swyddogol iddi, ond 'Siop Sinc' ar lafar. Chwaer ieuengach oedd Menai, a briododd â David Glynne Owen – rhieni y diweddar Barch. Tudor Owen a'r Parch. Dafydd Henry Owen. Bu Glynne Owen yn flaenor yng Nghapel Pontrhythallt am flynyddoedd maith.

Rhywdro yn ystod chwarter cyntaf yr ugeinfed ganrif, symudodd y teulu o Dinorwig House i'r tŷ nesaf, sef Llys Eryri (a roes ei enw i'r siop). Yno y bu David Hughes (tad H. D.) farw yn 1933. Bu Anne Hughes, ei weddw, fyw i'r oedran teg o 84 mlwydd oed a bu farw ar 7 Awst 1947, dri mis ar ôl ei mab. Ceir coffâd iddi yn Adroddiad Blynyddol Capel Pontrhythallt: 'Gwraig fwyn, foneddigaidd a gwên siriol barhaus ar ei hwyneb. Yr oedd hi yn un a oedd yn sefydlu'r eglwys yn 1907. Gofalodd am ddwyn ei phlant i fyw i awyrgylch yr Eglwys. Ergyd drom iddi oedd colli ei hunig fab – y Parchedig H. D. Hughes, Caergybi – mor ddisyfyd, ond edrychai ymlaen am i'r ŵyr – G. Tudor Owen – ei ddilyn yn y gwaith aruchel y'i galwyd iddo. Dioddefodd gystudd maith yn dawel fel Cristion.'

Byddai'n ddigon buddiol corlannu'r achau hyn yn y dull arferol. Dyma'r hiliogaeth yr ymfalchïai H. D. Hughes gymaint ynddynt, ac yn wir, yr hiliogaeth y glynodd wrthi mor deyrngar a balch gydol ei oes.

Fel y dywedwyd eisoes, yn ôl Cyfrifiad 1901 yr oedd David Hughes ac Anne yn byw yn y Fron Heulog, Llanddeiniolen, gyda'u pedwar plentyn. Roedd Henry D. Hughes, y plentyn hynaf, yn bymtheg oed ac, fel ei dad, yn 'Slate Quarryman'. Yr oedd Maggie yn bedair ar ddeg, Ellen yn ddeg ac Annie yn wyth oed ac yn ystod y flwyddyn hon y bu iddynt symud i Bontrhythallt.

Ond nid ar sail ei ddylwyth yn unig yr hawliai H. D. Hughes enwogrwydd, ond am iddo dreulio bron i ddeng mlynedd, odid yr hapusaf yn ei fywyd, yn rhan o'r gweithlu a chymdeithas arbennig y chwarelwyr; cymdeithas drwyadl Gymreig o tua thair mil, a hynny yn Chwarel Dinorwig yn unig. Dyma'r gymdeithas a roes ei cheiniog brin i godi'r Coleg, a'r rhain a fagodd gewri'r bryniau ar eu glin. Yn ei ysgrif yn cymharu'r chwarelwyr â gweithwyr eraill (*Y Drysorfa* Ebrill 1861) ymffrostia'r Parch. Morris Hughes, y Felinheli:

> Y mae'r chwarelwr yn tra rhagori yn ei nodwedd lenyddol, foesol a chrefyddol ar weithwyr eraill y deyrnas – gweithwyr amaethyddol Môn, mwynwyr Sir y Fflint a glowyr a haearnwyr Morgannwg. Nid wyf yn credu fod un cylch arall o weithwyr yn derbyn cynifer o lyfrau buddiol ac o gylchgronau safonol na'r chwarelwyr.

Dyma gip ar y cyhoeddiadau a dderbynnid gan gymdeithas chwarel Dinorwig: *Y Gwyddoniadur* (30); *Traethodydd* (30); *Llenor* (60); *Y Drysorfa* (rhai cannoedd); *Y Gyfres Gymraeg* (200); *Corff Diwinyddiaeth* Dr Lewis Edwards (150). Ac nid oedd odid dŷ yn yr ardal heb un neu ragor o'r

Achresi y Parchedig H. D. Hughes

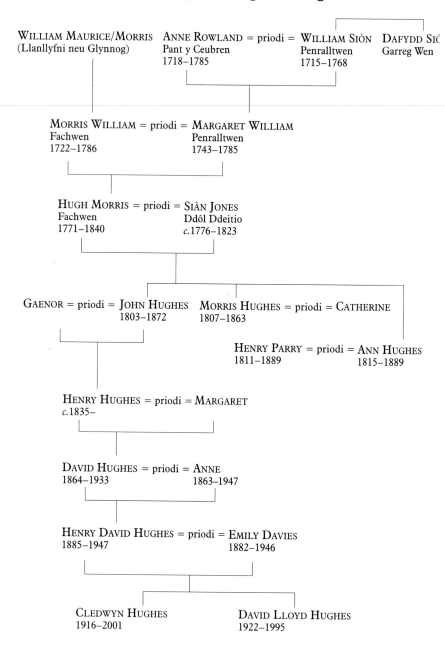

WILLIAM MAURICE/MORRIS (Llanllyfni neu Glynnog)

ANNE ROWLAND = priodi = WILLIAM SIÔN
Pant y Ceubren   Penralltwen
1718–1785   1715–1768

DAFYDD SIÔN
Garreg Wen

MORRIS WILLIAM = priodi = MARGARET WILLIAM
Fachwen   Penralltwen
1722–1786   1743–1785

HUGH MORRIS = priodi = SIÂN JONES
Fachwen   Ddôl Ddeitio
1771–1840   c.1776–1823

GAENOR = priodi = JOHN HUGHES
     1803–1872

MORRIS HUGHES = priodi = CATHERINE
1807–1863

HENRY PARRY = priodi = ANN HUGHES
1811–1889   1815–1889

HENRY HUGHES = priodi = MARGARET
c.1835–

DAVID HUGHES = priodi = ANNE
1864–1933   1863–1947

HENRY DAVID HUGHES = priodi = EMILY DAVIES
1885–1947   1882–1946

CLEDWYN HUGHES
1916–2001

DAVID LLOYD HUGHES
1922–1995

104

cyhoeddiadau hyn ynddynt. Nid oedd yr un brifysgol yn y deyrnas allasai gynnig gwell darpariaeth academaidd nac ymarferol ar gyfer y weinidogaeth na chymdeithas y chwarel. Ni flinai H.D. yn ei ymffrost o fod yn fab i chwarelwr a fynnai, fel sawl un arall, roi manteision addysg i'r plant. Ni thawai H.D. yn ei ganmoliaeth i'r dosbarth neilltuol yma, er pob dyrchafu a fu arnynt ac er dringo'n uchel iawn ar ysgol ddysg, ni chollasant lwch y garreg las oddi ar eu diwyg ac nid anghofiodd yr un ohonynt y graig honno y naddwyd hwy ohoni. Dyna i chi'r Athro W. J. Gruffydd a dynnodd mor drwm o'i atgofion ei hun ac eiddo ei deulu a'i gydnabod am gymeriadau'r chwarel lechi, heb sôn am Robert Williams Parry,   Syr Ifor Williams,   T. H. Parry-Williams,   Thomas Parry, T. Rowland Hughes, Kate Roberts a'r Parchedig H. D. Hughes, Caergybi.

Ond yn wahanol i'r llenorion hyn ni honnai H.D. fod ynddo ef unrhyw ddawn i lenydda, a chan y credai na ddylai gweinidog ymhél â dim o'r natur hwn a fyddai'n amharu ar ei bregethu, ni roes gyfle i'r ddawn hon. Ond, yr oedd ynddo ddeunydd llenor da, gan iddo dderbyn hyfforddiant er yn blentyn wrth ddarllen cynhyrchion gorau'r genedl. Rhoes Robert Beynon gryn bwysau arno i gyfrannu i'r *Drysorfa* ac yn yr un modd bu i T. Rowland Hughes ddwyn perswâd arno i gasglu ei atgofion am y chwarel a'i phobl. I'r ddau hyn yr ydym yn ddyledus am ei atgofion difyr a gasglwyd gan David Lloyd, ei fab, dan y teitl *Y Chwarel a'i Phobol* (Llyfrau'r Dryw, Llandybïe, 1960). Mae'n amlwg fod ganddo ddawn neilltuol i adrodd stori ac i'w hysgrifennu hefyd.

Yn ôl ei atgofion yn y llyfr uchod aeth i bregethu i Hebron, hen gapel bach ar lethrau'r Wyddfa, yn Ebrill 1940. Cofiai'n dda gerdded i lawr llethr y mynydd o'r oedfa, 'Gwelwn,' meddai fel gŵr wedi ei syfrdanu, 'yr hen chwarel yn agor ei mynwes o'm blaen. Eisteddais i lawr i edrych arni ac i wrando ar sŵn ei thomennydd yn rhedeg.' (*Y Chwarel a'i Phobol*, t. 41) Yn y myfyrdod dwys teimlwn rin ei hiraeth am ddyddiau a fu ac am oes a oedd wedi diflannu. Cofiai'n dda fel y gweithid y Chwarel yn bonciau hwylus ar ochr y mynydd, lle y ceid digonedd o ddyfnedd i waredu'r rwbel. Er ei syndod, y mae'n cofio'n iawn enwau'r ponciau: New York,

Califfornia, yr Aifft ac Abysinia, Awstralia a Twll Dwndwr a Twll y Mwg, gerllaw dacw Toffet, a sibrydai'n hyglyw, 'Bûm yn gweithio am gyfnod yn Nhoffet, a dyna'r cyfnod hapusaf yn fy mywyd fel chwarelwr. Yno y gwelais i rai o'r bobol orau a welais erioed.' Wrth enwi'r ponciau daw iddo atgofion o'i ddiwrnod cyntaf erioed yn y chwarel ac yntau'n hogyn deuddeg oed. Dyna'r fraint fwyaf i fab chwarelwr yn yr ardal, cael cerdded yn llaw ei dad i'r chwarel. Gwelir ei fam yn torri tafelli bara gwyn ac yntau yn ysu isio mynd. Cofia'r piser chwarel mor dda. Cofia am y croeso a gafodd – fel hogyn Dafydd Fron Heulog. Clywai'r corn cinio yn galw pawb i'r Caban.

Yr oedd gan bob Caban ei lywydd ei hun a fyddai'n arwain trafodaethau'r chwarelwyr ac yn delio â'u cwynion. Ar un amser ceid 'darllenwyr' yn y cabanau; darllenid *Y Faner* – hon oedd y safon wleidyddol. Fe sonia Syr Ifor amdano'i hun yn treulio diwrnod yn y chwarel hefo'i dad ac fel y gofynnwyd iddo 'ddarllen' yn y caban. Dyma fel y mae H.D. yn cloi'r bennod hon o'i atgofion:

> Ystyriaf yr hen chwarel fel hen goleg mawr, coleg a fu yn gymorth mawr i mi, ac i eraill, lawer tro. Pe cawn gychwyn fy ngyrfa eto, a gwybod mai gweinidog Ymneilltuol fyddwn ryw dro, buaswn yn barod iawn i fynd i'r chwarel am rai blynyddoedd, oblegid dysgais ar ei phonciau rhyw bethau na all ysgolion a cholegau eu dysgu i'w hefrydwyr.

Yn y gymdeithas hon ac yn awyrgylch caban y chwarel y magodd y chwarelwr argyhoeddiadau radicalaidd. Nid oedd neb na dim allai newid gwleidyddiaeth y chwarelwr o fod yn Rhyddfrydwr. Methiant fu pob bygwth o gyfeiriad y meistri chwarel i fennu dim ar eu hargyhoeddiadau gwleidyddol ac fe frwydrodd y chwarelwr yn fwy na neb dros gyfiawnder a thegwch i'r gweithwyr.

Yn naturiol fu erioed gywilydd gan H.D. i arddel a dangos ei liwiau gwleidyddol. Yn wir yr oedd yn fwy o radical o lawer na Syr R. J. Thomas, Aelod Seneddol Môn, ar y pryd. Fel ei dadau o'i flaen, brwydrodd H.D. dros gyfiawnder i'r werin ac arddelai y safonau a gyfrifai a oedd yn bwysig. Oni ddywedwyd am ei hen daid, John Hughes, Fron Heulog (gan John Hughes, brawd Morris Hughes a hen daid i H.D.

Hughes yn *Morris Hughes y Felinheli* t. 25), 'Condemniai bob trais a gorthrwm a chredai yn gryf yn hawliau'r gweithiwr'? Heb os yr oedd H. D. Hughes yn radical o'r iawn ryw, gyda Lloyd George yn eilun iddo ac yr oedd yntau yn ei dro â meddwl uchel o H.D. hefyd. Galwai yn y Fron Deg bob tro y deuai i Gaergybi a cheisiodd ei gyngor sawl gwaith ond fe wyddai'r dewin hwnnw'n iawn na allai ddefnyddio'r gweinidog hwn fel y defnyddiodd ambell un. Pan ymddeolodd Syr R. J. Thomas fel Aelod Seneddol Môn yn Ionawr 1928, bu cryn ymgiprys am enwebiad i'r sedd. Yr oedd Ellis William Roberts, fel bargyfreithiwr, yn ymgeisydd cryf a honnai fod Syr R. J. wedi addo'r enwebiad iddo pan ymddeolai tra credai Cyrnol Lawrence Williams, y Parciau, y dylai Sir Fôn gael ffermwr i'w chynrychioli. Ond ymgais Megan Lloyd George a greodd y cynnwrf mwyaf – merch yn sefyll fel ymgeisydd ym Môn! Yr oedd H. D. Hughes yn gryf o'i phlaid, ac fel y dywedodd un hen wag ar y pryd, 'Os ydi H.D. o'i phlaid, mae hynny yn sicrhau Caergybi i Megan.' Ac felly y bu ac fe ddaliodd y sedd hyd 1951. Yn yr etholiad hwnnw yn 1951 enillwyd sedd Môn i'r blaid Lafur gan Cledwyn Hughes – mab hynaf H.D. Yr oedd R. J. Thomas wedi rhybuddio Cledwyn cyn hyn, tra cerddai'r ddau ar eu ffordd o oedfa'r bore yn Nisgwylfa, 'Cledwyn, the future belongs to Labour.'

Gyda'r cefndir cyfoethog hwn y gadawodd H.D. y chwarel a'i bwrlwm bywyd yn y cyfnod rhwng y Diwygiad a'r Rhyfel Byd Cyntaf. Yr oedd y teulu wedi cartrefu bellach ym Mhontrhythallt ac wedi helpu i sefydlu'r capel. Erbyn hyn roedd H.D. wedi mynd i hen ysgol Eben Fardd yng Nghlynnog ond byr fu ei arhosiad yno gan ei fod yn aeddfed iawn am safon uwch o addysg. Derbyniwyd ef i'r Ysgol Ragbaratoawl yn y Bala ac yna i'r cwrs diwinyddol yno ac wedi pedair blynedd fe'i hordeiniwyd i gyflawn waith y weinidogaeth yn 1913. Derbyniodd alwad i'r Tabernacl a'r Gyffin yng Nghonwy ond, ymhen rhyw ddeunaw mis, daeth galwad iddo o Ddisgwylfa, London Road, Caergybi. Yr oedd yr alwad hon yn rhoi cryn sialens i ddyn ifanc a bu'n ymgynghori â rhai o weinidogion hynaf Môn. Derbyniodd yr her a symudodd i Ddisgwylfa, un o gapeli harddaf yr Ynys.

Hyfrydle oedd eglwys fwyaf y Methodistiaid ym Môn ac un o'r achosion hynaf yn nhref Caergybi. Yr oedd dau gapel bach cenhadol yn perthyn i'r eglwys, y naill yn Mill Bank a'r llall yn London Road – y ffordd sy'n arwain i mewn i'r dref. Arferai diadell fechan London Road gyfarfod yn hen lofft 'Foundry' yn y Bont Ddu, ar gwr y dref. Symudwyd i Ysgoldy newydd a godwyd, eto gan Hyfrydle, yn 1881. Bu cymaint o gynnydd yn rhif yr aelodau fel y sefydlwyd eglwys yn London Road gyda deg a thrigain o aelodau. Rhoddwyd galwad i John Evans o Landdulas i fod yn weinidog arnynt a bu yno am un mlynedd ar bymtheg.

Prynwyd darn o dir i godi capel newydd ar dir Tŷ Fychan, rhan o stad yr Arglwydd Stanley o Alderhey ac fe gostiodd yr holl waith £3,040. Defnyddiwyd carreg lwyd Chwarel Penmaen-mawr yn bennaf ac ar gyfer gwaith arbennig cafwyd carreg Chwarel Cefn Rhiwabon. Yr oedd carreg galed Swydd Efrog i'w defnyddio'n gerrig rhiniog wrth y dorau, a cheid yr holl briddfeini o Seiont, Arfon. Gorffennid pob gris â llechfaen drwchus o graig las Arfon. Coed coch Baltig oedd tulathau'r to a defnyddid coed pinphyg mewn mannau. Saernïwyd yr holl ffenestri â phinwydd melyn ac yr oedd cerfluniaeth y pulpud a'r sêt fawr mewn coed cnau ffrengig duon, gyda phaneli derw o'u hamgylch. Ceid yr un math o baneli ar du blaen y galeri a'r seddau o binwydd. Yr oedd lle i chwe chant i eistedd yno, gyda festri yn eistedd dau gant, ynghyd â mân ystafelloedd eraill. Cynlluniwyd y gwaith gan Rowland Lloyd Jones, Caernarfon, a derbyniwyd prisiad Richard Jones, Bwlan, Llanwnda, a'i Gwmni i wneud yr holl adeiladwaith. (*Goleuad*, Mawrth 28, 2003)

Yn ychwanegol at hyn i gyd, adeiladwyd tŷ gweinidog neilltuol o hardd. Heb os, y Fron Deg oedd y mans mwyaf nodedig ym Môn. Yn 1925 prynwyd organ-bibau am £1,350, er cof am aelodau'r eglwys a gollwyd yn y Rhyfel Mawr. Atebodd H.D. yr alwad gyda geiriau pwrpasol o Lyfr y Proffwyd Habacuc: 'Safaf ar fy Nisgwylfa ac a ymsefydlaf ar y tŵr.' Fe safodd yn gadarn ar y tŵr am 34 o flynyddoedd, yn ffrind a thad gofalus i'w bobl.

Bu'r chwarel, y Coleg a'i ddynoliaeth eang yn ernes o weinidogaeth lwyddiannus. Yr oedd ganddo brofiad o gyd-fyw a chyd-weithio â phobl a meithrinodd ddigon o amynedd i oddef ac i faddau i bob amrywiaeth ohonynt ac, yn goron ar y cwbl, yr oedd ganddo gyfoeth o hiwmor – hiwmor y chwarel. Ond mi fyddai'n barod iawn i gydnabod nad perthynas unffordd oedd ei berthynas â'i bobl. Ni chollai H. D. yr un cyfle i ganmol ei braidd yn ardal London Road. Yr oedd yma, fel yn Ninorwig, gymdeithas Gymreig glòs o weithwyr y rheilffyrdd a'r llongau a chan fod mwy o lwch y garreg las nag o inc yr athrofa ar ei agwedd at fywyd ac at fyw, mae'n naturiol iddo gael ei dderbyn yn llawen. Dyma'r dyn iawn, ar yr amser iawn, yn y lle iawn. Cerddai bob bore o ben uchaf y ffordd i'r dref, gan gyfarch pawb wrth eu henwau. Yn yr oes honno byddai'r gwragedd yn caboli dyrnau a chlicedi pres y drysau a chaent gymeradwyaeth y gweinidog bob bore. Mewn dim o dro fe dyfodd perthynas unigryw rhyngddo a phobl London Road ac, yn ôl y sôn, dyma'r gweinidog mwyaf poblogaidd.

Ar sail ei gefndir a'i gymwysterau neilltuol bu'n weinidog rhyfeddol o lwyddiannus. Os ganwyd neb erioed i fod yn fugail pobl, H. D. Hughes oedd hwnnw. Roedd yn ddyn rhadlon a siriol, ac yn fwrlwm o hiwmor bob amser, a fu erioed well cwmnïwr yn unman; yn wir, yr oedd yn ffynnu ar gwmni pobl. Yn ôl Emily Hughes, ei briod, byddai H.D. yn ei berswadio'i hun ei fod yn dal yn chwarelwr. Mynnai gael swper chwarel bob nos a byddai'n mwynhau pryd da o stwns ffa, stwns rwdan neu stwns pys, fel pe bai wedi gweithio diwrnod caled ar wefl y graig. Yna, ar ôl swper âi i lawr at giât y Fron Deg, tanio'i getyn a phwyso ar y llidiart i fanteisio ar y neb a fyddai'n mynd heibio i gael sgwrs. Dyna batrwm bywyd y chwarelwr ac fe welodd ei dad yn pwyso ar y giât bach yn Ninorwig gynt, yn disgwyl cwmnïwr o rywle.

Nid rhyfedd i aelwyd y Fron Deg fod â'i drws ar agor bob amser. Byddai Cledwyn a David yn ymffrostio yn y ffaith iddynt gyfarfod cynifer o weinidogion a gwleidyddion amlyca'r genedl. Ni fu erioed wleidydd mor amlwg a chymaint o weinidog Methodist ynddo na'r Arglwydd Cledwyn. Dyna fyddai ei ddull o ganfasio bob amser. Disgyblai ei hun i adnabod pawb, i weld pawb ac i sgwrsio hefo pawb a chymerai fwy o ddiddordeb yn y bobl a'u mân bryderon nag mewn unrhyw orchest o'i eiddo'i hun. Priodolai Cledwyn hyn i'r hyn a welodd ac a ddysgodd gan ei dad.

Cofiai Cledwyn y manylion difyrra yn sgwrsio â'r gweinidogion lleol a alwai yn gyson ar aelwyd y Fron Deg: Cwyfan Hughes, Caradog Rowlands, Thomas Williams, Hyfreithlon, Trefor Evans a Llewelyn Lloyd. Yna, o ddiwedd mis Medi i ddiwedd Tachwedd, deuai pregethwyr gwadd i gyfarfodydd pregethu'r dref, o'r de gan amlaf: John Jones, Llanrwst; M. P. Morgan; Eliseus Howells; Robert Beynon, Abercraf, a Philip Jones, Porthcawl. Dyma oes aur y pregethu ym Môn.

Er i H.D. gael ei restru yn un o bregethwyr mwyaf poblogaidd y cyfnod, eto fel 'gweinidog' y cofir amdano yn bennaf yng Nghaergybi. Dyma fel yr ysgrifenna David yn y Rhagair i'r gyfrol o waith ei dad, *Y Chwarel a'i Phobol*:

> Yr oedd 'nhad yn ofalus eithriadol o'i braidd ac yn ffyddlon iddynt ar bob amgylchiad. Doedd wiw inni feirniadu'r un ohonynt, hyd yn oed yn y tŷ. Symudai yn eu plith o ddydd i ddydd, yn cydymdeimlo â hwynt yn eu profedigaethau a chyd-lawenhau yn eu llwyddiant.

Yr ydym yn ddyledus iawn i David am gofnodi, gyda balchder, am wasanaeth mawr ei dad fel gweinidog. O fewn cyfnod ei weinidogaeth bu dau ryfel byd a'u dylanwadau difaol ar fywyd gwlad a thref. Yn ogystal ag effeithiau'r rhyfeloedd hyn fe brofodd tref Caergybi'r dirwasgiad mwyaf dirdynnol gydol y tri degau. Ymatebodd y gweinidog i bob her a gofyn gan fanteisio ar bob cyfle i wasanaethu anghenion ei bobl. Mae'n anodd iawn credu sut yr ymdopai i gynnal patrwm ei ofal a'i ymweliadau â'i bobl. Os byddai aelod yn wael ymwelai â hwy fwy nag unwaith mewn diwrnod, a thrwy'r nos os byddai angen. Bu farw H.D. flwyddyn cyn i'r Gwasanaeth Iechyd Gwladol ddod i rym ac, o ganlyniad, yr oedd llawer mwy o ofal yn disgyn ar y teuluoedd am y gwan a'r gwael. Bryd hynny, byddai ymweliad y gweinidog cyn bwysiced â'r doctor i'r teulu. Y mae rhai yng Nghaergybi yn dal i dystio i'w ymweliadau mewn argyfwng a gwaeledd ac y câi'r teuluoedd trallodus y fath gynhaliaeth a chefn drwy ei ymweliadau. Meddai ar bersonoliaeth fawr a rhyw garisma i godi calon pobl.

Ymwelai gweinidog Disgwylfa, fel gweinidogion eraill y dref, â'r ysbyty yn wythnosol gan alw heibio i bob claf a chymryd yr un diddordeb ym mhob un. Câi Cledwyn a David fynd hefo'u tad weithiau. Mae'n debyg y byddai hynny yn arferiad gan y cofia Gwenno (Mrs Alun Williams) fel y câi hithau fynd hefo'i thad – y Parch. R. W. Jones, Hyfrydle – ar ymweliadau â'r ysbyty. Gwyddai'r gweinidogion y deuai plentyn â mwy o gysur a gobaith i glaf na'r un gweinidog. Rhyfeddai David at ddawn ryfeddol ei dad i newid ei agwedd, a hyd yn oed dôn ei lais, er mwyn cyfarfod â chyflwr y gwahanol gleifion. Beth bynnag fyddai amgylchiadau a chyflwr unrhyw glaf byddai gan H.D. air o gysur iddynt ac fe lwyddai i gael gwên o ddiolch ganddynt.

Y mae sôn hyd heddiw am ei gyfraniad neilltuol drwy ei ymweliadau adeg y ffliw mawr angheuol a gerddodd y wlad wedi'r Rhyfel Byd Cyntaf. Ymwelai â'r teuluoedd a fyddai wedi eu caethiwo i'w gwelâu ac yn rhy wan i wneud dim trostynt eu hunain. Gwyddai'r gweinidog am bob cwpan a chwpwrdd yn y cartrefi hyn a bu ei wasanaeth yn achubiaeth llythrennol mewn sawl achos. H.D. a'r doctor yn unig a ymwelai â'r aelwydydd trallodus hyn a ddibynnai'n llwyr ar wasanaeth y ddau. Y mae'n amlwg ei fod yn gwbl ddiarbed yn ei wasanaeth ac nid oedd unrhyw haint a'i cadwai oddi wrth ei bobl.

Ar wahân i ymweld yn gyson â'r cleifion yr oedd ganddo system ymweld â phob aelod bob rhyw dri mis. Ymweliadau am sgwrs a chwmnïa hamddenol fyddai'r rhain ac, fel hen chwarelwr, yr oedd yn hen law ar gynnal a chadw sgwrs ac ymgom. Yr oedd ei ddiddordeb a'i adnabyddiaeth o deuluoedd yr eglwys yn anhygoel, mae'n debyg, a gwyddai achos a chysylltiadau'r teuluoedd a hynt a helynt y plant i'r dim. O gofio y bu trwy ddau ryfel byd gyda hwy, bu ei ofal a'i gonsýrn yn wasanaeth amhrisiadwy a holai'n ddyddiol ynghylch y plant a fyddai oddi cartref yn y rhyfel.

Y mae David wedi casglu rhai o'i gwestiynau i'w bobl ar y stryd ac ar derfyn oedfa yn Nisgwylfa ac wedi eu cynnwys yn y Rhagair i lyfr ei dad, 'Pa bryd y clywsoch chi gan Wil?' 'Ydi

John hefo'r un llong o hyd?' 'Pa bryd y mae Annie yn dŵad adra?' 'Sut hwyl y mae Tommi yn gael tua'r coleg?' a byddai'n ddigon hy gartrefol i ddweud wrth ambell wraig, 'Deudwch wrth y gŵr am ddŵad i'r capal bora Sul yn lle bod o dan eich traed chi yn fan yma.'

Nid y fo ei hun oedd yn bugeilio, ond yr oedd H.D. wedi meithrin ysbryd cenhadol a bugeiliol yn yr holl eglwys. Cyn y Nadolig anfonid cyfarchion dan law y gweinidog, gyda rhodd o chweugain, yn enw'r eglwys, i bob aelod a oedd yn gwasanaethu yn y rhyfel neu oddi cartref. Yn ffodus iawn bu i Mair Jones o Kingsland (Mrs Hugh R. Williams) drysori a chadw un o'r llythyrau a dderbyniodd yn Rhagfyr 1942.

> Annwyl Mair,
>
> Yr wyf yn amgáu 10/- yn rhodd fechan oddi wrth Eglwys Disgwylfa gan ddymuno i chwi Nadolig Llawen a Blwyddyn Newydd lawen o bob daioni a bendith. Yr ydym yn dymuno hynny mewn modd arbennig i chwi y tro hwn, ar eich mynediad i'r bywyd newydd. Gallaf eich sicrhau fod eich cyfeillion yn Nisgwylfa yn dymuno i chwi flynyddoedd lawer o bob cysur a dedwyddwch. Yr ydym yn dal i obeithio a gweddïo am i'r flwyddyn sydd ar ddyfod, ddod â chyflawnder heddwch, yna caiff y bechgyn a'r genethod ddychwelyd yn ôl i'w cartrefi.
>
> Gyda'r dymuniadau puraf a chofion caredicaf
>
> H. D. Hughes

Bu'r cysylltu yma â phobl ifanc yr eglwys a oedd oddi cartref yn ffordd effeithiol a phersonol i gadw'r cyswllt ac yr oedd papur chweugain yn gryn swm o arian ar ddechrau'r pedwar degau, gyda gair personol gan y gweinidog.

Y mae digon o arwyddion y bu H. D. Hughes yn weinidog hynod lwyddiannus. Bu'r alwad i gapel newydd ar ddechrau rhyfel byd yn gryn sialens. Agorwyd y capel newydd bum mlynedd cyn hynny, gan adael yr eglwys mewn dyled drom, a wynebodd y gweinidog ifanc yr her. Yr oedd ganddo'r cymwysterau i'r gwaith a meddai ar ddawn drefniadol anarferol, a dygai allan gylchgrawn chwarterol i gofnodi gweithgareddau'r eglwys. Prin ddeucant oedd rhif yr aelodau pan ddaeth yno ond buan iawn y dyblodd rhif yr aelodau a chliriwyd y dyledion yn ddiymdroi. Y mae'n chwith meddwl fod drysau Disgwylfa wedi cau bellach (2003) ac na chlywir pregeth o'i bulpud na thôn ar yr organ – y gofadail i'r gŵr a gysegrodd ei holl ddoniau i'w gwneud yn llwyddiant.

Ond nid adeiladau, er eu gwyched, oedd ymffrost H.D.; yn hytrach, pobl ei ofalaeth, pobl London Road. Buan iawn y canfu yno ardal glòs Gymreig o weithwyr y rheilffyrdd a'r llongau. Daeth y rhain yn bobl H.D. ac yntau yn rhan annatod o'u bywyd ac o'u byw. Yn wir, canfu debygrwydd rhyngddynt a chwarelwyr Dinoriwg. Yr oedd llawer iawn o'r gweithlu hyn yn fewnlifiad o gefn gwlad Môn mewn blynyddoedd cynharach; teuluoedd rhagorol ac iddynt gefndir o ddiwylliant Ymneilltuaeth Môn ar ei orau. Gweithwyr cydwybodol oddi ar y ffermydd oeddynt ac yn gwybod yn iawn sut i drafod gwartheg a defaid o'r llongau i'r llociau cadw yn Kingsland. Dau gwestiwn fyddai ganddynt wedi cyrraedd Caergybi, 'Oes yma siawns am waith?' ac 'Oes yma gapal?' Nid rhyfedd yr erys rhyw riddyn o ddynoliaeth neilltuol iawn ym mhobl Caergybi o hyd, yn arbennig felly pobl London Road. Teimlai H.D. yn gwbl hapus a chartrefol ymhlith y gymdeithas yma o weithwyr, ac yno yn eu plith yr arhosodd gydol ei oes. Mwynhâi eu cwmni ar bob achlysur a châi ei dderbyn fel tywysog ganddynt. Ni chollai'r un gêm bêl-droed ar gae y dref ac ni chlywid rheg na sylw anweddus o fewn canllath iddo. Pan gyhuddwyd ef o fynd i'r fath le, buan iawn y cododd i amddiffyn y gynulleidfa honno gan haeru fod ganddynt, mewn rhai pethau, amgenach dynoliaeth nag a geid gan y saint. Mae hanes amdano yn perswadio un o'i gyd-weinidogion o'r dref i newid amser oedfa bnawn y Cyrddau Pregethu er mwyn sicrhau y gallai'r bobl fynd i weld y ffeinal ar ôl y bregeth. A chofiwn, yr oedd y syniad o bêl-droed yn wrthun i'r Ymneilltuwyr y dyddiau hynny.

Ond er mor deyrngar a ffyddlon oedd H.D. i'w bobl ac i holl gyfundrefn ei enwad, ni chyfyngodd ei hun i bobl ei ofalaeth nac ychwaith i enwad y Methodistiaid. Ni osododd erioed ffin na therfyn i'w wasanaeth a'i weithgarwch i'w gyd-ddynion. Bu i'w ysbryd radical a'i ddynoliaeth lydan ei yrru i sawl sefyllfa i gynrychioli ei ddelfrydau sosialaidd a'i gefnogaeth i'r gwan a'r tlawd.

Rhydd Alun Owen yn ei draethawd ymchwil, 'The Port and Town of Holyhead during the Depression of the Thirties' (Prifysgol Bangor, No. 87:8), inni ddarlun manwl o gyflwr adfydus tref Caergybi yn ystod tri degau'r ganrif ddiwethaf. Ymroes H.D., fel dinesydd da, mewn gair a gweithred, i leddfu gofidiau pobl Caergybi yn gyffredinol. Dyma fel yr ysgrifennodd yn Adroddiad Blynyddol Eglwys Disgwylfa yn 1930:

> Gwelir fod rhai o'r casgliadau yn llai eleni. Nid ydym yn synnu rhyw lawer am hyn. Y mae dirwasgiad masnachol wedi ymdaenu dros y wlad a'r byd yn dweud popeth. Y mae yn ein tref gannoedd o ddynion da yn methu â chael diwrnod o waith. Ar y llaw arall, y mae cyflogau y rhai sy'n gweithio wedi gostwng cymaint fel y mae cael y ddau ben llinyn at ei gilydd yn gryn orchwyl. Yr ydym yn byw mewn dyddiau difri a chredwn y dylem fel eglwys droi at Dduw ac ymostwng ger ei fron. Ofnwn fod y broblem yn rhy fawr i neb dyn.

Geiriau sy'n llawn cydymdeimlad â chyni'r bobl ac yn enghraifft o ddyn â'i fys ar byls ei gymdeithas. Llafuriodd mewn amser ac allan o amser yn ei ymdrech dros drigolion Caergybi. Yn wir yr oedd y papurau cenedlaethol yn tynnu sylw at dlodi'r dref ac ysgrifennai'r Aelod Seneddol yn gyson yn y papurau. Dyma bennawd y *Manchester Guardian* ar 4 Ionawr 1938, 'A Depressed Island'. Yr oedd gweinidogion tref Caergybi yn bryderus a oedd y plant yn cael digon o fwyd maethlon ganol dydd. Yn 1932 penderfynwyd agor ceginau cawl mewn gwahanol ganolfannau. Bu'r Parchedigion Waldo Roberts, Hebron a H. D. Hughes yn ymroddgar i sefydlu'r ceginau hyn, gyda phob enwad yn cydweithio. Rhyfeddai'r saint o weld plant y pabyddion yn festrïoedd y capeli – nid oes dim yn debyg i gyfyngder i'n tynnu at ein gilydd! Caed cegin gawl yn festri Disgwylfa, Noddfa (A), Hebron (B) ac Ebeneser, Kingsland. Yr oedd Cyril Parry, Maes Cytir, yn un o blant y gegin gawl ac mae'n rhoi, mewn recordiad (WM/J/36/39 Archifdy Llangefni), ddarlun byw iawn o'r sefyllfa. Fe gofia weld wynebau llwyd a phruddaidd y dynion yn y ciw dôl, ac yn cael dau swllt ar bymtheg yn unig yn y diwedd. Cerddai'r plant, rai ohonynt, yn droednoeth i'r ysgol. Dygid teuluoedd gerbron tribiwnlys a'u gorfodi i fforffedu eu heiddo: pethau megis gramoffon, piano a beic.

Yr oedd prif achos y dirwasgiad yng Nghaergybi i'w briodoli i'r 'Act of Irish Free State Special Duties' a ddaeth i rym ar 15 Gorffennaf 1932. Codwyd ugain y cant o dreth ar wartheg a allforid o Iwerddon. Yr oedd y dref yn ddibynnol iawn ar y fasnach anifeiliaid rhwng y ddwy wlad ac, i roi halen ar y briw, yn yr un flwyddyn daeth Llywodraeth Prydain â chwota i dorri ar y cyfrif a ganiateid i'w hallforio. Yr oedd gweinidog Disgwylfa yn anniddig iawn ynglŷn â'r sefyllfa ac anfonodd deligram, nid llythyr, at Megan Lloyd George, yr Aelod Seneddol, 'The people of Holyhead have suffered years of terrible depression. Quota restrictions reduces Holyhead to border line paralysis!' (Dyfynnir yng ngwaith ymchwil Alun Owen, *The Port and Town of Holyhead during the Depression of the Thirties*, Prifysgol Bangor No. 97:8.) Ac yn Rhagfyr 1933 cafwyd araith nerthol gan Aelod Seneddol Môn mewn ymateb i'r pwysau o'r dref, 'Holyhead has been paralised by direct Government Action by the Irish Import duties. The town has nothing to fall back on, no other industry to turn to. Holyhead could become a derelict area.' Ymdaflodd H. D. Hughes i'r frwydr ar ran pobl Caergybi a safodd ysgwydd wrth ysgwydd gyda Megan Lloyd George i symud y rhwystrau.

Ond, er iddo dorri ei lwybr gwahanol ei hun fel gweinidog yr Hen Gorff, a hynny yn oes aur yr enwad, eto roedd pregethu yn bwysig iawn ganddo. Wedi'r cwbl, oes y pregethu oedd hon ac nid oes y gweinidog. Oni fyddai'r saint yng Nghapel Armenia, Caergybi, yn maddau i'w gweinidog am grwydro'r wlad fel pedlar ac anwybyddu ei ddyletswyddau, am ei fod yn medru pregethu fel seraff pan ddôi adref? Heb os, fe roes H. D. Hughes ei holl fryd ar fod yn bregethwr effeithiol, a hyd yn oed yn niwedd ei oes a'i iechyd yn bur fregus, nid arbedai ddim arno'i hun yn y pulpud. Fel pregethwr y mynnai gael ei adnabod ac felly y'i hadwaenid drwy'r wlad.

Yr oedd ganddo holl anhepgorion pregethwr – personoliaeth ddeniadol, llais melodaidd, parabl rhwydd, diymdrech a dawn ryfeddol i ennyn diddordeb ei wrandawyr ac, yn ôl

David Lloyd, meddai ar huodledd arbennig, hefyd. Fe'i gwahoddid yn gyson i uchel-wyliau ei enwad i bregethu, ac yn ei flynyddoedd olaf pregethai'n gyson yn sasiynau'r gogledd. Cadwodd ei le fel pregethwr yn oes y pregethu mawr a'r pregethwyr mawr a rhagorai arnynt oll fel pregethwr eithriadol o wreiddiol a diddorol, ac onid dyna yw prif rinwedd pregethu ym mhob oes?

Yr Hen Destament fyddai hoff faes ei bregethu. Yn ôl ei hen gyfaill, Llywelyn Lloyd, ystyr yr H.D. oedd 'Hen Destament'. Chwiliai am destunau dieithr ar gymeriadau syml a di-nod o'r Hen Destament. Credai Hyfreithlon, ei gymydog, mai cymeriadau a adnabu H.D. yn ardal Dinorwig a fyddent. 'Cloddiai am gerrig,' meddai Hyfreithlon wrthyf, 'ym mhonciau anodd yr Hen Destament, ond deuai â'i lechi yn ddi-feth at droed y groes.' O ganlyniad i'w wreiddioldeb naturiol deuai cymeriadau a digwyddiadau ei destun yn fyw i'w wrandawyr. Nid rhyw fodau o fyd pell a dieithr y dwyrain oeddynt, ond ambell chwarelwr, gyrrwr trên neu longwr.

Byddai ei eglurebau yn donig i gynulleidfa ac yr oedd blas y pridd a'r graig arnynt. Sonia David eto yn y Rhagair fel y câi hwyl hefo hen 'guide' yr Wyddfa a dim ond rhyw ddwy lythyren aneglur o'r gair 'guide' yn aros ar big ei gap oedrannus. Cwynai'r hen dywysydd fod y mapiau o lwybrau'r Wyddfa a werthid yn Llanberis wedi colli iddo lawer o gwsmeriaid. Ond fe gysurai'r hen frawd ei hun o wybod nad oedd y mapiau hyn yn dangos y niwl! Dyna'r math o eglureb a ddefnyddiai yn gelfydd iawn i yrru ei neges adref. Yr oedd pregethu yn nwyd anfarwol ynddo. Troai pob ffrwd i wely'r bregeth a defnyddiai bob dawn a greddf, yn arbennig ei hiwmor, i bwrpas pregethu. Bu pregethu yn oedfa'r bore ar y radio yn 1934 yn gryn drobwynt yn ei hanes; tyfodd ei boblogrwydd yn fwyfwy o lawer, gan barhau felly i'r diwedd.

Byddai iddo groeso blynyddol yng nghapeli enwocaf yr enwad drwy'r wlad – gogledd a de. Ymwelai'n gyson â Chapel Penmount Pwllheli, ac ni châi ond y goreuon fynd yno! Yr oedd H.D. a Morgan Griffith, gweinidog Penmount, yn gyfeillion mawr ac yr oedd rhyw bethau yn ddigon tebyg ynddynt ill dau. Codai Dr Charles, blaenor ym Mhenmount, nodiadau manwl o bregethau yno a chefais nodiadau o bregeth H.D. yn rhwyd y doctor! Ar nos Sul olaf y flwyddyn 1944 pregethodd yno ar y testun, Genesis 11:32, 'A bu farw Terah yn Haran,' ynghyd â brawddeg o'r ail lythyr at Timotheus 4:7, 'Mi a orffennais fy ngyrfa.' Tynnodd y pregethwr ddau sylw o'i destun gan ymdrin yn fedrus â nhw: dyn yn gosod safon uchel i'w fywyd ac yn marw cyn ei sylweddoli ac yn ail, dyn yn gosod safon i'w fywyd ac yn ei sylweddoli.

Yna ar nos Sul, 16 Medi 1945, pregethodd eto ym Mhenmount ar y testun Mathew 26:8, 'I ba beth y bu y golled hon?' enghraifft brin ohono yn pregethu o'r Testament Newydd. Hanes Mair yn torri'r blwch enaint oedd ei bwnc y tro hwn. Mynnai H.D. fod yr hiliogaeth a wêl y golled a'r gwastraff yn dal yn fyw o hyd. Meddai, 'Mae crefydd Iesu Grist am inni wneud rhywbeth heblaw yr hyn sy'n ddefnyddiol. Os na wnawn fwy na'n dyletswydd achubir fyth mo'r byd yma.' Yna fe edrydd am ferch ifanc yn ei gwely yn yr ysbyty a thorch o flodau lliwgar ar fwrdd bach gerllaw. Holodd ymwelydd yn betrus pwy a anfonodd y blodau drudfawr. Atebodd hithau gyda gwên mai ei chariad a'i hanfonodd. Roedd y blodau yn fynegiant ymarferol o'i gariad. Holodd yr ymwelydd rhyngddo ag ef ei hun, tybed na allasai anfon rhywbeth mwy defnyddiol iddi? 'Na,' meddai'r pregethwr ar uchaf ei lais, 'Tydi cariad fyth yn gwastraffu, ein culni ni sy'n gweld hynny.' Tua diwedd y bregeth cododd ei lais gan holi, 'Pam y torrodd hi'r blwch? "Erbyn dydd fy nghladdedigaeth y gwnaeth hi hyn." Joseff o Arimathea a Nicodemus, pa bryd y daethoch chwi i'r golwg? Ar ôl iddo farw, yntê? Mair – mi fuost ti yn help iddo farw – "cyn fy nghladdedigaeth!" Hoffech chi, gyfeillion Penmount, lyfr Emynau heb sôn am y groes ynddo? – Amen.'

Paratôdd ei bregeth olaf ar gyfer y praidd yn Nisgwylfa fore Sulgwyn, 29 Mai 1947. Lluniodd bregeth ar y 'Cristion fel gŵr proffidiol' yn seiliedig ar frawddeg o'r Llythyr at Philemon, ond y bore hwnnw daeth y wŷs at y pregethwr gwreiddiol a'r gwas ffyddlon hwn i fynd adref.

Daeth tyrfa enfawr i'r angladd ac amcangyfrifir bod tua hanner cant o weinidogion o bob enwad yno.

Cydnabyddir:

Dafydd Whiteside Thomas, Llanrug.

Lily Horman, Llanrug.

Rhagair *Y Chwarel a'i Phobol*, H. D. Hughes, Llyfrau'r Dryw 1960.

Morris Hughes – Y Felinheli, Gwynedd Rogers, Llyfrfa'r Cyfundeb, Caernarfon 1903.

Canrif y Chwarelwr, Emyr Jones, Gwasg Gee 1963.

WILLIAM DAVIES, CEMLYN
(1866–1955)

William Davies, Cemlyn, a'i deulu.

> Y dyn a gaffo enw da
> A gaiff yn hir ei goffa.

Meddai Lewis Glyn Cothi. Ond beth, tybed, a rydd i ddyn enw da neu anfarwoldeb? Cyflawni gorchestwaith arbennig yn ei faes neu ei waith, mae'n debyg. Llwyddiant mewn galwedigaeth neu wasanaeth a enilla goffa i eraill. Pencampwaith yn ei grefft ddaw ag anfarwoldeb i'r saer a'r adeiladydd tra byddai cadair neu goron yn ddeunydd clod i'r bardd a'r llenor. Beth tybed a ddyry anfarwoldeb i bregethwr neu weinidog? Ar gyfrif ei bregethu nodedig a phoblogaidd y câi'r pregethwr ei ddyrchafu. Nid yw'n dilyn yr anfarwolid pob pregethwr a gafodd Gofiant. Tua diwedd y bedwaredd ganrif ar bymtheg, ac yn go bell i'r ugeinfed ganrif, yr oedd Cofiant i bob gweinidog Methodist o'r bron, oni bai iddynt fod yn gecrus ac anhwylus mewn Cyfarfod Misol a phwyllgor. Bu i eraill dderbyn clod a sylw fel beirdd coronog neu gadeiriol a bu i eraill ddod i amlygrwydd y cyhoedd ar gyfrif eu hargyhoeddiadau cymdeithasol.

Fe noda Iesus, mab Sira, sawl achos dros enwogrwydd rhai,

yn ei folawd i'r gwŷr enwog ('Canmolwn yn awr ein gwŷr enwog', Llyfr Ecclesiasticus, pen. 44, adn. 1–15), 'Y rhai hyn oll yn eu cenedlaethau a gawsant ogoniant a gorfoledd yn eu dyddiau. Bu i rai ohonynt hwy gyfryw ag a adawsant enw ar eu hôl fel y mynegid eu clod hwynt.' Gwŷr awdur y folawd mai i ychydig, ym mhob byd a galwedigaeth, y perthyn enwogrwydd a chlod. Gwyddom ninnau'n iawn na anwyd pawb yn freiniol a chydnabyddwn ninnau gyda'r doethoryn hwnnw, 'Bu hefyd rai heb fod coffa amdanynt, y rhai y darfu amdanynt fel pe na buasent.' Mae'n ymddangos ei bod hi'n naill neu'r llall. Nid oes gan awdur y folawd yn yr Ecclesiasticus slot o gwbl i'r dosbarth hwnnw o bobl sydd rhywle yn y canol rhwng enwog ac anenwog, rhwng adnabyddus ac anadnabyddus, rhwng coffa ac anghofrwydd. Y mae llawer iawn o bregethwyr yn perthyn i'r categori hwn.

Ni fuont erioed yn bregethwyr huawdl a phoblogaidd, enwyd yr un ohonynt mewn Synod na Sasiwn, a chlywyd erioed eu llais mewn Cymanfa. Ni fu iddynt erioed gynhyrfu'r dyfroedd â'u dadleuon a'u protestiadau mewn cynhadledd na herio unrhyw awdurdod clerigol. Eto, bu i amryw o'r clerigwyr hyn adael enw ar eu hôl a hynny am resymau cwbl wahanol i 'gewri'r ffydd'.

Yn amlach na pheidio, rhyw hynodrwydd cynhenid neu ffraethineb naturiol a greddfol fyddai hawl y cymeriadau hyn i anfarwoldeb a'u gosod yn oriel yr anfarwolion. Amcanodd y rhai hyn erioed at enwogrwydd nac ymdrechu am le yn yr haul, fel eraill. Yn wir, mae yna rywbeth yn anfwriadol iach o gwmpas enwogrwydd y dosbarth yma. Pwy fyth fyddai'n credu y câi'r Parch. John Moses Jones, Dinas, Llŷn, gofiant? Fe ddywed ei gofiannydd beth fel hyn amdano:

Ef oedd 'Religious Humorist' y Cyfundeb. Nodweddid John Moses â digrifwch a rhyw ffraethineb a oedd mor naturiol iddo. Yr oedd yn gryn arbenigwr fel holwr plant a phobl mewn Cyfarfod Ysgol, ond yn bennaf am ei fod mor wahanol i bawb arall. Doedd o ddim digon chwaethus a bonheddig fel pregethwr yng ngolwg y saint, er y tynnai fwy i gapel nag odid unrhyw bregethwr arall yn Llŷn. (*Cofiant John Moses Jones* gan T. J. Jones, Efailnewydd, D. Caradog Evans, Pwllheli, dd, t. 79).

Nid oes gan ei gofiannydd, T. J. Jones, Efailnewydd, fawr ddim o bwys i'w ddweud amdano fel pregethwr, ar wahân i'r ffaith ei fod yn gweiddi gormod a bod ei dad yn well pregethwr o lawer nag ef. Ni fyddai fyth drefn na chynllun i'w bregeth chwaith! Yr unig ddadl o bwys dros ei ordeinio, yn ôl y Parch. Robert Hughes, Llanaelhaearn, yn 1880, oedd y ffaith fod teuluoedd yn Llŷn yn mynd â'u plant i'w bedyddio at enwadau eraill am nad oedd gweinidog Methodist o fewn cyrraedd! Yr oedd John Moses yn gyndyn iawn o eistedd Arholiad y Cyfundeb cyn ei ordeinio. Fel hyn y terfynodd ei ateb i un o'r papurau, 'Felly y terfyna yr ail lith, ond gobeithio nad y Grog-lith fydd!' Rhyw gael a chael fu i John Moses basio'r arholiad tyngedfennol hwnnw! Ond er ei fod wedi marw ers can mlynedd ar 2 Mehefin 1903, y mae rhai yn Llŷn yn dal i sôn amdano. Nid yr un deunydd sydd yng nghofgolofn pawb.

Nid y nodweddion arferol a roes goffâd i Isaac Jones, Nantglyn, fel pregethwr chwaith. Anfonwyd un o swydd-ogion y Cwrdd Misol ato i'w rybuddio ynghylch ei bregethu am ei fod yn arfer gormod o ysgafnder yn y pulpud, 'Rwy'n deall,' meddai'r rhybuddiwr, 'fod eich cynulleidfa ar rai prydiau yn chwerthin yn afreolus yn ystod y bregeth.'

Go brin y gwelid pregethwr felly yn Oriel yr Anfarwolion o bregethwyr ei enwad. Ni ddaeth enw Isaac Jones erioed i blith y mawrion fel pregethwr. Fyddai neb ond pechaduriaid y sedd gefn yn sôn amdano fel pregethwr; credent hwy fod y nefoedd wedi ei anfon yn arbennig atynt hwy! Ond, os ychydig a soniai am ei bregethu, yr oedd pawb yn cofio'i weddïau – anfarwolwyd Isaac Jones, Nantglyn, o'u herwydd. Ni fedrai neb weddïo fel y gŵr hwn, yn ôl y sôn. Gofynnwyd iddo unwaith ddechrau'r oedfa o flaen dau bregethwr mewn Cyfarfod Misol yn Nyffryn Clwyd. Cafwyd cyfarfodydd stormus a checrus yn eisteddiad y bore a'r prynhawn a chrëwyd awyrgylch hynod o annymunol yno. Dyma fel y gweddïodd Isaac yn oedfa'r hwyr, 'Tyrd atom heno, Arglwydd mawr, a thyrd yn agos. Dwn i ddim lle yr oeddet ti'r bore yma na'r pnawn chwaith. Mi rydw i'n siŵr iawn o hyn, nad oeddet ti yma.'

Ar achlysur arall pregethai yng ngorllewin Meirionnydd a

Iorwerth y Seithfed wedi ei orseddu'n frenin yn ystod yr wythnos. Yn unol ag arfer yr oes, cyfeiriodd at yr achlysur ar ei weddi gan ddeisyf bendith ar y coroni. Yr oedd am i'r Arglwydd gofio'r brenin newydd a rhoi iddo lawer o ras, 'Ofni yr ydym,' meddai 'na lwyddi di fyth i'w wneud yn gystal brenin ag a oedd ei fam o frenhines – un go dda oedd yr hen Victoria!' Heb os, gweddïwr hynod oedd Isaac Jones ac nid pregethwr enwog, a hynny mewn oes lle roedd pregethu yn cyfrif. Ond fe gafodd yntau ogoniant yn ei ddydd.

Onid am ei hiwmor y cofir am David Williams, Llanwnda, hefyd? Er i'w gofiannydd, Richard Thomas, Bontnewydd, ei alw'n 'David Williams, y Piwritan' (Argraffiad y Cyfundeb, 1928), yr oedd ei bregethau yn llawn o'r doniol a'r digrif. Byddai ei ddull o ymadroddi a'i ddefnydd o eiriau gwerinol a llafar mor nodweddiadol ohono ac yn gwbl naturiol iddo. Fe dynnai wên, ac weithiau chwerthin, i'w gynulleidfa wrth fod yn fo'i hun ac ymddwyn yn gwbl naturiol. Yn ôl ei gofiannydd gwnâi ymdrech lew i gadw'r digrifwch dan reolaeth go gaeth yn y pulpud, ond fe syrthiai ar brydiau i'r demtasiwn o lacio'r awenau. Ar brynhawn trymaidd o haf ac yntau'n pregethu yn un o gapeli Arfon sylwodd, yn un o'r seddau blaen, ar ddyn mawr a thrwm yn ei osod ei hun yn gyfforddus gan led-orwedd ar ei hydtraws yn y sedd. Cyn i'r pregethwr ailddarllen ei destun yr oedd y dyn wedi cau ei ddau lygad a llithrodd ei ben yn ôl. Serennai dan drwyn David Williams gyda'i geg fawr ar agor a'i ddau lygaid ynghau. Cyn mynd ymhellach gorchmynnodd y pregethwr yn gwta, 'Wnaiff rhywun ddweud wrth y dyn yma am gysgu'n ddelach na hyn, yr un fath â'r dyn acw yn y sedd gefn.' Yr oedd yn ŵr gwan ei nerfau ac ofnus ei deimlad bob amser. Fe'i blinid gan bethau bach dibwys a byddai'r symudiad lleiaf neu gynnwrf tawelaf yn achos iddo geryddu'i gynulleidfa yn llym. Ni fyddai o byth yn canu yn ystod yr oedfa nes y byddai wedi pregethu; ymgollai wedyn â'i lais yn llenwi'r capel. Cipiai'r emyn oddi ar y codwr canu weithiau, pechod anfaddeuol yn yr oes honno. Yn amlach na pheidio, erbyn diwedd yr emyn, byddai wedi arwain y gynulleidfa allan o diwn yn lân.

Beth bynnag oedd barn pobl Bethel, Penygroes, o'u gweinidog, y Parch. William Elias Williams, gwelodd T. H. Parry-Williams ynddo ddeunydd ysgrif wych i'w chynnwys yn *Casgliad o Ysgrifau*. Yn ôl y sôn, fu neb tebyg i'r gŵr hwn am dynnu dagrau ar ddydd angladd. Dyma, mewn brawddeg fachog sut y bu i'r llenor hwnnw ei ddisgrifio, 'Un o anianawd y nionyn.' Yn sicr mae'r nodweddion rhyfeddaf yn y byd yn medru esgor ar anfarwoldeb i rai, ond nid i bawb.

Perthyn i'r dosbarth hwn o bregethwyr y mae William Davies, Cemlyn, er nad yw'n ffitio'n gyfforddus iawn, chwaith. Rhyw greadur felly oedd William Davies; nid oedd yn perthyn i unman. Roedd yn greadur mor wahanol i bawb a phawb yn wahanol iddo yntau. Ni ddaeth ei enw erioed i blith mawrion y pulpud a chwenychodd o erioed fod ymhlith y mawrion hynny. Byddai'n bytheirio yn y nefoedd pe gwyddai fy mod yn ceisio olrhain ei rawd ddaearol fel un o weinidogion Sir Fôn – yr odiaf ohonynt i gyd.

Nid oedd William Davies yn ddim ond gweinidog bach cyffredin tu mewn i'w filltir sgwâr, yn gwarchod ei braidd liw dydd ac yn hwyr y nos weithiau. Nid oedd dim byd neilltuol yn ei lais na'i oslef. Yn wir bron na ddywedwn, 'Pan edrychem arno, ni bydd pryd fel y dymunem ef.' Eto, medrai gyfansoddi pregeth ddiwinyddol, wedi ei gwau yn glòs ac yn frodwaith gain ryfeddol, heb ynddi yr un ffenestr, stori na darlun. Rhagorai'r bregeth gryn dipyn ar y pregethu, er y gwnâi ymdrech lew i gyrraedd ei gynulleidfa. Fe'i blinid gan nerfusrwydd â'i gyrrai i wneud defnydd o bob cymal a feddai. Cordeddai ei ddillad, fel pe bai ei grys isaf yn rhy fach iddo, ac ymestynnai ei freichiau fel pe bai'r llewys yn rhy fyr ac yntau newydd sylweddoli hynny. Ymrwyfai â'i freichiau gydol yr oedfa gan flino'i hun a'i gynulleidfa, a'i gwyliai yn hytrach na'i wrando. Mae'n bwysig cofio mai dyn o'r wlad oedd William Davies ac yno, yng nghefn gwlad, y dewisodd fyw gydol ei oes. Fel Isaac Davies, Nantgaredig gynt, 'Dyn o'r wlad oedd Duw, ac yr oedd Teyrnas Nefoedd yn llawn o gaeau ac afonydd a blodau.' ('Isaac Davies' gan J. Eirian Davies, *Gweision Gwahanol*, t. 91. Llyfrfa, Caernarfon, 1974.)

Sut arall y gwelai neb a anwyd yn Llanbabo, Sir Fôn, Dduw ond yn nhermau'r tirlun godidog yma? Mae yn

Llanbabo rhyw 'lonydd gorffenedig' nas ceir yn unman arall ond ar y Lôn Goed yn Eifionydd.

Fe'i ganwyd yn ail fab i Ned a Nan Davies, Pen y Castell; – bwthyn bach cwbl ddiarffordd ar dir Fferan Isaf yn Llanbabo, ym Mhlwyf Llanbadrig. Nid oes dim ond muriau moel bellach i nodi'r fan lle y ganwyd William Davies a John, ei frawd, i deulu cyffredin a thlawd, mewn ardal dlawd, ac mewn oes dlawd yn hanner olaf y bedwaredd ganrif ar bymtheg. Yr oedd ffermydd breision yn y gornel hon o Fôn a chafodd John a William waith ond odid ar y fwyaf ohonynt – Rhosbeiro. Ychydig iawn feddyliodd William y byddai cael ei gyflogi gan Rhosbeiro yn drobwynt yn ei hanes. Nid yn unig fe gafodd waith a chyflog, fe gafodd feistr caredig ryfeddol.

Yr oedd Rice Owen, fel y dywed Hugh Owen yn *Hanes MC Môn 1880–1935*, 1937, t. 338, yn 'wr annwyl a hoffus a llawn o deimlad crefyddol; wylai ddagrau o lawenydd wrth wrando'r efengyl'. Ef oedd blaenor cyntaf Eglwys Rhosbeiro a bu ei gefnogaeth i'r achos yno yn eithriadol. Drwy haelioni'r ferch, Catherine Ann Owen, yr ailgodwyd capel Rhosbeiro ar gost o dros bum can punt. Ar farwolaeth Rice Owen a Jane, ei briod, daeth y fferm yn eiddo i William, y mab a Catherine, y ferch. Bu iddynt hwythau ddilyn llwybrau eu rhieni a bu eu caredigrwydd i bob achos teilwng a da yn nodedig iawn. Byddai Miss Owen, fel y'i gelwid, yn barod iawn i helpu'r neb a ddymunai, ac y credai hithau fod ynddynt gymhwyster. Synhwyrodd y feistres fod yn William, Pen y Castell, allu mwy na'r cyffredin a rhoes gymorth ymarferol iddo gael addysg. Nid rhyfedd i William Davies gael yr enw, 'pregethwr Miss Owen, Rhosbeiro'. Y mae mwy nag un eglurhad am gymhellion William Davies i'r weinidogaeth ac mae'n ddiddorol sylwi arnynt.

Byddai Caradog Jones, siopwr ffraeth o Gemais, yn arfer dweud y daliwyd William Davies yn dwyn cwsberis yng ngardd ei feistres yn Rhosbeiro. Daeth Miss Owen ar ei bac yn annisgwyl ac yntau ar ei gwrcwd dan y llwyn. Synhwyrodd William ei gyfyngder a chyn i'r ferch ddweud gair, dechreuodd sibrwd â'i lygaid ynghau. Trodd ati yn edifeiriol iawn oherwydd iddo encilio i'r ardd i gael tawelwch i weddïo! O'r foment honno mynnai Catherine Ann fod William, y gwas, i fynd i'r weinidogaeth. Nid y siopwr yn unig a glywais yn dweud y stori; fe'i clywais gan amryw gyda pheth amrywiadau.

Beth bynnag fu'r cymhellion i William Davies adael y fferm i ddilyn cwrs addysg, cyn diwedd wyth degau'r bedwaredd ganrif ar bymtheg, yr oedd gwas bach Rhosbeiro wedi cofrestru hefo Hugh Pritchard yn Llannerch-y-medd. Ni fyddai gan William obaith cael addysg oni bai iddo gael noddwraig fel Miss Owen ac mae'n ddiddorol sylwi fel y byddai amryw o noddwyr cefnog yn cefnogi bechgyn tlawd yn yr un modd. Onid dyna fu hanes Dr Hugh Williams, Amlwch? Cafodd yntau help ariannol i gychwyn. Yr oedd digon o ysgolion preifat ym Môn, fel mewn rhannau eraill o'r wlad, ar gyfer y rhai a fedrai fforddio'r gost. Byddai llawer iawn o feibion ffermydd yn treulio cyfnod yn yr ysgolion hyn gan fod addysg yn bwysig i ddringo'r ysgol gymdeithasol, ond eithriadau prin fyddai i'r gwas gael addysg. Y mae sawl cyfeiriad at yr ysgolion hyn a gedwid, gan amlaf, gan bregethwyr. Cadwai Cynffig Davies ysgol enwog ym Mhorthaethwy, yntau'n weinidog hefo'r Annibynwyr, yn gerddor ac yn athro da. Cafodd radd MA gan Brifysgol Dulyn. Ceir cyfeiriad at Huw Morris, Deiniolen, fel y bu'n cyd-efrydu â John Elias yn ysgol enwog y Parch. Evan Richardson, Caernarfon, yn Rhagair David Lloyd Hughes, *Y Chwarel a'i Phobol*, t. 22.

Cychwynnodd gyrfa addysg William Davies yn ysgol enwog Hugh Pritchard, oedd yn athro rhagorol. Yr oedd yr athro hwn ymhlith y myfyrwyr cyntaf yn y Coleg Normal ym Mangor ac fe'i cymhwyswyd yn athro yno. Bu'n athro yng Nghemais, Môn, a Deiniolen gan symud i Lannerch-y-medd yn 1876, lle y cadwai ysgol elfennol hyd 1883 pan aeth i gadw ysgol ramadeg breifat yn y 'New Hall', Llannerch-y-medd. Yr oedd hon yn ysgol nodedig iawn ar gyfrif ei hathro; dyma a ddywed Richard Hughes amdano yn *Enwogion Môn* a gyhoeddwyd yn Llangefni ym 1912 (t. 145), 'Yr oedd yn ŵr o wybodaeth eang, barn aeddfed a meddwl disgybledig. O'r holl athrawon a fu yn Llannerch-y-medd – mangre a fu'n grud enwogrwydd i laweroedd – ni roes neb fwy o fri ar y dreflan hon na Hugh Pritchard.' Y mae pob lle i gredu y bu'r enwog Thomas Charles Williams yn yr ysgol ar yr un cyfnod â William Davies. Manteisiodd William ar yr ysgol a heb os, bu'n efrydydd diwyd. Ato ef y cyfeiria John Pritchard yn *Methodistiaeth Môn o'r dechreuad hyd y flwyddyn 1887,* (Amlwch, 1888): 'Yn 1884 dechreuodd dau ŵr ifanc arall bregethu, John Jones a William Davies' (t. 305). Dyma 'bregethwr Miss Owen, Rhosbeiro' yn siŵr, ac yntau bellach yn ddeunaw oed. Yn 1885 derbyniodd Hugh Pritchard alwad i fugeilio eglwys Hebron, Bryngwran, a bu yno hyd ei farwolaeth ifanc yn dair a deugain oed.

Fel y dywed John Pritchard, nid oedd William Davies eto 'wedi gorffen ei efrydiaeth athrofaol' yn 1885, felly fe barhaodd ei efrydiaeth dan athro arall – y Parch. Morgan Jones yng Nghaergybi. Yn ôl pob tystiolaeth bu i William Davies gymhwyso'i hun yn rhyfeddol o dda yn y ddwy ysgol yma, gan iddo gael ei dderbyn i Goleg y Bala yn ddigwestiwn. Disgleiriodd yno fel myfyriwr ac fe dystia cofnodion y Coleg ei fod ar y brig yn ei bynciau gan ragori mewn Groeg. Mae'n debyg mai ei lwyddiant yn y Bala a'i cymhwysodd i gael ei dderbyn i Brifysgol Dulyn, 'Y Trinity'. Gwelais dystysgrif o'i eiddo yn dangos iddo gael cymeradwyaeth uchel iawn ym mlwyddyn gyntaf cwrs canolraddol. Ni wyddom pam na fu iddo gario ymlaen â'i gwrs yn Iwerddon; mwy na thebyg mai diffyg arian oedd i gyfrif.

Ym Medi 1894 derbyniodd alwad i Garmel, Arfon. Yr oedd mynd ar gapel a chwarel; yn wir, yr oedd mynd ar bopeth, gwaith i bawb a phawb yn crefydda'n brysur. Fel hyn y mae Gruffudd Parry yn disgrifio'r gymdeithas yno, ychydig yn ddiweddarach, yn *Cofio'n Ôl*:

> Byddai rhywbeth yn y capel bob nos, Cyfarfod Gweddi nos Lun, Band o' Hôp nos Fawrth, Seiat nos Fercher, y Gymdeithas nos Iau a Chyfarfod Darllen neu Gyfarfod Derbyn ar nos Wener, ac am fod fy mam yn un o'r ffyddloniaid byddai hi yn ei chychwyn hi i un neu arall o'r gweithgareddau beunosol hynny.
>
> (Gwasg Gwynedd, Caernarfon, 2000 t. 64)

Dafliad carreg i ffwrdd, yng Nghesarea, daeth gweinidog arall i'r ardal honno, sef Dewi Williams. Ymffrostiai'r ddwy ardal ddiwylliedig yn eu gweinidogion ieuanc addawol. Yma o ben uchaf Carmel, draw yn y pellter, gwelai William Davies ddau o fynyddoedd enwocaf Môn – Mynydd Twr a Mynydd Parys. Yr oedd yna lawer iawn i'w weld o Garmel ond rywfodd, yn yr oes honno, yr oedd eisoes arwyddion gwan fod oes euraid y chwarel a'r capel yn dechrau edwino. Ond, tra byddai rhai ffyddlon fel Jane Parry, Brynawel, a'i thebyg yn y fro, mi ddaliai pethau'n sefydlog. Cafodd y gweinidog ieuanc gryn anrhydedd, heb yn wybod iddo, o fedyddio mab hynaf Jane Parry. Ganwyd ef, Thomas, ar 4 Awst 1904. Ychydig a feddyliai neb, gan gynnwys y gweinidog, y bedyddiwyd un o ffigyrau llenyddol amlycaf Cymru yr ugeinfed ganrif y bore hwnnw yng Ngharmel – Syr Thomas Parry.

Cafodd William Davies gyfle da i hogi ei feddyliau yma ymhlith y chwarelwyr diwylliedig. Gwerthfawrogai'r bobl ei bregethu a rhoes yntau ei orau iddynt, gyda phregethau athrawiaethol trwm.

Yn ystod ei gyfnod yn yr ofalaeth gyntaf bu dau ddigwyddiad pwysig yn ei hanes. Priododd wraig ac fe anwyd iddynt eu plentyn cyntaf-anedig – Mary. Merch y siop, Cemais, oedd Elizabeth, ei wraig. Yr oedd teulu'r siop yn nodedig am eu duwioldeb ac yn deulu pur gefnog. Bu farw John Owen, y tad, yn ddyn cymharol ifanc gan adael y fam, Mary, i fagu saith o blant mân – dau fab a phum merch. Anfonwyd y ddau fab, William John Owen a Hugh John Owen i ysgol breswyl yn Hope, ger Wrecsam, ac anfonwyd y pum merch i ysgol breifat yn Stockport. Byddai'n gryn gost i gadw saith o blant mewn ysgolion preifat yn yr oes honno.

Priododd tair o'r merched weinidogion. Priododd Anne â'r Parch. R. O. Williams, Porthamlwch, a fu'n weinidog Penuel, Porthamlwch, am chwarter canrif. Priododd Margaret, ei chwaer, y Parch. J. S. Evans, gweinidog yr Annibynwyr yng Nghemais, ac Elizabeth fu dewis William Davies. Bu Jane ac Ellen, y ddwy chwaer arall, yn ddi-briod ac yn hael eu croeso a'u llety i'r pregethwyr a ddeuai i Fethesda, Cemais. Yr oedd Elizabeth yn ferch wantan a bregus ei hiechyd a thebygol y bu hi'n ddylanwad ar ei gŵr i symud o fynyddoedd oer Arfon i wastadedd Môn oherwydd, ar ôl treulio dwy flynedd yn Arfon, symudodd William Davies yn weinidog i Fodedern a Llanynghenedl. Dechreuodd ei weinidogaeth yno yn 1905, yng ngwres y Diwygiad. Cafodd y Diwygiad fwy o ddylanwad ar bobl Bodedern na phobl Carmel a bu ymateb amlwg i'w weinidogaeth ar ei ddyfodiad i Fôn. Yr oedd yma eto fynd da ar bethau, er ei bod yn gymdeithas bur wahanol i'r hyn a gafodd gyda'r chwarelwyr. Yr oedd ganddo gryn fantais yma gan ei fod yn adnabod y bobl yn llawer gwell – ffermwyr gan mwyaf. Yr oedd yn weinidog hynod o gydwybodol a chanddo lawer iawn i'w gynnig fel cerddor ac athro a daliai'n fyfyriwr diwyd.

Ar ddechrau'r rhyfel cawsant brofedigaeth chwerwaf eu bywyd, gan y bu farw Mary eu plentyn hynaf yn bymtheg oed. Chwalwyd eu byd ac ni fu pethau yn hollol yr un fath iddynt wedi hynny. Fel y nodwyd, yr oedd y fam yn eiddil o gorff ac yn wan o iechyd a bu'r groes hon yn llethol iddi. Amharodd yn drwm hefyd ar William Davies gan effeithio'n fwyfwy ar ei nerfusrwydd.

Yr oedd iddynt dri o blant eraill, dau fab ac un ferch. Aeth Glyn i'r Normal i ddilyn cwrs athro ac aeth Idwal i'r banc. Arhosodd Olwen adref yn help i'w mam. Mae'n debyg na chafodd y plant blentyndod naturiol gan fod eu tad yn haearnaidd ei ddisgyblaeth a'i agwedd tuag at ei blant ei hun a gorfu iddynt gario'r cam a gawsant ar hyd eu hoes.

Priododd Olwen â William Perry o Gaergybi a ganwyd iddynt ferch o'r enw Elizabeth. Ganwyd yr ail ferch, Mary, yn Rhagfyr 1945 ond, ymhen pedwar mis, bu farw Elizabeth yn wyth oed gan adael ei mam yn gwbl orffwyll. Newidiodd ei phersonoliaeth yn gyfan gwbl am weddill ei hoes. Priododd Mary, y ferch, â John o Fodedern a ganwyd iddynt fab, a alwyd yn William, fel ei hen daid. Bu farw Mary yn 1985 yn 38 oed. Graddiodd William mewn addysg grefyddol fel ei fam a'i hen daid.

Nid rhyfedd i'r teulu trallodus symud o Fodedern, gan fynd i Salem a Chemlyn yn 1922 a byw ym Morannedd, tŷ'r teulu yng Nghemais. Symudodd i ddwy eglwys leiaf y Methodistiaid ym Môn. William Davies, yn siŵr, yw'r unig weinidog a symudodd o eglwys fwy i eglwys lai gyda phob symudiad. Yma yr arhosodd am dros ddeng mlynedd ar hugain a'r enw Cemlyn a lynodd wrtho ar hyd ei oes. Câi ei adnabod fel 'William Davies Cemlyn'. Nid oes yma na siop nac ysgol na stryd, dim ond ardal wledig, wasgaredig o ffermydd breision ym mhlwyf Llanrhwydres. Mae yna ryw swyn rhyfeddol yn enwau'r ffermydd hyn – Plas Cemlyn, Pen yr Orsedd, Tyddyn Sydna, Pencarreg, y Neuadd, Mynydd Ithel, Nanner, Caerdegog a Chae Mawr.

Saif Capel Cemlyn, 'Siloam', yn unig ar dir Pen yr Orsedd, fel pe bai'n gwarchod yr ardal i gyd. Ond, er mor wasgaredig yw'r ardal a'i thrigolion prin, gallant ymffrostio yn eu henwogion. Yma, ar 3 Tachwedd 1828, y lansiwyd y bad achub cyntaf ym Môn. Credai Lewis Morris fod yna gilfach wych ar draeth Cemlyn i adeiladu harbwr ond ni ddaeth dim o'r freuddwyd a chadwyd Cemlyn yn ddigyfnewid.

Yr oedd yn yr ardal ddewrion a heriodd awdurdod gan ymladd am yr hawl i gario tywod a graean o'r traeth yng Nghemlyn. Gwnaeth Owen Williams, Caerdegog, gryn enw iddo'i hun yn yr Uchel Lys yn Llundain, gan ennill yr achos. Aeth mab Owen Williams, William John Harcourt Williams, ymlaen i Rydychen gan raddio mewn diwinyddiaeth a'i ordeinio i'r Eglwys Esgobol.

Led cae o'r Capel y mae Mynydd Ithel, cartref y cerddor dall Robert Williams, awdur y dôn 'Llanfair' sydd, yn ôl Syr Walford Davies, yn un o'r tonau cynulleidfaol gorau a gyfansoddodd erioed. (Dyfynnwyd yn narlith Huw Williams, Bangor: *Cofio Robert Williams, Mynydd Ithel [1728–1818]*, Gwasg Pantycelyn, 1990.) Yn ddiddorol iawn y mae disgynyddion y cerddor nodedig yn dal yn werthfawr eu gwasanaeth i gapel Cemlyn. Y mae O. R. Jones, Caerdegog, yn flaenor ac arweinydd y gân, a'i fam, Eirlys, yn un o'r cyfeilyddion ac yn drysorydd yr Eglwys.

Yn nau a thri degau'r ganrif ddiwethaf yr oedd cymaint â deugain o weision a morynion ffermydd yr ardal yn yr oedfa nos Sul yn Siloam. Eisteddent yn rhan uchaf y capel gyda'r seddau ar godiad tir. Un pnawn Sul penderfynodd y plant mwyaf fynd i'r seddau dyrchafedig hyn, yn fechgyn a merched a chan eu bod o gyrraedd eu rhieni, cyn canol y bregeth roedd y plantos yn bur swnllyd. Tawodd y pregethwr a chan godi'i eiliau, meddai'n awdurdodol, 'Pan fydd hogia Mynydd Ithel, Nanner a Thy'n Cae wedi distewi mi awn ymlaen.' Eisteddodd William Davies yn y distawrwydd llethol. Y mae Owen John, Ty'n Cae, yn dal i gofio'r storm a fu yn Nhy'n Cae y pnawn Sul hwnnw a diau y bu storm gyffelyb ym Mynydd Ithel a Nanner!

Yr oedd Capel Salem, y capel arall, yn swatio yng ngodre Mynydd y Garn. Yn ôl traddodiad llafar proffwydodd John Williams, Brynsiencyn, mai yno, 'ar ddydd angladd rhywun o'r ardal hon yng Nghapel Salem y seinir acenion olaf yr iaith Gymraeg ac nid yn Llŷn fel y proffwydodd rhywun o'r fro honno'. Wedi agos i gan mlynedd ers y broffwydoliaeth honno gallwn herio'r proffwyd hwnnw a dweud ein bod ni yma o hyd, yn siarad yr iaith a oedd i farw. Dyma draethell y môr-ladron ers talwm, ac yma y glaniodd y meddyg esgyrn enwog yn blentyn diymadferth. O'r ardal hon yr hanai teulu Dr John Williams, Brynsiencyn, ac yma y treuliodd William Davies dros ddeng mlynedd ar hugain o'i weinidogaeth faith.

Ond paham, tybed, y bu coffa am William Davies o gwbl? Paham na fyddai wedi darfod fel pe na buasai? Yr oedd yn biwritan cul a hynod o ystyfnig, gan wrthod popeth newydd. Byddai'n odiaeth o chwyrn ei feirniadaeth yn erbyn popeth a oedd yn groes i'w syniadau ei hun. Pan ofynnodd organyddes Cemlyn iddo, ar derfyn oedfa unwaith, a fyddai'n iawn iddi chwarae darn o gerddoriaeth yn ystod y casgliad gan ei fod yn arfer derbyniol mewn capeli eraill, atebodd yn sarrug heb roi unrhyw ystyriaeth i'r cais, 'Dim byd o'r fath beth,' meddai. 'Mae'n well gen i sŵn tincian arian na'r hen hyrdi gyrdi yma yn cadw sŵn.' A dyna ddiwedd ar y cais.

Mae'n wir fod ganddo ei rinweddau. Roedd ganddo ddawn arbennig i drafod plant pobl eraill gan fod yn llawer mwy naturiol a rhadlon gyda hwy nag efo'i blant ei hun. Câi hwyl anarferol yn eu holi mewn Cymanfa neu Gyfarfod Ysgol ac mae sawl cenhedlaeth o blant yn ddyledus iddo am hyfforddiant. Yr oedd ganddo gymhwyster athro da ac roedd yn gerddor hefyd a bu'n arwain côr y Coleg yn y Bala. Fel athro a cherddor y cyfrannodd fwyaf yn ei weinidogaeth. Ac os oedd ei bregethau yn drwm a'r cyflwyno'n feichus, gwnâi argraff neilltuol yn ei weddïau, gan greu awyrgylch drydanol weithiau a chofir yn hir am ei weddïau mewn angladd. Dywedodd hen frawd o Gemais wrth Llewelyn Lloyd unwaith nad oedd neb yn debyg i William Davies am gladdu pobl, 'Wel,' meddai Llewelyn Lloyd, 'does neb wedi codi ar fy ôl innau chwaith!' Sonid llawer mwy am ei weddïau nag am ei bregethau a'i bregethu.

Ond, rhywfodd, nid oherwydd yr hyn a wnaeth o y cofiwn William Davies ond oherwydd yr hyn oedd o; nid ar gyfrif yr hyn a ddywedai yn gymaint â'r ffordd y'i dywedai. Yr oedd ei fywyd a'i weinidogaeth wedi eu britho â rhyw hynodrwydd, neu odrwydd anghyffredin. Yr oedd mor lletchwith a ffwndrus, a hynny yn gwbl anfwriadol. Fe wnaeth Tommy Cooper ei ffortiwn allan o'r un cymhlethdod, tra bu'n fagl ac yn faich i William Davies. Yr oedd y doniol a'r digrif yn gwbl ddifrifol i William ac edrychai ar y mwyaf smala gyda'r sobrwydd mwyaf. Ni roddodd o erioed le i hiwmor, ac ni chafodd o erioed ronyn o synnwyr digrifwch, ac eto y fo oedd y digrifaf o blant dynion. Methai'n lân â chwerthin gyda'r rhai sy'n chwerthin ac ni fedrai chwaith wylo gyda'r rhai sy'n wylo ac, o ganlyniad, yr oedd hi'n anodd iawn ei gymryd o ddifrif.

I ychwanegu at y doniolwch bu William Davies yn berchen moto beic a char modur ond nid oedd ganddo mo'r syniad lleiaf sut i yrru'r naill na'r llall. Byddai'n rhaid iddo ddibynnu ar eraill i drafod yr anhwylderau technegol lleiaf ond gan iddo ddewis byw yng Nghemais yr oedd yn rhaid iddo wrth y moto beic, a'r car yn ddiweddarach. Yr oedd y gweinidog yn gwbl anwybodus o reolau'r ffordd fawr. Fe gymerai'n ganiataol nad oedd neb ond y fo ar y ffordd a gwae y neb a'i cyfarfyddai ar y ffyrdd culion. Dewisai'r ochr hollol anghywir yn amlach na pheidio a methai'n lân â deall styfnigrwydd gyrwyr eraill yn dewis yr un ochr! Bu sawl gwrthdaro rhyngddo a cheir eraill ac ambell anifail druan.

Yr oedd y moto beic yn llawer mwy o atyniad i'r plant na'r gweinidog. Wedi gorffen y Band o' Hôp cylchynai'r plant o gwmpas y moto beic yn gwylio'r gweinidog druan yn trio cael tân. Dysgodd y bechgyn mwyaf, gydag amser, sut i barlysu'r moto beic, trwy roi pisyn o bapur rhwng y pwyntiau tân yn y distriwbitar – gair na ddaeth erioed i eirfa'r gweinidog. Cof da gan rai o hyd fel y byddai William Davies yn cicdanio'n ofer, am fod un o'r dihirod bach wedi atal y tân. Meiddiodd un digywilydd ddweud wrtho, 'corddi, corddi, corddi a dim menyn, Mr Davies!' Rhoes y gweinidog un cilwg ond meddai un arall, yn lled dosturiol, 'Ga i gynnig, Mr Davies? Mae gin fy nhad foto beic.' 'Wyt ti'n meddwl dy fod yn dallt mwy na fi am foto beic?' gofynnodd Davies, ar ddiffygio erbyn hyn. Cymerodd y llanc afael yn y beic gerfydd ei gyrn a phlygodd yn ddeallus, gan fodiachu'r distribiwtar ac agor drws bach ar ei ochr. Tynnodd y rhwystr a chaeodd y drws yn ei ôl. 'Trïwch o rŵan, Mr Davies,' meddai. 'Dacw gic a dyna dân!' Wrth gau ei gôt troes William Davies at y llanc gan ddweud yn broffwydol, 'Rwy'n siŵr jyst mai mecanic fyddi di pan dyfi'n fawr.'

Yn wir roedd y Band o' Hôp yn werth ei fynychu mewn ardal bellennig fel Llanfairynghornwy, yn enwedig os oedd gan y gweinidog foto beic. Yr oedd stori ddoniol ynghlwm wrth bob taith bron a wnâi William Davies ar ei feic.

Yr un fu'r hanes pan newidiodd y moto beic am Austin 7. Dywedodd un a gofia'r perfformiadau hefo'r car mai'r unig beth a wyddai William Davies am yrru oedd ym mha sedd y dylai eistedd. Fe gâi ddigon o drafferth i fynd yn ei flaen, heb sôn am droi'n ôl, a theithiodd filltiroedd yn gylchoedd o'r herwydd.

Cyn cychwyn adref wedi oedfa byddai'n gofyn i fechgyn ifanc yr oedfa, 'Pwy sydd am droi pen y ceffyl am adra imi heno?' Wil, Ty'n Cae fyddai'r certmon fel arfer. Wedi troi'n ôl byddai Wil yn parcio'r car yn glòs, glòs wrth wal gerrig wrth y capel gan droi'r olwynion blaen i gyfeiriad y wal. Wedi tanio, rhoddai William ei droed yn drwm ar y sbardun ac yna, yn ddirybudd, gollyngai'r clytsh a hyrddiai'r Austin druan ymlaen i'r wal gerrig, gan greu bwlch a gwasgaru cerrig hyd y ffordd.

Wedi'r oedfa yn Rhosbeiro un nos Sul, gwrthodai'r cerbyd â thanio, ac ni fyddai byth brinder mecanics mewn oedfa yn yr oes honno. Mae'n debyg mai Roger Jones, Felin Wen, oedd y mecanic yn Rhosbeiro ac ef a gymerodd achos y pregethwr mewn llaw y nos Sul honno. Sythai Rog, gan dynnu ei gôt a thorchi ei lewys, 'Agorwch ei geg,' meddai, fel deintydd. Yn sicr Roger oedd y mwyaf gwreiddiol ohonynt i gyd ac fe wyddai William Davies hynny'n iawn. Cafodd y mecanic fenthyg fflachlamp o eiddo un o'r addolwyr ac yng ngolau egwan honno y bustachodd Rog dan ei ddwylo. Safai'r gynulleidfa'n fud, yn gylch am yr Austin 7, gan ddal eu gwynt rhag i Rog druan gael achos i ffrwydro. Toc, dyma'r mecanic yn tynnu'i hun o geubal y moto a bagio'n ôl yn ei siwt dydd Sul. 'Trïwch o rŵan, Mr Davies,' meddai. Aeth y pregethwr i sedd y gyrrwr a chyn dim, dyna dân a phawb yn falch. Agorodd William Davies y ffenestr a brathu'i big allan i ofyn, 'Beth ydi'r gost, Roger Jones?' Mewn ysbryd yr un mor gellweirus, wedi ystyried peth, 'Chweugain i chi, Mr Davies,' meddai Rog. 'Wel,' meddai Davies, 'mae yna ryw sôn am dalu eto.' Aeth Rog â'r drafodaeth gam ymhellach gan ddangos ei ddwylo seimllyd, budron i berchennog yr Austin 7 a gofyn yn ddifrifol, 'Beth wna' i hefo'r rhain?' 'Wel, mynd â nhw hefo chi, debyg,' meddai'r gweinidog a diflannu drwy'r gwyll! Fe dystia saint Rhosbeiro fod 'wedi'r oedfa' yn well na'r oedfa ei hun, yn enwedig os digwydd i Rogar, y Felin Wen, fod yno!

Tystia cyn-weinidog Cemais, y Parch. Griffith Owen, yntau i sawl tro trwstan yng nghwmni William Davies a'i gerbyd. Cyd-deithiodd y ddau rai milltiroedd yng nghwmni ei gilydd ar ffyrdd cul a gwyrgam Ynys Môn. Sibrydodd Griffith wrtho'i hun droeon wrth gau drws yr Austin, 'Bod yn fyw sy'n fawr ryfeddod.'

Erbyn hynny, ddiwedd y pedwar degau, yr oedd cyflwr iechyd William yn bur fregus a bu sawl ymdrech i'w berswadio i beidio gyrru, ond ofer fu pob un. Derbyniodd Griffith Owen alwad i Fethesda'r Wyddgrug yn 1949 ac aeth tyrfa fawr o Gemais i sefydlu eu gweinidog yn Sir y Fflint, ac ymunodd William Davies â nhw. Er nad oedd ei enw ar raglen y noson, daeth William o hyd i'w gyfle a chododd ymhlith y dieithriaid, gan hofran ei freichiau yn ôl ei arfer, 'Mae Mr Owen a minnau wedi bod yn gyfeillion mynwesol,' meddai. 'A wyddech chi ei fod o'n medru gyrru car? Mi ddweda i fwy wrthych chi, mae o'n *expert* am yrru car, fel finnau!' Mae'n debyg mai'r ddeuair bach olaf yna oedd holl bwrpas y datganiad, er mwyn herio'r gwaharddiad arno i yrru. A chan mai hwn oedd yr obsesiwn ar y pryd, nid oedd y lle na'r achlysur yn golygu dim i William; lleisio'i brotest oedd yn bwysig.

Er bod yr Hybarch Griffith Owen bellach yn naw deg tri oed, ac wedi ei longyfarch gan Gyfarfod Misol Dyffryn Clwyd ar 14 Mehefin 2003 ar gyflawni deng mlynedd a thrigain yn y weinidogaeth, eto, y mae'n cofio gyda manylder am ei dripiau gyda gweinidog Cemlyn yn yr Austin 7. Cofio fel y byddai William, wrth nesáu at ambell drofa go dywyll, yn stopio'r car a cherdded rownd y tro i gael golwg a oedd rhywun yn dod i'w gyfarfod, yna rhedeg yn ôl a'i sbardynu hi rownd y tro! Mae sôn am ambell gybydd yn disgwyl i'w car fynd ar y gwynt gan gwyno'n barhaus o orfod rhoi petrol yn y tanc. Fe âi William Davies gam ymhellach na hynny gan ddisgwyl i'r Austin 7 fynd heb *wynt* hyd yn oed. Teithiai i Gemais o Lanfair-yng-Nghornwy un noson a'r nos wedi'i ddal. Clywid sŵn haearnaidd olwynion noeth y cerbyd bach yn cordeddu'r gyrrwr yn giaidd. Cyrraedd heb yr un chwythiad o wynt yn yr un o'r teiars – pranciau cynulleidfa'r Band o' Hôp, wrth gwrs! Wedi cyrraedd Cemais, cwynai'r gweinidog fod rhyw gryndod rhyfedd yn holl aelodau'r car bach. 'Gobeithio'n wir,' meddai, 'nad oes yma arwyddion o'r diwedd.' Yr oedd y pedwar teiar wedi'u cnoi'n gareiau, gan osod cost greulon ar William Davies.

Cyfeiriwyd eisoes at y nifer dda o weision a morynion ffermydd yr ardal a fynychai'r oedfaon. Cyfeiria amryw ohonynt o hyd, yn annwyl iawn, at William Davies, ac amlwg fod ganddyn nhw gryn barch iddo. Er mor gul a henffasiwn yr edrychai William ar bethau, eto, fe lwyddai i fynd i'w byd, a byddent hwythau yn barod iawn i'w helpu ym mhob anghaffael. Pan alwai'r gweinidog ar ei ymweliadau â'r ffermydd, ac ni fu erioed ffyddlonach gweinidog yn ei ymweliadau â'i bobl, mynnai gael gair â'r forwyn ac â'r gweision os byddent o gwmpas.

Pan alwodd ym Mhlas Cemlyn un gyda'r nos, cyfarfu â Wil Pant y Crwyn ar ei ffordd i'r llofft stabal wedi noswyl.

'Dowch i fyny i'r llofft am funud, Mr Davies,' meddai Wil.

Cytunodd y gweinidog a rhoddwyd ef i eistedd ar y gwely plu uchel, cyfforddus. Yr oedd Wil am roi'r croeso gorau allai unrhyw lofft stabal ei roi i weinidog a chan ei fod yn flaengar iawn yn nifyrion yr oes, roedd ganddo gramaffôn grand a phentwr o recordiau amrywiol.

'Garech chi gân, Mr Davies?' gofynnodd Wil a chodi record fawr i'w dangos a gwenodd y gweinidog o'i nyth o blu cynnes. Weindiodd Wil y gramaffôn fel pe bai'n corddi llaeth trwodd ac aeth ar ei liniau i roi'r record ar ei chlustog felfed.

'Dyma ni, Mr Davies,' meddai, 'unrhyw funud rŵan.' Ar hyn dyna floedd uchel y canwr estronol,

> *I had a little drink about an hour ago,*
> *and it went straight to my head;*
> *Please show me the way to go home.*

Pesychodd y gweinidog ei anghymeradwyaeth yn amlwg. Llithrodd o'r gwely uchel a'i phowltio hi am y drws. Yr oedd Huw Jones, y gwas arall, ar lwybr William Davies ar yr iard ond ni welodd y gweinidog mohono. Holodd Huw ei gyd-was i gael eglurhad am ymddygiad William,

'Be wnest ti i'r gweinidog, Wil?' holodd ei gyfaill.

'Mi rois i groeso iawn iddo a chwarae'r record ddiweddara sydd gen i iddo – "Show me the way to go home".'

'Wel, y nefoedd fawr,' meddai Huw. 'Wyddet ti ddim fod William Davies yn ddirwestwr mawr?'

'Be ddiawl ydi hynny?' holodd Wil yn gwbl ddiniwed! Er hyn i gyd fe ddaliodd y ddau Wil yn fêts gydol eu hoes.

Nid yn unig yr oedd William Davies yn ddirwestwr digymrodedd, yr oedd hefyd yn biwritan yr un mor gul. Yr oedd cadw'r Sabbath i'r llythyren o dragwyddol bwys yn ei olwg. Sylwodd, un prynhawn Sul, ac yntau ar ei ffordd i'r oedfa yng Nghemlyn, fod tri llanc yn ffureta ar dir y Groes Fechan. Yr oedd potsio yn gryn bechod yn llyfr William, fel pob Methodist da arall, ond potsio ar y Sul! Byddai gan William slot ym mhob pregeth rhag y digwyddai i rywbeth godi y byddai'n rhaid ei wyntyllu. Condemniodd y tri dihiryn am dorri'r Sul a hynny yng ngŵydd pawb. Gwingai'r gynulleidfa am y gwyddent hwy yn iawn mai Idwal, mab y gweinidog, oedd un o'r tri. Nid rhyfedd i un o'r gynulleidfa honno sibrwd ar ei ffordd allan, 'Ma' isio ceiliog glân i ganu.'

Ond byddai'r ardal gyfan yn barod iawn i gydnabod y bu

William Davies yn was ffyddlon i'w bobl am flynyddoedd meithion. Er yn oedrannus a llesg, daliodd i ymweld â hwy. Fe wyddai yntau, cystal â neb, am droeon enbyd y daith a gwyddai'n iawn sut i gydymdeimlo â'i bobl mewn gorthrymder. Ymwelai'n gyson â thyddynnod anghysbell y Garn a'r Grug ac, ar ei ymweliad cyntaf â Rhoscryman, cyflwynodd ei hun i Thomas Williams gyda'r geiriau, 'Y fi ydi'r bugail newydd.' Nid oedd yna ond un swyddogaeth i fugail yn llyfr Thomas Williams ac meddai, 'Oes gynnoch chi ddogar go lew? Wnewch chi ddim ohoni hi yn y grug yma heb gi go dda!'

Ar achlysur arall pan alwodd y gweinidog eto yn Rhoscryman, yr oedd yn ddiwrnod lladd nadroedd, fel y bydd hi weithiau mewn tyddynnod. Gwelodd y tyddynnwr y gweinidog yn nesáu at y tŷ a gwyddai y golygai hynny golli dwyawr. 'Paid â chynnig te iddo,' meddai Thomas wrth y wraig, gan ddiflannu i'r siambar i guddio nes yr âi'r gweinidog ar ei daith at rywun arall. Curodd William Davies yn ysgafn ar y drws a cherdded i mewn gan ofyn yn uchel, 'Oes yma bobol?' Yr oedd Mrs Williams yn llawn ei chroeso ac, er bod Thomas yn y siambar yn gweddïo am ymadawiad y gweinidog, ni fedrai gwraig Rhoscryman ymddwyn yn wahanol i'w natur.

'Gymerwch chi baned o de, Mr Davies?' meddai'n glên. Cyn iddi orffen gofyn symudodd y gweinidog at y bwrdd â gwên ddiolchgar yn llenwi ei wyneb. Symudwyd y llestri cinio o'r neilltu ac ymlaciodd William Davies yn harti hefo'i baned a thafell o dorth gri flasus, gyda'r ci defaid yn glòs wrth ei ochr, fel na choller dim. Erbyn hyn yr oedd amynedd Thomas Williams wedi dirwyn i ben. 'Digon yw digon,' meddai wrtho'i hun rhwng y gwely a'r pared. Rhoes yr hen gadair freichiau wrth y palis a safodd arni, gan gladdu ei ddwylo mawr trwy wellt y to ac agor twll helaeth, digon iddo wthio'i hun o'i garchar i ryddid ac at ei ddyletswyddau. Mi alla i ddychmygu, y tro wedyn i William Davies alw yn Rhoscryman, i Thomas Williams fod yn llaes ei ymddiheuriad iddo'i golli!

Ond os byddai galwadau'r tyddyn yn bwysicach na'r gweinidog weithiau, eto i gyd, eithriadau prin fyddai'r rheini. Yr oedd ganddynt gryn feddwl o'u gweinidog ar y cyfan, ac roedd ganddo yntau feddwl y byd ohonynt hwythau.

Yr oedd tri dosbarth o bobl, y mae'n wir dweud, y rhoes William ei gas arnynt. Pregethwyr Cynorthwyol oedd un o'r dosbarthiadau hynny ac fe'u bedyddiodd â glasenw, a oedd yn enw poblogaidd ym mlynyddoedd y rhyfel, sef 'iwtilitis', a dyna fu y pregethwrs yma i William Davies. Methai'n lân â goddef eu gweld yn dringo i bulpudau'r wlad mor ddigywilydd, 'Pe cawn i fy ffordd,' meddai William, 'ni chaent ddod i'r sêt fawr, heb sôn am y pulpud.'

Pobol y 'waeth gen i' oedd yr ail ddosbarth. Y bobl hynny a godai eu hysgwyddau yn uchel fel ymateb i bob gofyn arnynt, heb falio dim am neb na dim. Credai'r gweinidog mai hwn oedd y dosbarth mwyaf o ddigon, a nhw, yn anad neb, oedd y perygl mwyaf i gymdeithas.

'Yr adar symudol' oedd y trydydd dosbarth na allai eu goddef. Yr adar hynny a ymwelai â'n gwlad yn eu tro, pan ddeuai'r gwanwyn – y wennol a'r gog. Dyma ymwelwyr blynyddol i oedfa ddiolchgarwch neu ganu Carolau. Manteisiai William Davies ar oedfa o ddiolchgarwch i roi blas ei dafod i'r rhain gan gyfeirio atynt fel 'paganiaid gwynion'. Tueddai ei flagardio i droi'n ddŵr ar gefn hwyaden gan iddo fod mor gignoeth a phlaen.

Ychydig iawn o ddiddordeb a gymerai William Davies mewn dim y tu allan i'w waith o bregethu a bugeilio'i braidd. Nid oedd ganddo hobi o unrhyw fath. Byddai cymryd unrhyw ddiddordeb mewn ymblesera yn gwbl groes i'w anianawd. Er hyn mi fu, ar un cyfnod, yn cadw ieir ac ychydig o ddefaid ac âi, yn fore, i Dyddyn Glasgoed i roi sylw i'r ieir a'r anifeiliaid gwlanog. Yr oedd gan deulu ei wraig beth tir yng Nghemais a thai ac eiddo. Fe'i cynghorwyd i besgi'r ŵyn yn unig a chadw'r defaid i fyw ar eu bloneg. Byddai cryn berfformans pan gadwai William y defaid draw o'r cafnau gan y byddai yn eu hymlid a'u cicio. Clymodd rhywun gwpled fachog i ddisgrifio'r olygfa:

> William Davies y bugail mwyn
> Cicio'r defaid a ffidio'r ŵyn.

Ond, trwy bopeth, fe lynodd William Davies yn ffyddlon i'w argyhoeddiadau heb ofni gwg na cheisio ffafr neb. Bu'n was da a ffyddlon am drigain mlynedd – record ryfeddol. Bu i Gyfarfod Misol Môn ei longyfarch yn 1944 ar gyflawni deugain mlynedd yn y weinidogaeth. Yr oedd Dr Hugh Williams, Amlwch, a Thomas Evans, Talwrn, yn cael eu llongyfarch yn yr un cyfarfod. Gofynnwyd i Hugh Williams ddweud gair ar ei ran ei hun a'i ddau gyfaill ac meddai yn ei ffordd ei hun, 'Fûm i erioed yn y wlad bell, a fûm i erioed yn afradlon fel y ddau yma; mi arhosais i adra, ym Môn.'

Mae'n wir y bu William Davies yn y wlad bell am ddeng mlynedd, ond fe ddaeth yn ôl adra, ac arhosodd yma am hanner can mlynedd. Mi fu yma yn ddigon ffyddlon a bodlon ar ychydig ac, yn ei ffordd wahanol ei hun, fe gyfrannodd lawer.

Cydnabyddir:
Richard Williams, Llanfair-yng-Nghornwy.
William Hugh Jones, Llanfair-yng-Nghornwy.
Griffith Owen, Abergele.
William Jones (gor-ŵyr).
'William Davies, Cemais, Môn.' *Gweision Gwahanol*,
Gol. Gomer Roberts a William Morris, Llyfrfa'r M.C., 1974.

RICHARD FOULKES-JONES
(1843–1923)

Eglwys y Santes Fair, Llanfair-yng-Nghornwy.

Gosodwyd y Canon Richard Foulkes-Jones yn rheithor Eglwys y Santes Fair, Llanfair-yng-Nghornwy, ar y seithfed o Fai 1895, plwyf gwledig a digon anghysbell ar arfordir gogledd-orllewin Ynys Môn. Erbyn hyn yr oedd cryn newid yn hanes ac amgylchiadau'r plwyfi gwladol yng Nghymru. Yr oedd y stadau mawr yn dadfeilio ac o ganlyniad, collodd y person gwmni a chefnogaeth werthfawr yr ysgweiriaid. Yr oedd amryw ohonynt, fel Richard Foulkes, yn wŷr â gradd o golegau Rhydychen, Caergrawnt a Chaeredin. Yn naturiol, fe deimlent yn rhyfeddol o unig wedi eu claddu'n fyw mewn plwyfi pellennig ac ymhlith plwyfolion digon anllythrennog. Yr unig gwmni a gâi'r offeiriaid fyddai'r athro ysgol, ac ni fyddai safon addysg hwnnw yn uchel iawn ar droad y bedwaredd ganrif ar bymtheg. Byddai llawer ohonynt yn fwy o gomanders milwrol nag o athrawon ysgol.

Yr oedd bywoliaethau brasaf yr Eglwys yn eiddo'r tirfeddianwyr a byddai meibion yr uchelwyr yn cymryd urddau ynddi, a chaent eu penodi i'r bywoliaethau gorau. Trigent mewn tai mawrion, math o blastai bach, a chadwent forwynion a gweision at bob gwasanaeth, er sicrhau y caent bob dedwyddwch fel arferion a difyrion eu hynafiaid. I bob pwrpas, uchelwyr oeddynt a chadwai rhai ohonynt gŵn hela a meirch porthiannus, heb ofalu nemor ddim am wasanaethau eu heglwysi a buddiannau ysbrydol y plwyfolion.

Un o'r rhai olaf o'r dosbarth hwn oedd mab y Caerau, Llanfair-yng-Nghornwy, John Owen MA, a osodwyd yn berson Llaneilian, Môn. Cafodd addysg dda yn Ysgol Ramadeg Biwmares ac yng Ngholeg yr Iesu Rhydychen. Bu fyw gydol ei oes fel uchelwr yn hela ac yn marchogaeth, gan saethu pob aderyn o fewn y plwyf nes codi gwrychyn awdurdodau Stad Dulas. Erbyn diwedd y bedwaredd ganrif ar bymtheg, eithriadau prin oedd John Owen a'i debyg.

Yr oedd bywyd person y plwyf gwladol yn dlawd ac yn unig tu hwnt. Nid yn unig y collasant gefn a chwmni'r bonheddwyr, yn ôl gohebiaethau'r cyfnod collasant gydymdeimlad yr esgobion hefyd. Ceir ysgrif hynod feirniadol gan un gohebwr dan yr enw 'Anellydd' yn rhifyn Ionawr 1923 o'r *Haul – Cylchgrawn yr Eglwys Esgobyddol*: 'Oni wyddom am lawer offeiriad mewn plwyfi anghysbell a anghofiwyd dros y rhan oreu o'u hoedl gan eu Tadau yn Nuw, er niwed anhraethol i fywyd y cyfryw offeiriaid.' Fe effeithia'r drefn newydd yn niweidiol iawn ar eu bywyd hefyd gan atal eu symudiadau. Yr oedd hi mor gostus i symud – baich y byddai'n rhaid i'r person ei ddwyn ei hun os bwriadai wneud hynny. Hola'r gohebwr mewn difrif: 'A ellir dychmygu gwaeth trefn weinyddol Eglwysig na'r dreth anghyfiawn hon ar offeiriaid y cyflogau bach?' Ac eto, yr oedd gan 'Gorff y Cynrychiolwyr' arian i'w wario bob blwyddyn i gyfeiriadau cwbl ddiangen. Mae'n amlwg ddigon fod cyflogau ac amgylchiadau'r person cefn gwlad yn llawer is na chyflogau a chyfleusterau'r personiaid mewn trefi a mannau poblog.

Yn naturiol yr oedd costau byw yn uwch yn y wlad bryd hynny, fel y maent heddiw, yn rhannol am eu bod yn byw mor bell o orsaf y trên, ac o'r trefi agosaf. Dadleuai'r personiaid hyn na allent fforddio cadw gwas, na chynnal car a cheffyl i deithio i'r dref ac at y trên. Ac yn goron ar y cwbl, yr oedd cyflog yr ysgolfeistr yn uwch nag eiddo'r person, ac o ganlyniad, yr oedd ei statws yn uwch, debyg! Dadleuent nad oedd fodd iddynt, ar eu cyflog pitw, brynu llyfrau. Pa fodd y disgwylid iddynt gyflawni eu gwaith yn effeithiol a hwythau heb arfau? Yn halen ar y briw ceid digon o leygwyr beirniadol o'u pregethu. Ymatebent hwythau, sut y gellir cael priddfeini heb wellt?

I ychwanegu at faich yr offeiriaid yn y wlad, byddai rhai eglwysi yn gyndyn iawn, oherwydd cybydd-dra neu dlodi, o roi offrwm y Pasg i'r person, ac ni thalai'r Cyngor Eglwysig drethi'r persondai ym mhob plwyf. Dadleuai gohebwyr y cyfnod yn y wasg Eglwysig y dylai Corff y Cynrychiolwyr neu Fwrdd Cyllid pob esgobaeth amddiffyn offeiriaid yr eglwysi gwan, ac y dylid graddoli cyflogau personiaid gwladol ar gyfrif eu treuliau.

O ganlyniad i'r amgylchiadau argyfyngus hyn, bu raid i sawl person yn y wlad droi at waith arall i'w helpu i fyw. Ni fyddai fawr o ddewis o waith yn yr oes honno yng nghefn gwlad ac eithro ffermio a garddio a chadw ieir neu foch. Dyma ymateb un gohebwr: 'Y mae'n warthus y gorfodir llawer ohonynt [offeiriaid] i ymwneud â busnes o amaethu neu arddio er atodi eu cyflogau bychain.' Y mae llyfr Dr Augustus Jessopp, *Trials of a Country Parson* (Llundain, 1894), yn ymdrin yn fanwl â'r dadleuon hyn ac yn rhoi golwg inni ar y cyfnod dan sylw yn hanes yr eglwys wladol, er nad oedd ef yn gwbl ymwybodol o dreialon yr offeiriaid gwladol yng Nghymru.

Anghofiwyd yn llwyr am amgylchiadau anodd y person yn y wlad erbyn diwedd y bedwaredd ganrif ar bymtheg a dechrau'r ugeinfed. Yr oedd yr Ymneilltuwyr yn dechrau clochdar eu hanniddigrwydd i dalu'r degwm, boed arian neu gynnyrch tir, a oedd yn cynnal a chadw'r Eglwys Esgobol. Teimlai'r Ymneilltuwyr fod ganddynt hwy eu cyfrifoldeb i gynnal eu capeli eu hunain. Gwelwn wrth bapurau stadau a dogfennau eglwysig fod rhestrau'r degwm yn fylchog ryfeddol o ôl-ddyledion. Yr oedd y pendil yn symud oddi wrth yr Eglwys wladol, a'r Ymneilltuwyr yn denu rhai o ddosbarthiadau uchaf y gymdeithas.

Bu dirywiad yn yr Eglwys Wladol hefyd gyda dyfodiad

dosbarth gwahanol o offeiriaid i blwyfi Môn, llawer iawn ohonynt o Geredigion. Nid oedd y rhain mor gefnog nac mor ddysgedig â'r genhedlaeth gynt ac, yn wir, yr oedd ymddygiad llawer ohonynt yn bell o fod yn dderbyniol. Cyhuddwyd amryw o feddwdod ac ymddangosent yn y Llysoedd. Bu i un feiddio herwhela ar dir Syr Richard Bwcle o'r Baron Hill ac fe'i dedfrydwyd yn Llys Llangefni am botsio! Nid oedd hyn yn help yn y byd i'r Eglwys ddal ei gafael ar y bobl gyffredin mewn cyfnod mor dyngedfennol yn ei hanes.

Yr oedd gwrthryfel y degwm yn cryfhau wrth nesáu at ddiwedd y bedwaredd ganrif ar bymtheg ac roedd yn amlwg fod pethau'n dod i fwcwl. Pasiwyd Deddf Gymunedol i geisio ysgafnhau gorthrwm y degwm a deuai'n amlwg rhywfodd fod datgysylltiad yr Eglwys Wladol yn annorfod. Sbardunwyd rhyfel y degwm ym Môn wrth i John Parry o Lanarmon-yn-Iâl dramwyo drwy'r ynys yn perswadio'r ffermwyr i wrthod ei dalu a chafodd gryn ddylanwad, er nad oedd ffermwyr Môn yn barod i ddileu'r degwm yn llwyr.

Pan ddaeth prisiau'r ydau i lawr gostyngwyd y degwm 25 y cant. Crefai tyddynwyr tlawd yr ynys ar y personiaid i drugarhau wrthynt a gwrthodai ambell ffermwr dalu dim, a dywedai eraill na allent fforddio'i dalu. Galwodd ambell berson ofnus ar y Gymdeithas Amddiffyn i gasglu'r degwm drostynt a rhwng popeth, crëwyd awyrgylch hynod o annymunol mewn gwlad a thref a châi gwragedd a phlant yr offeiriaid eu sarhau yn gyhoeddus, fel yr ofnent ymddangos yn unman. Yr oedd yn sefyllfa enbyd, gyda grwpiau o ffermwyr mileinig yn herio awdurdod yr Eglwys gan hyrddio cerrig a ffaglau tanllyd at y rhai a gasglai'r degymau. Bu'n rhaid galw'r fyddin i ambell fan er mwyn tawelu pethau.

Yn 1891, pasiwyd Mesur a wnâi'r degwm yn daladwy gan y tirfeddiannwr ond, yn ymarferol, wrth gwrs, tenant y fferm oedd yn parhau i dalu. Cyflwynwyd nifer o fesurau datgysylltu yn Nhŷ'r Cyffredin yn ystod tymor llywodraeth Ryddfrydol 1892–5, ond ni fu'r un ohonynt yn llwyddiannus. Yn y diwedd daeth y Mesur yn gyfraith yn 1914 ond fe'i gohiriwyd dros gyfnod y Rhyfel Byd Cyntaf ac yn 1920 y daeth i rym. Cafodd yr Eglwys ei dadwladoli yn ogystal â'i datgysylltu, a rhoddwyd yr arian i'r Brifysgol, y Llyfrgell Genedlaethol a'r cynghorau sir, i ddibenion cenedlaethol. Un o ganlyniadau'r newid hwn oedd dirywiad yn y cyswllt agos rhwng Ymneilltuaeth a gwleidyddiaeth Ryddfrydol yng Nghymru.

I'r diwylliant a'r awyrgylch hwn y daeth Richard Foulkes-Jones yn 1895 ac, er bod Llanfair-yng-Nghornwy yn blwyf pellennig a digon diarffordd, yr oedd yn rhan o'r awyrgylch grefyddol a pholiticaidd. Yn wir parhaodd y cythrwfl a'r dadwrdd i ryw raddau gydol ei weinidogaeth o wyth mlynedd ar hugain ym Môn.

Wrth geisio adnabod a dirnad y cymeriad cymhleth hwn, gyda'i dueddiadau ecsentrig, y mae'n hollbwysig inni adnabod a cheisio ymdeimlo â'r amgylchiadau y cafodd ei hun ynddynt. Bellach yr oedd y byd llonydd a thawel yn dechrau gwegian a chynhyrfu a daeth mwy na chrychni ar wyneb y llynnoedd crefyddol a chymdeithasol.

Ni ddylid credu y byddai plwyf pellennig ac anghysbell fel Llanfair-yng-Nghornwy, yn ddihangfa o angenrheidrwydd rhag y 'boen sydd yn y byd'. Nid plwyf bach di-nod na dibwys mohono o gwbl, a byddai'n gryn anrhydedd i unrhyw offeiriad gael ei gynnig.

Yr oedd Llanfair yn blwyf a ymfalchïai yn ei hanes ar gyfrif y rheithoriaid a fu yno. Bu'r Parch. John Williams, brawd i'r enwog Thomas Williams, Llanidan, yno am 53 o flynyddoedd a phan ymwelodd Brenin Siôr y Pedwerydd â Chaergybi, manteisiodd John Williams ar y cyfle i ofyn iddo berswadio'r esgob i roi bywoliaeth Llanfair-yng-Nghornwy i'w fab, James, gan achub y blaen ar yr esgob a oedd yn awyddus i'w fab ef ei hun gael Llanfair. Yr oedd y plwyf yn ddigon pwysig i'r esgob a John Williams ymgiprys amdani i'w meibion. Ond y Parch. James Williams a osodwyd yn Rheithor y Santes Fair yn 1821, ac adeiladwyd yno bersondy harddaf Môn yn 1824.

Yr oedd James Williams yn glerigwr bonheddig, yn dda iawn ei fyd, o'r hen stamp, yn Ynad Heddwch ac yn ŵr hynod fawr ei barch. Dyma un o blwyfi mwyaf enillfawr Môn bryd hynny a sicrhaodd James Williams le i'r plwyf ar fap esgobaeth Bangor. Ar ei ddyfodiad i'w blwyf newydd, drylliwyd llong fechan ar greigiau'r arfordir a bu'r digwyddiad yn foddion i symbylu James Williams a'i briod, Francis, i ffurfio Cymdeithas er mwyn cael bad-achub i'r ardal. Llwyddasant yn rhyfeddol yn eu hymdrechion ac, ar 28 Tachwedd 1828, lansiwyd bad-achub cyntaf Môn ar draeth Cemlyn ym mhlwyf Llanrhwydrys, gofalaeth James ynghyd â Llanfair-yng-Nghornwy. Cymerodd y rheithor ran ymarferol ar fwrdd y bad ac mae sawl stori ramantus am ei orchestion ar y môr. Yr oedd yn ddyn o flaen ei oes a bu'n arloesi mewn sawl maes – amaethyddiaeth yn arbennig. Daeth rheithordy Llanfair-yng-Nghornwy yn ganolfan ddiwylliannol i gylch eang yng ngogledd Môn gan roi cyfle i'r artist, y telynor, y gwyddonydd a'r ffermwr i gyd-drafod dan gyfarwyddyd James Williams a Nicander, a oedd yn berson yn Amlwch ar y pryd.

Yn siŵr, nid rhyw blwyf bach dibwys oedd hwn. Bu i'r cewri hyn droi ffocws sawl byd ar y gornel bellennig hon a heb os, byddai'r Esgob hefyd yn awyddus i osod gŵr addas a chymwys yn rheithor yno. Tybed nad oedd mwy o arbenig-rwydd i'r plwyf nodedig hwn pan osodwyd y Canon R. Foulkes-Jones yno nag a oedd bron i ganrif ynghynt?

Diau fod sawl un yn ffansïo'r cyfle i fod yn rheithor yno, ond ar un o is-ganoniaid Eglwys Gadeiriol Bangor y disgynnodd y coelbren yn 1895. Yr oedd y ddau blwyf, Llanfair-yng-Nghornwy a Llanrhwydrys, yn ffurfio arwynebedd o 3,278 o erwau, ac yn ildio rhent degwm o £363 3s 0d Fe'i cyfrifid, o ganlyniad, yn fywoliaeth gyda'r orau ym Môn (ynghyd â Llangeinwen ac Aberffraw). Mae'n amlwg y gwelai'r Esgob gymhwyster arbennig yn Foulkes-Jones i lenwi'r cyfrifoldeb o reithor y plwyf enwog hwn yn yr Ardal Wyllt. Yr oedd yn ŵr â gradd o Goleg yr Iesu Rhydychen ac mae'n rhaid ei fod o deulu gweddol gefnog, er mai rheithor plwyf Llansilyn ym Maldwyn oedd Walter Jones, ei dad, gan i Richard, mae'n debyg, fynychu ysgol fonedd cyn mynd i Rydychen yn 1861. Graddiodd yn 1867 a'i ordeinio'n ddiacon y flwyddyn ddilynol. Ymddengys iddo fanteisio ar ei gwrs addysg a bywyd cymdeithasol y Coleg. Yn ôl adroddiad personol ataf gan olygydd Archifdy Coleg yr Iesu, yr oedd Richard Foulkes-Jones yn aelod o Glwb Cychod y coleg ac yn Hydref 1862 fe'i dewiswyd yn gapten y clwb. Y mae dau fŵg piwtar yn brawf i'w bedwarawd ennill y ddwy ras: 'Trial Four' a'r 'Scratch Four'. Ond er ei ddawn fel cychwr yn nyddiau'r coleg nid oes sôn iddo ymhél dim â'r gamp wedi gadael Rhydychen. Ond pwy fyddai'n disgwyl i un o Lansilyn, mor bell o'r môr, ymuno â chlwb rhwyfo ar ei fynediad i'r coleg! Mae'n amlwg fod dau Gymro arall hefyd yn y tîm o'r enw Jenkins a Lewis.

Ar wahân i'w gymhwyster academaidd, yr oedd yn ddawnus fel 'canwr', yn yr ystyr o lafarganwr, neu siantiwr. Dyna fyddai prif gymhwyster yr is-ganon mewn Cadeirlan. Gan nad oes blwyf yn perthyn i'r Eglwys Gadeiriol ni fyddai gofyn i'r is-ganon wneud gwaith bugeiliol fel y cyfryw ond cafodd Foulkes-Jones ychydig o brofiad o hynny fel ciwrat mewn dau blwyf wedi iddo adael y coleg – Dwygyfylchi, 1868–1871, ac Eglwysrhos, 1871–1879. Mewn teyrnged fer iddo yn y *Llan* (Mehefin 1923) dyma a ddywedir:

> ... cyn ei benodi i Lanfair-yng-Nghornwy bu yn Is-ganon yn Eglwys Gadeiriol, Bangor am flynyddoedd (1879–1895), a dyma yn ddiau y gwaith oedd gymhwysaf iddo, oherwydd meddai ar lais tyner a threiddgar, a hyfryd iawn fyddai gwrando arno'n canu'r gwasanaeth. Cyrhaeddai'r geiriau i gonglau pellaf yr adeilad eang. ('Biographical Epitomes of the Bishops and Clergy in the Diocese of Bangor', copi teipiedig o waith Robert Hughes).

Meddai, mae'n amlwg, ar ddawn neilltuol iawn fel is-ganon. Tybed nad oes yma awgrym y byddai'n llawer gwell pe bai wedi aros fel is-ganon, gyda'i ddawn gyfoethog i lafarganu?

Yn anffodus ychydig iawn o'i hanes fel rheithor yn Llanfair-yng-Nghornwy sydd ar gael. Yn ffodus, mae trigolion yr Ardal Wyllt yn haneswyr lleol da a bydd yn rhaid inni ddibynnu ar eu hatgofion eil-geg hwy i gael darlun cymharol o'r pregethwr hwn. Mae pob lle i gredu iddo fyw bywyd digon preifat, yn ymylu ar fod yn feudwyol, ac roedd Llanfair-yng-Nghornwy yn nefoedd o le i'r math hwnnw o berson.

Yn wahanol i'r rhelyw o bersoniaid plwyfi gwladol nid oedd gan Foulkes-Jones yr un gŵyn yn erbyn ei gyflog. Ar wahân i'r ffaith ei fod mewn plwyf enillfawr, yr oedd ganddo ffrwd ariannol arall – yr oedd yn ŵr cyfoethog iawn ac roedd iddo wraig gefnog. Ychydig iawn a wyddom amdani ac er mor fusneslyd y gall plwyfolion yr Ardal Wyllt fod, ychydig iawn a wyddent am briod y Canon. Yn ôl eu tystiolaeth yr oedd yn wraig wael ac anabl. Cofia rhai amdani'n mynd i siop y pentref mewn cadair wellt dair olwyn a'r mul yn y llorpiau, ond y hi oedd yn llywio'r gadair gan orfodi'r mul penstiff i ufuddhau i'w dymuniadau. Yr oedd iddi enw diddorol iawn yn ôl y Calendar Cenedlaethol Profeb – Hermione – enw o ddrama enwog Shakespeare, *The Winter's Tale*. Y hi yn y ddrama honno yw gwraig Leontes, y brenin, a mam Perdita. Fe'i beiwyd ar gam o odinebu gan ei gŵr anghall ac yn y carchar y rhoes enedigaeth i'w phlentyn. Yn ddiddorol iawn cymerodd J. K. Rowling yr un enw i un o gymeriadau ei nofel *Harry Potter and the Order of the Phoenix*. Byddai'n arferiad gan deuluoedd cefnog i roi enwau gan awduron enwog fel Shakespeare ar eu plant.

Yn ôl tystiolaeth yr haneswyr lleol eto, treuliodd Hermione Foulkes-Jones flynyddoedd olaf ei bywyd mewn ysbyty neu 'gartref' yn ne Lloegr. Yn ôl cyfrifiad 1901 nid oedd hi yn y rheithordy bryd hynny.

Mae'n amlwg oddi wrth ewyllys y rheithor eu bod yn bur gyfoethog ac yn werth, yn ôl y Profeb, £17,586 4s 7d Ceir cyfeiriad digon pigog at ei ewyllys yn y *Llan* ar 28 Medi 1923 dan y pennawd 'Ewyllys Ficer Cymreig':

> Rwy'n ddiolchgar i'r *Principal Registry of Family Division* am ganiatáu imi gyhoeddi ei ewyllys, sy'n profi na chafodd yr Eglwys yr un ddimai goch ganddo. Fe brofa hefyd ei fod yntau, fel ei wraig, yn bur gyfoethog. Yr oedd ei dad, y Parch. Walter Jones MA (Oxon) yn fab i John Jones, Llys Llanfechain a oedd yn berchen gryn diroedd yng nghylch Llanfyllin. Daeth y tiroedd hyn, o tua pum can erw, yn eiddo i Foulkes-Jones ac yntau yn eu trosglwyddo i'w ddau fab, Walter a William Eccles.

I RICHARD FOULKES JONES of The Rectory Lanfairynghornwy in the county of Angle- THE REVEREND

sey Clerk in Holy Orders do hereby revoke all former and other wills and declare this R I C H A R D

to be my last will and testament I devise to my son Walther his heirs and assigns All F O U L K E S

the land messuage and tenement known as Llys isaf in the parish of Llanfechain in the J O N E S

county of Montgomery together with all the cottages thereon I devise to my son William 4

Eccles the land messuage and tenement known as Llys uchaf in the said parish of Llan-

fechain and also Hafod y garreg farm and grouse moor in the parish of Llansilin in

the county of Denbigh together with the meadows land and cottage adjoining I bequeath

to such of my domestic servants as shall have been in my service at the time of my

death for not less than three years the sum of fifteen pounds each free from legacy

duty I devise and bequeath all the rest and residue of my real and personal estate

unto my wife Hermione for her life or so long as she shall remain my widow and upon

her death or remarriage whichever event shall first happen then I devise and bequeath

the same between my said sons equally I appoint my said wife and my said son Walter

to be the EXECUTORS hereof AS WITNESS my hand this twenty fifth day of September One

thousand nine hundred and seven - RICHARD FOULKES JONES - Signed by the testator as

his will in the presence of us both present at the same time who in his presence and

in the presence of each other have hereunto set our names as witnesses - CATHERINE A

FANNING Gwaen Fair Amlwch Wm FANNING of Amlwch Solicitor.

On the 15th September 1923 Probate of this Will was granted to Hermoine

Foulkes Jones one of the executors.

Yr wyf fi RICHARD FOULKES JONES o'r Rheithordy
Llanfairynghornwy yn Sir Fôn, Clerigwr, trwy hyn yn
diddymu pob ewyllys arall a blaenorol ac yn datgan mai hon
yw fy ewyllys a thestament olaf. Cymynnaf i'm mab Walther
ei etifeddion ac aseiniwr y Cyfan o'r tir mesiwais a'r rhandir a
elwir yn Llys isaf ym mhlwyf Llanfechain yn Sir Drefaldwyn
ynghyd â'r holl fythynnod sydd ar y cyfryw. Cymynnaf i'm
mab William Eccles y tir mesiwais a'r rhandir a elwir yn Llys
uchaf ym mhlwyf dywededig Llanfechain a hefyd fferm
Hafod y garreg a'r rhos grugieir ym mhlwyf Llansilin yn Sir
Ddinbych ynghyd â'r doldir a'r bwthyn cyffiniol. Cymynnaf
i'r rhai hynny o'm gweision a'm morynion teulu a fydd wedi
bod yn fy ngwasanaeth ar adeg fy marw ers dim llai na thair
blynedd y swm o bymtheg punt yr un yn rhydd o doll
becweddau. Cymynnaf a gadawaf y cyfan o weddill fy ystad
real a phersonol i'm gwraig Hermione am ei hoes neu gyhyd
ag y bydd hi'n parhau'n weddw i mi a phan fydd hi farw neu
ailbriodi pa un bynnag a ddigwydd yn gyntaf yna cymynnaf a
gadawaf y cyfryw yn gyfartal cydrhwng fy nywededig feibion.
Penodaf fy nywededig wraig a fy nywededig fab Walther i fod
yn YSGUTORION i'r cyfryw ARDYSTIEDIG, fy llaw ar y
pumed dydd ar hugain hwn o Fedi un mil naw cant a saith –
RICHARD FOULKES JONES – Arwyddwyd gan yr

ewyllysiwr fel ei ewyllys ef yn ein gŵydd ni ein dau, y ddau ohonom yn bresennol ar yr un pryd ac yn ei ŵydd ef ac yng ngŵydd ein gilydd arwyddasom ein henwau fel tystion i hyn – CATHERINE A FANNING, Gwaen Fair, Amlwch, Wm FANNING, Amlwch, Cyfreithiwr.

Ar y 15fed o Fedi 1923 caniatawyd Profiant yr ewyllys hon i Hermione Foulkes Jones, un o'r ysgutorion.

Yn ôl gwerth arian heddiw byddai dwy fil ar bymtheg yn werth yn agos i ddwy filiwn. Beth feddyliai plwyfolion tlawd Llanfair-yng-Nghornwy pe gwyddent fod y rheithor yn filiwnydd bron ddwywaith trosodd?!

Ond, ar wahân i'r cyfoeth hwn mewn arian a oedd yn eiddo iddynt, yr oedd eu cartref, y Rheithordy, wedi'i ddodrefnu gyda'r dodrefn a'r celfi mwyaf drudfawr a chyda llyfrgell o'r llyfrau gorau. Yn ôl trigolion hynaf y plwyf derbyniodd y rheithor lawer iawn o lyfrau ac arian ar ôl ei frawd, a fu farw rai blynyddoedd o'i flaen. Yn ôl cofnod yn y *Cloriannydd*, cynhaliwyd sêl fawr wythnos olaf Mehefin 1923, pryd y gwerthwyd y dodrefn, y celfi a'r llyfrau. Daeth prynwyr 'hen bethau' o brif drefi Lloegr i'r arwerthiant ac nid oedd y geiriau 'Preifat' ar giât wen pen y rhodfa yn golygu dim yr wythnos honno. Âi'r hynafgwyr a'r plant yn hyf dros linell y fath breifatrwydd gynt a gwireddwyd syniad pawb o'r trigolion fod pob Sais yn 'gyfoethocach na ni'. Ni fu'r fath brisiau erioed! Aeth y dodrefn a'r celfi drudfawr a fu'n addurno'r cartref moethus dan forthwyl John Pritchard, yr arwerthwr o Fangor, i'w gwasgaru i bedwar ban byd.

Dyma gofnod y *Cloriannydd* o'r arwerthiant unigryw:

Louis XV Working Cabinet	£26	0s	0d
Grandfather Clock in Sheration case with white dial	£20	0s	0d
Spanish mahogany wardrobe with mirror	£26	0s	0d
Mahogany secretaire bookcase	£18	0s	0d
Grandmother clock in Sheration case, white dial	£16	0s	0d
Grandfather Clock in narrow oak case, brass dial	£12	0s	0d
Oak bureau with under drawers and pigholes	£12	0s	0d
Grandfather clock in oak case with silvered dial having ormolu figure ornamentations	£15	0s	0d
Antique grandfather clock with ormolu and silver dial showing date and weather	£11	0s	0d

Oak book case	£11	0s	0d
Antique goblet with straight sided bowl drawn with a knob	£10	0s	0d
Devenport dessert service light pink on white ground	£10	0s	0d
Bloor Derby tea and coffee service with floral and gift border on white ground	£12	0s	0d
Group of two figures and side figures with lace edging from the collection at Santry Court Ireland	£10	0s	0d
Lower stoth bowl pencilled in flowers, 14 ins diameter	£12	0s	0d
Two Japanese dishes painted in flowers	£11	0s	0d
Two Oriental plates (12 ins) painted in flowers	£5	5s	0d
Two Circular Chinese plates with gross bleu border and star pattern, painted in flowers	£12	10s	0d
Wedgewood jasper two handled flower vases with perforated flower supports	£12	0s	0d
Old Worcester tea service with gilt and blue border and gilt butterfly decorations	£12	10s	0d
Japanese enamel vase with grotesque figures on blue ground	£10	0s	0d
Ironstone china dinner service	£10	0s	0d
Small painting on ivory in gilt frame 'The family of Sir Thomas Adams'	£9	0s	0d
Eight day time piece with ormolu and silvered dial	£15	0s	0d
A powerful telescope on brass tripod treble dreet glass	£22	0s	0d
Water cut tumblers	£4	19s	0d
Two Cardinal glasse with opaque twist	£5	5s	0d
Oak settle with two arms and carved panel back bearing the date 1761	£10	0s	0d
Chippendale bracket clock in mahogany case	£16	0s	0d
Antique leg table	£9	5s	0d
Antique carved oak 'Cwpwrdd dau ddarn'	£25	0s	0d

A dyma'r llyfrau a werthwyd:

Botanical cabinet 1817–22. *Monograph of the Genus Lilium* (1880)	£10	0s	0d
Alumni Oxonienses (8 vol) together with a series of books printed for the Oxford Historical Society on various subjects	£6	10s	0d
A book on Old English plays 4th Edition 1874	£4	6s	0d
Morris British Bards (6 vols)	£5	5s	0d
Berwisk's *History of British Bards* (1809)	£2	5s	0d
The Record of Caernarvon (1888)	£2	0s	0d

Rowlands' *Mona Antiqua*	£2 11s	0d
Pennants' *Tours in Wales*	£1 0s	0d
General Historie of Plants	£3 12s	6d
The National Order of Gerania	£6 0s	0d
History of the University of Oxford	£2 10s	0d
20 Volumes of Dickens	£3 17s	6d
Three Volumes of the Mabinogi (1849)	£3 10s	0d
Antiquities of Shropshire	£2 2s	0d

Yr oedd yr holl dderbyniadau am y dodrefn, y celfi a'r llyfrau bron yn hanner miliwn yng ngwerthoedd heddiw. Heb os, yr oedd y Canon Foulkes yn ddyn hynod o gefnog ac fe allai fforddio byw ar raddfa pur uchel a bonheddig. Er mor anodd oedd amgylchiadau'r offeiriaid yng nghefn gwlad yn oes Richard Foulkes, ni theimlodd ef ddim o'r wasgfa; fe'i hamddiffynnwyd gan ei gyfoeth. Tra oedd ambell berson yn casglu'r degwm dan fygwth ffermwyr mileinig, talai Foulkes-Jones y degwm o'i boced ei hun heb flino'r un ffermwr na thyddynnwr.

Byddai'r Athro David Phillips yn arfer cynghori myfyrwyr y Methodistiaid ar eu blwyddyn olaf yng Ngholeg y Bala, 'Os na fedrwch bregethu chwiliwch am deiliwr da, ac os na fedrwch fforddio hwnnw, priodwch wraig gyfoethog!' Cynghorwyd y Parch. Edgar Jones gan y Parch. William Jarman, person Caergybi, iddo, fel ciwrat, beidio â phriodi arian ond yn hytrach i briodi lle mae arian! Dywedid am Dr Thomas Charles Williams, y Borth, y medrai bregethu'n well na neb, ei fod yn gwisgo'n dda ac iddo briodi gwraig gyfoethog iawn. Canlyniad priodi gwraig gyfoethog a barodd i'r Canon Foulkes-Jones ddilyn patrwm hen glerigwyr bonheddig a byw'n gyfforddus ac yn fras ei fyd. Gallai fforddio talu i bregethwr arall bregethu yn ei le. Mae'n debyg na fu raid iddo bregethu'n gyson iawn fel is-ganon yn y Gadeirlan ac, o ganlyniad, nid oedd ganddo ryw lawer o archwaeth dros wneud. Fe'm sicrhawyd, trwy atgofion rhai o'r trigolion yn ei blwyf, mai pur anaml y byddai'r Canon yn pregethu yn y Santes Fair. Yn iaith y cofwyr hynny, 'Rhywbeth tebyg i berson fyddai'r ciwrat nad oedd ganddo'r syniad lleiaf am bregethu.'

Yn ôl cofnodion 'Festri'r Pasg' fe gyfeirir iddo dalu i un:

'John Williams, Acting Parish Clerk – £2 12s 0d' Mae'n debyg mai tyddynnwr oedd John Williams yn byw ym Mhenlloegr yn y plwyf. Nid oedd ganddo'r un cymhwyster academaidd i bregethu ac eithrio ei fod yn medru darllen. Gan y credai'r rheithor ei fod yn gymwys i'r gwaith byddai pawb yn hapus.

Yn ôl hen atgofion byddai'r plwyfolion yn diolch am ful y rheithordy gan y byddai hwnnw'n penderfynu, yn aml iawn, udo dros y wlad ar draws y bregeth. Yn ôl y sôn, y mul fyddai'n ennill er boddhad i'r plwyfolion. Ond chwarae teg i'r clerc gweithredol, dim ond £2 12s 0d a gâi'r flwyddyn am bregethu gan ei feistr a oedd yn filiwnydd; dyna oedd ei gyflog yn 1902 ac yn 1920. Pam tybed na fyddai'r ddau warden, Robert Ellis, y prifathro a Hugh Pritchard Hughes, Carreg Diamond, wedi tynnu sylw'r rheithor at y fath annhegwch? Yn hyn o beth, yr oedd Foulkes-Jones yn hynod o ddi-hid a di-feind ynghylch nid yn unig tâl i'r ciwrat druan, ond ei gymhwyster i bregethu o gwbl.

Yn y cyfnod hwn, a chyn hyn, bu ymgais lew gan rai personiaid i ddiwygio a chodi safon pregethu'r eglwys, a sefydlwyd yn Llangefni, tua diwedd 1853, Gymdeithas Leyg Eglwys Môn. Galwent gyfarfodydd yn chwarterol ym mhob deoniaeth yn eu tro gyda chynrychiolwyr o'r holl eglwysi i drafod diwinyddiaeth ac achosion eglwysig. Yn anffodus, yr oedd llawer o'r personiaid yn anghymeradwyo'r syniad, er dirfawr boen i ambell offeiriad cydwybodol fel y Parch. W. Wynne Williams, Llangeinwen, gŵr a ddysgodd Gymraeg ac a ddaeth yn un o bregethwyr grymusaf yr Eglwys esgobol. Gweithiodd yn ddyfal i geisio codi safon pregethu yn eglwysi Môn. Ond pa obaith fyddai i'r gwerinwr o Lanfair-yng-Nghornwy dramwy ar draws y sir mewn ymchwil am ddiwinyddiaeth? Treuliodd John Williams ei oes yn cystadlu â mul y person a chrafu byw ar gardod y person hwnnw.

Ond byddai Richard Foulkes yn arfaethu pregethu pob pnawn Sul yn Eglwys Llanrhwydrys, ger y môr yng Nghemlyn. Yn ôl atgofion yr ardal byddai cryn rwysg pan fyddai'r rheithor yn troi allan, gyda Gruffydd y certmon yn gyrru'n bwyllog o rodfa'r rheithordy er mwyn troi yn grwn i gyfeiriad y pentref, yna troi yn siarp i ffordd y Caerau. Dacw gyffwrdd y chwip yn ysgafn, digon i newid gêr y ferlen ddu, a'r person yn eistedd yn swrth a llonydd wedi ei guddio mewn clogyn trwchus du ac anferth o het drom ddu yn cuddio'i wyneb. Gyrrai Gruffydd yn dalog, a'r ferlen ddu ac yntau'n deall ei gilydd i'r dim. Ni chymerai'r ddau deithydd mo'r sylw lleiaf o'i gilydd. Deuant i'r tro crwn wrth yr Hen Felin. Onid yma y daeth y bugail o Gwm Pennant i fyw a gadael crop o'i deulu yma o hyd? Daw'r awel o'r môr gan gario'i sŵn yn golchi'r graean a chario'i aroglau iachusol. Yna, heibio'r hen fwthyn bach del, Gwaunrynion. Dacw'r gyrrwr yn cyffwrdd y ferlen eto i gael dipyn o fywyd i fyny gallt Ty'n Lon, cartref Thomas ac Ann Williams, taid a nain Richard Williams, Tŷ Wian, a thrysorodd Richard lawer iawn o atgofion ei daid a'i nain. O'r diwedd, dyma'r ferlen ddu wedi stopio heb ei chymell wrth yr adwy ar ben gallt Ty'n Lôn. Dyma'r adwy sy'n arwain i lawr y ddau gae at Eglwys Llanrhwydrys. O'r diwedd dyma'r fudan ddu yn siarad, 'Oes yna rywun i'w weld o gwmpas yr eglwys, Gruffydd?' meddai'r Canon o'i guddfan drwchus. Yn ôl ei arfer, safa'r gyrrwr, yn ddwylath o ddyn, i edrych dros y clawdd uchel. Yno, wrth y môr, y disgwyliai'r eglwys fach ddiaddurn, ddel am y plwyfolion prin. 'Wela i neb, Syr,' meddai Gruffydd, mewn llais siomedig. Daeth yr ebychiad arferol, *'About turn, driver, and home.'* Yr oedd y ferlen a'r gyrrwr yn gwybod i'r dim sut i wneud y tro tri phwynt mewn lle cyfyng. Tybed nad oedd yna rywun, wedi'r cwbl, yn Llanrhwydrys y prynhawn hwnnw?

Yn ôl Samuel Hughes, mab Sadrach Hughes y siop, byddai certmon y person yn arfer dweud wrth ei dad fod yr hen berson diawl yna eisiau cau'r hen eglwys fach yna. Tybed nad oedd Gruffydd wedi amau rhywbeth? Wel, fe gaeodd person Llantrisant hen eglwys bach Llanllibio am ei bod hi'n rhy drafferthus i fynd yno ar bnawn Sul. Fe gaewyd Eglwys Llanllibio tua 1740 ac fe wnaeth person Llanfachraeth bob ymdrech i gau Eglwys Llanfugail, ond mynnai William Morris yn 1750 ei thrin a'i diogelu. Mae yna ryw William Morris neu Edgar Jones ym mob oes, ddyliwn!

Gyda dwy forwyn, dau arddwr a phregethwr lleyg, fe gâi Canon Foulkes-Jones amser i fwynhau ei bennaf ddiddordebau mewn bywyd. Yr oedd yn arddwriaethydd o'r radd flaenaf, yn naturiaethydd brwd ac yn wneuthurwr gwin; dywedid fod ganddo'r seler win odidoca ym Môn. Ond heb os, yr ardd oedd ei gariad cyntaf. Ni fyddai raid mynd o'i lyfrgell i weld y garddwr. Yr oedd ganddo gyfrolau trwchus safonol ar arddwriaeth nas ceid mewn unrhyw lyfrgell ym Môn. Un ohonynt oedd *Monograph of the Genus Lilium* (1880) – ysgrifau safonol ar y Lili y byddai'r Canon, yn ôl y sôn, yn gwirioni arni. Ymffrostiai Ellen Hughes, y Siop, yn ei Lilïau a châi hwyl anarferol ar eu tyfu. Pan fyddent yn eu llawn flodau galwai'r person yn gyson, cerddai'n ddefosiynol i'r tŷ gwydr, gan blygu'i ben yn y drws isel. Yna wedi sythu a syllu'n ofalus, tynnai ei het i'r Lili Wen gan ei chyfarch â'i henw gwreiddiol – Lilium Auratum. Byddai'n stribedu enwau teulu'r Lili mewn Lladin a châi wahoddiad fel beirniad i Sioe Flodau enwog yr Amwythig bob blwyddyn. Mae'n debyg mai'r Lili, a'i theulu mawr, oedd ei arbenig-rwydd. Go brin, yn ôl Sadrach Hughes, y tynnai ei het i neb dynol yn unman, ond fe siaradai â'r Lilium Aruatum fel pe baent yn blant iddo. Yr oedd garddwriaeth a natur yn ei waed rhywfodd. Os na fyddai yn yr ardd yn eu haddoli, byddai yn ei lyfrgell yn darllen amdanynt. Er mwyn tyfu a datblygu'r blodau anghyffredin a phrin yn yr ardd roedd ganddo dŷ gwydr mawr ar bwys wal y tŷ. Arbrofai gydag amrywiaeth o flodau a phlanhigion o'r trofannau ac o hinsoddau tra gwahanol i hinsawdd gogledd-orllewin Môn. Gresyn na fyddai wedi rhannu'i wybodaeth unigryw â'r werin yn yr Ardal Wyllt, y werin honno a oedd yn byw mor agos at natur. Yn hyn o beth yr oedd Foulkes-Jones yn bur wahanol i'w ragflaenydd, y Parch. James Williams, a oedd mor wybodus yng ngwyddor tir a môr.

Ond nid mewn blodau anghyffredin ac estron yn unig yr ymddiddorai. Yr oedd ganddo'r un diddordeb a phleser gyda blodau cyffredin – blodau'r dyn tlawd! Byddai lawntiau'r Rheithordy dan gaenen wen o eirlysiau bob mis Ionawr. Byddai'n trin ac yn meithrin y blodau hyn hefyd ac yn plannu bylbiau newydd o amrywiol fathau. Ffurfient garped gwyn glân, di-fwlch, eto mynnai'r Canon fod pob eirlys yn wahanol a bod gan bob un ei chymeriad unigryw ei hunan.

Cyn i dymor byr yr eirlysiau ddirwyn i ben, yn gynnar ym mis Mawrth, fe newidiai'r lawntiau eu carpedi i felyn llachar y daffodiliau, neu fel y galwai'r Canon hwy – 'blodau mis Mawrth' – a byddai'r clychau mawr llipa yn destun edmygedd a rhyfeddod i'r ardaloedd cylchynnol. Rhoes y fath arbenigedd mewn garddwriaeth gryn enw i'r Rheithordy ac Eglwys Llanfair-yng-Nghornwy.

Byddai'r ddau arddwr, Thomas Hughes, Rhos Pant, a William Hughes, yr Orsedd Goch, wrthi gydol y flwyddyn yn sicrhau na cheid yr un chwynoglyn na'r un gelyn llysieuol arall ar y lawnt na'r rhodfa.

Nid mewn blodau yn unig yr arbenigai'r garddwr. Yr oedd ganddo ardd lysiau nad oedd ei hail yn unman ym Môn ac roedd ganddo gryn fesur o erddi ar gyfer y llysiau. Yr oedd cae a llain o eiddo'r Eglwys a osodid am rent yn flynyddol ond, yn ôl Cyfrifon yr Eglwys, byddai'r rheithor yn cadw un rhan o ddeg o Gae'r Clochdy, a oedd yn wyth acer, i'w bwrpas alotment ei hun. Ymddengys mai tatws oedd ei arbenigrwydd ym myd llysiau a gwnaeth enw iddo'i hun yn eu codi a'u meithrin hwythau hefyd.

Câi hadyd newydd o Loegr bob tymor a deallai'r gelfyddyd o groesi'r gwahanol fathau, celfyddyd nodedig y garddwr a'r naturiaethwr. Ychydig iawn o rai gwahanol a geid ym Môn ar ddechrau'r ganrif ddiwethaf ac, yn naturiol ddigon, byddai ffermwyr a thyddynwyr yr ardal yn llawn chwilfrydedd am y mathau newydd. Ond fyddai wiw i'r ddau arddwr, Thomas a William, yngan gair wrth neb am gyfrinachau llysiau'r person. Gelwid y tatws newydd hyn yn 'datws Ffowcs' a bu'r rhain mewn bri hyd yn ddiweddar. Synnwn i ddim nad oes rhai yn yr ardal o hyd. Wrth balu yn y gaeaf byddai Thomas Hughes, Rhos Pant, yn pocedu rhai a ddeuai ar eu traws yn cuddio yn y pridd. Byddai'n ddiogel bryd hynny gan mai tatws strae oeddynt, a thrwy gyfrwystra 'hogia'r grug', cafodd y cyhoedd flas ar datws y person! Daeth rhai i Idwal Jones, garddwr y Cestyll yng Nghemais, a gwirionodd y foneddiges Vivian gymaint arnynt, gan mor flasus oeddynt, fel y mynnai wybod o ble y daethant!

Ar wahân i'w arddio arbenigol mewn blodau a llysiau, yr oedd Canon Foulkes yn fedrus iawn mewn gwinoedd hefyd.

Yr oedd ganddo seler win nodedig iawn a chafodd y gwin, dros y blynyddoedd, gryn effaith ar ei iechyd yn ôl y sôn gan iddo ddioddef yn go ddrwg o'r gowt.

Rhwng yr ardd a'r gwin roedd ei fywyd yn ddiddig a phrysur. Er i 'Anellydd' fytheirio yn ei ysgrif am y 'pwysa gwladol' nad i arddio a ffermio y galwyd yr offeiriad a'i bod yn warthus y gorfodid llawer ohonynt i ymwneud â busnes o'r fath er atodi eu cyflogau bychain, fe gâi'r Canon Foulkes ddihangfa feddyliol ac ysbrydol yn y pethau hyn ac roeddynt yn falf-ollwng iddo yn ei unigrwydd digwmni. Mae'n naturiol y byddai'n rhyfeddol o unig, fel ysgolhaig a meddyliwr gwreiddiol, gan nad oedd ganddo ond y prifathro, Robert Ellis, i gael sgwrs sylweddol ag ef.

Gyda'r blynyddoedd dirywiodd ei iechyd a bu marwolaeth Miss Jones, y forwyn, yn gryn sgytfa iddo. Bu Ellen Jones yn fawr ei gofal ohono, a hi, yn anad neb, oedd yn deall ei ffordd ac yn adnabod ei natur. Yr oedd arwyddion y diwedd yn amlwg bellach. Galwai Sadrach Hughes, saer y pentref a chyfaill da, heibio iddo'n gyson, a rhyngddo ef a Robert Ellis, fe gafodd ymgeledd. Yn y cyfnod hwn gorchmynnodd i Sadrach Hughes, 'Pan fyddaf farw, does gen i ddim isio unrhyw rwysg na ffŷs – dygwch fi i'r fynwent mewn trol a does gen i ddim isio'r un person plwyf i growcian fel brân uwch fy medd.'

Fe gofiai Samuel Hughes, mab Sadrach, yn dda am ddilema ei dad pan ddaeth y newydd am farwolaeth y Parchedig Ganon. Mae lle i gredu y cafodd y person beth o'i ddymuniad, beth bynnag. Bu farw ar yr unfed ar ddeg o Fai 1923, a'i gladdu ar y pymthegfed o'r mis ym mynwent Eglwys Llanrhwydrys. Byddai Evan Jones, y Lamia, Bodedern, un o blant y Garn, Llanfair-yng-Nghornwy, yn arfer dweud iddo gerdded unwaith tu ôl i drol a gludai arch i Lanrhwydrys a neb ond Sadrach Hughes a'r certmon ar y daith ond yr oedd person yn disgwyl amdanynt ym mhorth y fynwent. Tybed ai dyma angladd y Parchedig Ganon Foulkes-Jones? Nis gwyddom, ac nid oes modd inni wybod ond fe brofa y ceid y math syml, syml yma o angladdau yn yr oes honno, heb neb i alaru.

Yn ôl y Gofrestr Gladdedigaethau ym mhlwyf Llanrhwydrys, yr uwch-giwrat T .W. Griffith o Gaergybi a wasanaeth-odd yn ei angladd. Paham ciwrat o Gaergybi? Yr oedd W. R. Jerman yn gurad mewn gofal yn Llanfair-yng-Nghornwy a Llanrhwydrys yn y cyfnod hwn, ac ef a wasanaethai ym mhob angladd yn y plwyf – pam tybed na fyddai'n gwasanaethu yn angladd ei reithor? Dichon ei fod dan rybudd i gadw draw.

Y mae eglwys a mynwent Llanrhwydrys yn un o'r mannau mwyaf diarffordd ym Môn ac yno y gorwedd dau athrylith, heb faen na chofnod i nodi'r fan, Robert Williams, Mynydd Ithel, Llanrhwydrys, a'r Parchedig Ganon Richard Foulkes-Jones; y naill yr unig gerddor o Fôn y cludwyd un o'i emyn-donau, 'Llanfair', i bedwar ban byd a'r llall, yr unig offeiriad o Fôn a fu'n beirniadu yn Sioe Flodau'r Amwythig. Oni haedda'r ddau gofadail i anrhydeddu eu coffadwriaeth?

Cydnabyddir:
Capten Robert Ellis, Llanfair-yng-Nghornwy.
Richard Williams, Llanfair-yng-Nghornwy.
William Hugh Jones, Llanfair-yng-Nghornwy.
The Record Keeper, Principal Registry of the family Division.
P. J. Clarke, Coleg yr Iesu, Rhydychen.
'Y Person Gwladol', *Yr Haul*, Ionawr 1923.
Mair Gibbard.

OWEN RICHARD PARRY
(1921–)

O. R. Parry, Rhuthun.

Bu raid i awduron amrywiol y gyfrol ddiweddar *Nabod Môn* (a olygwyd gan Dewi Jones a Glyndwr Thomas, 2003), chwilio a chwalu yn y gorffennol er mwyn dod o hyd i arwyr y gwahanol ardaloedd. Gorfu i ambell un fynd yn go bell i'r gorffennol nes canfod rhywun o bwys y gallai'r ardal ymfalchïo ynddo, ond, yn y pen draw, 'pobol ddiarth' ydynt. Ond fe ddeil Bodffordd, ym mhlwyf Hen Eglwys, i godi sêr amlwg ac i gynhyrchu cymeriadau nodedig o hyd.

Yr ydym i gyd yn adnabod Charles Williams a buom yn eistedd o fewn hyd hwch iddo yn sedd flaen y festri a'r neuadd. Dyna i chi'r Parch. William Lloyd Price wedyn y bûm yn cyd-bregethu ag ef, ac onid ddoe, ynteu echdoe, y buom yn siarad ag Ellis Wyn, enillydd Medal Goffa T. H. Parry-Williams yn 1990? Clywir llais treiddgar y darlledwr enwog, Alwyn Humphreys, yn ddyddiol bron ar donfeddi Radio Cymru; rydym yn gyfarwydd iawn â'r llais clir a gyflwyna'r *Post Prynhawn* a dotiwn dro arall at ei fwrlwm corfforol yn arwain Lleisiau'r Frogwy i sawl buddugoliaeth. Bûm yn pregethu ymhell o Fôn, hefo Wil ac Idris Charles yn gwrando yn y seddau, ers talwm cofiwch. Ac ymhyfrydaf imi gael y fraint arbennig o ysgwyd llaw â Hugh Roberts, Graig Bach, odid y mwyaf ohonynt!

Bu Dewi Jones, cyd-olygydd *Nabod Môn,* yn lwcus iawn gan fod sêr Bodffordd yn disgleirio o'i gwmpas. Nid chwilio am seintiau ddoe fu raid iddo fo ond cyfarfod cymeriadau heddiw. Efallai yr ânt hwythau'n seintiau rywbryd yn y dyfodol – mae pob sant yn ddychrynllyd o hen! Y mae gan Bodffordd feddwl y byd o'i phlant, y rhai amlwg a'r rhai nad oes goffa amdanynt, ac fe'u hanrhydeddodd hwy cyn iddi fynd yn rhy hwyr. Rhag ofn bod rhywun na ŵyr ble y mae'r pentref bach enwog hwn, saif ar yr hen lôn bost, cwta ddwy filltir i gyfeiriad Caergybi o dref Llangefni. Rhwng y ddeule y mae Corn Hir, y corn a ganai yn rhybudd fod y goets fawr yn dŵad o Lundain neu o Gaergybi. Nid oedd ar bobl Bodffordd eisiau clociau yn yr oes honno.

Rwy'n siŵr y cytunwn y dylid ychwanegu enw arall i oriel anfarwolion y Bodffordd, sef y Parchedig O. R. Parry, Rhuthun. Mae ganddo sawl enw arall yn wir: O.R., Dic Parry a Dic Bodffordd. Fe haedda Dic le ar y llwyfan, yn siŵr.

Ni fu neb mor driw a ffyddlon i'w fagwrfa ar fron y fro hon. Ond i fod yn fanwl, fanwl nid yw O.R. yn aelod cyflawn o'r gymdeithas hon. Nid ym Modffordd y'i ganwyd ond yn Nhy'n Mynydd, Tregaian, ar y dydd cyntaf o Fai 1921. Cofiwn, roedd Tregaian yn bell felltigedig o Fodffordd ers talwm, ond mae o'n dŵad yn nes pob lleuad. Yn ôl y gwybodusion, hen sant Celtaidd oedd Caean. Fe'n hatgoffir gan John Owen yn ei erthygl yn *Nabod Môn* fod plwyf Tregaian wedi ei amgylchynu gan bedwar llan – Llangwyllog, Llangefni, Llanddyfnan, Llaneurgrad a Llanfihangel; ni fu'r fath lannau erioed. Nid yw'n rhyfeddod yn y byd mai Eglwyswr selog fel ei fam oedd Dic yn cyrraedd ei ddeuddeg oed. Bu coed talgryf Tregaian yn gysgod i grud y pregethwr. Tregaian yw un o'r llecynnau mwyaf cysgodol ar Ynys Môn ond nid yw hynny yn dweud rhyw lawer gan y cyfrifir yr ynys yn agored i bob gwynt. Gyda chysgod y coed a'r llannau a'u seintiau fe dyfodd Dic Parry yn ddyn tal a chydnerth.

Symudodd Owen ac Annie Parry i Finffordd ym Modffordd pan oedd eu mab yn ifanc iawn, ac yma y bu'r cartref wedyn. Bu'r symudiad yn fanteisiol i unig blentyn nwyfus. Symud o ardal wledig i bentref o faint ar gwr tref Llangefni ac yr oedd cwmni plant eraill wrth fodd ei galon.

O ochr ei dad y cafodd y ddau enw – Owen oedd ei dad a Richard oedd brawd ei dad. Lladdwyd Richard yn hogyn pymtheg oed gan darw ar fferm yn Llanddeusant, ac yntau ond llanc yn dechrau gweini. Mynnai Owen Parry gadw ei enw'n fyw, felly fe'i rhoes yn enw canol i'w unig fab.

Dyn tawel a distaw oedd Owen Parry. Ni chodai o fyth mo'i lais yn gyhoeddus nac yn y dirgel ond etifeddodd Richard, ei fab, lawer iawn o anian ei fam. Ni chollai Annie Parry yr un cyfle gyda'i sylw bachog neu atebiad doniol ac yr oedd llifeiriant ei sgwrs yn bur enwog. Gyda'i fam yr âi Dic i Eglwys Llanllwydian ym mhlwyf Hen Eglwys, dafliad carreg o'r pentref, ar y ffordd i gyfeiriad Mona. Y Canon Lemuel Jones oedd y rheithor ar y pryd – gŵr deddfol ei ffordd a fynnai bod pob hogyn yn tynnu'i gap yn ei ŵydd ac, erbyn dechrau'r tri degau, yr oedd agwedd felly yn sawru o ryw oes o'r blaen. Mae'n debyg y byddai ei acen ddeheuol hefyd yn tueddu i bellhau'r Canon oddi wrth lafnau ar riniog eu harddegau. Awgrymai'r acen hon gymeriad merchetaidd braidd i hogia Sir Fôn. Ond boed hynny fel y bo, heb os, nid gwendidau'r Eglwys Wladol a barodd i fab y Minffordd gefnu ar grefydd ei fam. Yn hytrach, gwelodd ragoriaethau crefydd y Methodistiaid yng nghapel Gad. Dyma ddisgrifiad o'r Gad yn y cyfnod dan sylw: 'Eglwys fyw, effro a gweithgar; y bobol ifanc yn hynod o ffyddlon, heb brinder gweddïwyr cyhoeddus.'

Gweinidog cyntaf yr Eglwys oedd Enoch Roger (o 1920 hyd 1924) – gŵr ifanc a llawer iawn o dân ynddo. Yna yn 1929 fe ddaeth un o'r enw Owen Roberts, gweinidog profiadol ac egnïol, yn weinidog ar Gad a Chana yn Rhostrehwfa. Dan ei arweiniad ef daeth ieuenctid Gad a'r ardal i ymdeimlo fwyfwy â'u cyfrifoldeb ynglŷn â'r capel a bu cryn ddeffroad yn yr eglwys o ganlyniad. Yr oedd Ysgol Sul Gad yn un o'r goreuon trwy Fôn, gyda mwy o ymgeiswyr mewn Arholiad Sirol o'r herwydd nag mewn unrhyw eglwys yn y sir. Enillodd yr Ysgol Sul hon 'Darian Teilyngdod Dosbarth Gwalchmai' deirgwaith yn olynol rhwng 1932 a 1935.

Bu arweiniad doeth ac angerdd tanbaid Enoch Roger a'i olynydd, Owen Roberts, yn fodd i agor Ysgoldy newydd Gad yn 1934, a daeth yn bur enwog mewn dim o dro. Bu rhai o gwmnïau drama gorau'r gogledd ar ei llwyfan newydd: Cwmni Noson Lawen y BBC a'r enwog Parti Tai'r Felin, Hogia Llandygái, Hogiau Bryngwran a Pharti O. J. Evans o'r coleg ym Mangor, gyda rhai fel Emrys Cleaver, Ifan O. Williams a Meic Parry yn eu plith. Ni fyddai taw ar ganmoliaeth Charles Williams i'r Ysgoldy hon; yma y bu dechrau'r daith iddo yntau fel i'w ddau fab, Wil ac Idris.

Rhwng popeth, nid rhyfedd i Annie Parry, Minffordd, fethu'n lân â chadw'r mab, Owen Richard, yn eglwys y plwyf. Clywai'r hogyn yn ddyddiol am yr hwyl a gâi'r plant eraill yn Ysgol Sul a Band o' Hôp Capel Gad. Onid oedd sôn byth a hefyd am lwyddiannau plant y capel yn y *Cloriannydd* ac weithiau yn yr *Herald*? Peth arall a symudai'r glorian oedd y ffaith nad oedd rhaid tynnu cap i weinidog y Methodistiaid, nac i'r bobl agosaf ato a'i helpai i redeg y capel.

Yn y diwedd fe dorrodd y llinyn arian a gydiai Dic Parry wrth y fam eglwys, neu'n bwysicach o lawer, a'i cydiai wrth eglwys ei fam. Cadwodd Annie Parry yn driw a ffyddlon wrth ffydd yr Eglwys wladol gan ddal i addoli yn Llanllwydian a thystia'r Canon John F. Jones na welodd erioed well aelod na hi. Chwarae teg i'r Canon, fe roes yntau wahoddiad i'w mab, ymhen blynyddoedd wedyn, i bregethu yn eglwys ei fam. Atebodd O.R. yn gwbl ddibetrus i'r gwahoddiad, 'Dof, O! dof, pe ond er coffadwriaeth i Mam.'

Gadawodd Owen Richard yr eglwys cyn cael bedydd esgob na'r un o ragorfreintiau'r gorlan honno. Clywais ef yn dweud fwy nag unwaith, 'Meddyliaf yn aml beth fyddai fy hanes pe bawn wedi aros yn yr Eglwys.' Oni ddywedodd wrth esgob Llanelwy, y Gwir Barchedig Alwyn Rice Jones, 'Pe bawn i wedi aros hefo Mam yn yr eglwys, y fi fyddai Esgob Llanelwy heddiw, ac nid y chi!'

Ond fe gafodd O. R. Parry ei ddymuniad ac ymunodd â'r Methodistiaid, gan fanteisio ar yr holl gyfleusterau a oedd i'w cael yn un o gapeli bywiocaf Henaduriaeth Môn. Yr oedd drws Capel Gad a'r ysgoldy yn agored led y pen gyda chroeso i bob oed a gradd o bobl, yn foddion ysbrydol, cymdeithasol a diwylliannol.

Gadawodd Dic Parry ysgol y pentref wedi cyrraedd ei bedair ar ddeg oed. Dyma'r ysgol y bu Rolant o Fôn ynddi yn yr un cyfnod â'r diweddar Annie Hughes, Blaen y Coed. Y mae cof da gan T. P. Roberts a'r diweddar Lloyd Price fel y rhagorai Dic Parry ar y plant eraill mewn pêl-droed. Yr oedd arwyddion amlwg, yn ôl rhai, fod dyfodol i fab Minffordd ar y maes pêl-droed. Ond, dyfodol neu beidio, gadawodd Dic yr ysgol fel eraill o'i gyfoedion yn 1935. Dyna gau pen y mwdwl ar addysg heb fynd ar gyfyl y County Sgŵl. Roedd ysgol ac addysg yn costio'n ddrud ac roedd digon o waith i bawb.

Cyflogwyd Dic Parry hefo cwmni pur enwog E. B. Jones – enw teuluol trwy ogledd Cymru gyda changhennau yn ymestyn o'r Ganolfan yn y Rhyl i bob tref trwy'r gogledd. Yr oedd siopau yng Nghaergybi, Amlwch, Biwmares a Llangefni. Yn siop Llangefni y bu O.R. am well na phedair blynedd. Bu'n brofiad gwerthfawr iawn iddo yn ymdroi â phobl lawer iawn hŷn nag ef. Dotiai at eu ffraethineb, eu storïau a'r tynnu coes cyfeillgar. Bu'n gweithio yn y Warws am sbel go lew hefyd, yn didoli a dadlwytho'r nwyddau oedd yn cynnwys llawer iawn o fwydydd anifeiliaid. Dro arall byddai Dic Minffordd, chwedl ei gydweithwyr ar y pryd, yn casglu a derbyn archebion am nwyddau, ac mae'n amlwg y byddai yn ei afiaith yn ymdrin â phobl. Yn ddiweddarach fe dystia, 'Yno yn E. B. Jones y dysgais adnabod y natur ddynol ar ei gorau ac ar ei gwaethaf. Coleg amhrisiadwy i weinidog.' Deil un ferch a fu'n cydweithio ag ef yno i gofio'r cerdyn post a dderbyniodd tra oedd hi yn Ysbyty Llangwyfan. Dyma'r cymal byr a oedd arno, 'Atgofion fel peppermint'. Mae'n amlwg fod y sylwadau byr, bachog yn rhan o'i natur pan oedd yn llefnyn ugain oed. Onid dyna ei gryfder fel pregethwr – defnyddio'r cyffredin a'r syml, a'u defnyddio'n wreiddiol a chelfydd? Pwy ond Dic Parry fyddai'n cymharu atgofion i bupur-fintys?

Wedi pedair blynedd yn warws y nwyddau ac yn derbyn archebion dros y cownter, penderfynodd mab y Minffordd gynnig ymgeisio i'r weinidogaeth hefo'r Methodistiaid.

Er i eglwys Gad fod heb weinidog o 1934 hyd 1942, ni

chafodd O.R. ddim anhawster i gychwyn ar ei bererindod. Cyfeiria Hugh Llewelyn Williams at eglwys Gad yn *Hanes MC Môn* (1935) fel, 'Llong heb gapten gyda phedwar peilot yn llywio'i chwrs – William Jones, Cae Eithin; Hugh Roberts, Graig Bach; William Pritchard, Talfryn ac Ellis Pritchard, Ty'n Llan.' Ni welwyd erioed well peilotiaid na'r pedwar hyn. Yn ddiweddarach dewiswyd tri atynt, William Humphreys, Penybryn; William Hughes, Islwyn, ac Evan Roberts, Arosfa. Y mae'n gryn glod i'r lleygwyr hyn i ddau bregethwr godi o'r Gad dan eu hyfforddiant a'u cefnogaeth – sef William Lloyd Price a fu farw yn 1964 yn 46 oed ac O. R. Parry, dau a ddaeth i reng flaenaf pregethwyr eu cyfnod.

Bu'r Ysgol Sul a Chyfarfod Gweddi'r bobl ifanc yn fawr eu dylanwad ar ieuenctid Gad a'r Bodffordd. Syniad a chreadigaeth Hugh Roberts, Graig Bach, oedd y Cyfarfod Gweddi. Cyhoeddodd un nos Sul ei fod awydd sefydlu cyfarfod gweddi i'r bobl ifanc ac y buasai yn dod atynt y nos Sul ganlynol i'r festri erbyn pump o'r gloch – dyna sut y cafodd yr enw 'Cyfarfod Gweddi Pump o'r Gloch'. Dyna enghraifft o flaenor yn blaenori ac arwain yn ei eglwys.

Yr oedd gwreiddiau Hugh Roberts yn Llangristiolus, dros yr A5 o Fodffordd, a bu Diwygiad 1904 yn ddylanwad parhaol arno. Yn ôl yr atgofion amdano, aeth ef a chyfaill draw i Fethesda yn Arfon i un o gyfarfodydd y Diwygiad, gyda'r bwriad o gael dipyn o hwyl. Ond, er eu siomiant, yr oedd pethau'n dawel a digon digynnwrf yno a dychwelasant, yn ddigon lluddedig, ar eu beiciau. Wrth nesáu at Langristiolus gwelsant olau yn y capel a hithau'n hwyr y nos – tybed ai yno yr oedd yr hwyl wedi'r cwbl? Yng nghyntedd Capel Horeb y noson honno, fe deimlod Hugh Roberts ryw ias rhyfedd yn gafael ynddo, nas gadawodd ef gydol ei oes. Cofier nad cymeriad chwim-chwam ac anwadal mohono; yr oedd yn bersonoliaeth gref ac iddo gymeriad cadarn. Bu'r profiad rhyfeddol hwnnw, gyda'r blynyddoedd, yn foddion i adael stamp y Cristion ar Hugh Roberts. Diolch am *gyntedd* ambell Horeb! Heb os ni fu erioed Gristion mwy naturiol na sant mwy ymarferol, y mwyaf gostyngedig o blant dynion yn llawn cydymdeimlad a chariad at bawb yn ddiwahân.

Rhywbryd yn ystod 1937 y cyfarfu'r 'Cyfarfod Gweddi

Pump o'r Gloch' gyntaf pan ddaeth rhyw ddwsin, fwy neu lai, o'r bobl ifanc at Hugh Roberts i'r festri. Eglurodd iddynt na fyddai'n galw arnynt yn ffurfiol wrth eu henwau i ddod ymlaen i gymryd rhan ac na ddisgwyliai ond brawddeg neu ddwy ganddynt. Dewiswyd dau godwr canu ar gyfer y 'cyfarfod' – Gwilym Evans, Tryfil a T. P. Roberts a chan nad oedd ganddynt gyfeilydd, fe roed mwy o bwysau ar y ddau. Wedi canu'r emyn cyntaf eisteddodd y gynulleidfa ieuanc a bu tawelwch mawr! Eisteddai'r hen sant yn eu plith â'i ên yn pwyso ar dop ei wasgod, yn llonydd reit. Disgwyliai pawb i Thomas Brynclai roi cychwyn i bethau, gan y cyfrifid ef yn gryn sgolor â'i fryd ar fynd i'r coleg, ac yn batrwm o fachgen ifanc. Ond, y mwyaf annisgwyl, ac yn siŵr y mwyaf annhebygol – Dic Minffordd – a dorrodd y garw a gosod y garreg gyntaf yn sylfaen un o'r cyfarfodydd gweddi mwyaf nodedig a gynhaliwyd yn unman!

Hogyn un ar bymtheg oed oedd Dic ar y pryd ac yn torri trwodd am y waith gyntaf mewn gweddi gyhoeddus. Bu'r achlysur yn destun sgwrs a balchder ymhlith y saint ym Modffordd. Fel hyn, o gam i gam, y meithrinwyd dosbarth o weithwyr cyhoeddus yng Nghapel Gad, gan wireddu'r hen ddihareb Iddewig honno, 'Hyffordda blentyn ar ddechrau ei daith ac ni thry oddi wrthi pan heneiddia.'

Byddai ambell gyfarfod gweddi yn ddigon digychwyn a thawedog – rhyw hen fudandod a phawb yn disgwyl wrth arall. Mewn ambell ddoldrwm felly mi fyddai Hugh Roberts ei hun yn cymryd rhan ac, wrth wrando arno mewn ysbryd mor eneiniedig, ni fyddai raid cymell yr un o'r gweddiwyr ieuanc wedyn y noson honno. Deuai tinc amlwg o'r Diwygiad i weddïau Hugh Roberts hyd y diwedd. Meithrinodd o'r cyfarfodydd hyn arweinwyr da i eglwys Gad a gododd bedwar i'r weinidogaeth, sef W. Lloyd Price, O. R. Parry, W. R. Williams ac Arfon Williams.

Dechreuodd O.R. bregethu yn 1939 pan oedd y wlad dan ofn yr Ail Ryfel Byd. Er nad oedd ond llanc yn cyrraedd ei bedair ar bymtheg oed, eto yr oedd ganddo aeddfedrwydd, profiad, cymwysterau a doniau addas iawn i'r weinidogaeth. Meddai ar bersonoliaeth hawddgar a hoffus, gyda gwên fawr lond ei wyneb yn wastad, a dau lygaid mawr direidus.

Gwelir ef erbyn heddiw yn cerdded Maes yr Eisteddfod â'i gamau bras a phwyllog yn pysgota am gydnabod o Fôn neu o Drawsfynydd, iddo gael eu difyrru â'i ddiddanion byrfyfyr. Mewn dim o dro byddai wedi corlannu cynulleidfa fach ddethol i wrando. 'Glywsoch chi hon?' hola yn eiddgar, a chyn i neb gael cyfle i ateb byddai Dic yn morio stori a glywsom yn Eisteddfod y flwyddyn cynt, os nad yr Eisteddfod cyn hynny, ond beth yw'r ots, nid y stori sy'n bwysig ond dawn y storïwr. Wrth adael cefais fy hun yn gofyn droeon, 'Dic annwyl, o ble cest ti'r ddawn?' – y ddawn a fu'n gymaint caffaeliad iddo fel gweinidog, pregethwr, actor ac yn siŵr fel darlithydd.

Trefnodd Cyfarfod Misol Môn, yn ôl eu harfer, daith brawf i'r darpar ymgeisydd o Fodffordd i bregethu yn holl eglwysi Henaduriaeth Môn. Mae'r daflen honno a anfonwyd ato i'w hysbysu o'r daith, ac at bob gofalaeth yn yr Henaduriaeth, gan C. O. Lewis, yr ysgrifennydd, wedi ei chadw a'i thrysori ganddo.

> Wele drefn taith Mr O. R. Parry, Minffordd, Bodffordd (Coleg Clwyd Rhyl), ar ei brawf drwy eglwysi'r Cyfarfod Misol yn ystod 1939. Rhodder iddo bob croeso a chyfarwyddyd angenrheidiol, ac anfoned y Swyddogion eu pleidleisiau, yn union ar ôl ei wrando, i mi. Gofala'r ymgeisydd am anfon pa un ai nos Sadwrn ai bore Sul y daw i'r daith.
>
> Yr eiddoch
> C. O. Lewis

Beth tybed fu'r ymateb i bregethu gwreiddiol yr hogyn o Fodffordd? Fe brofa'r ddogfen nad ar chwarae bach y derbyniai'r Methodistiaid neb i'w rhengoedd ers talwm.

Yn ôl atgofion pobl, yr oedd Dic Parry yn bregethwr derbyniol iawn ac yn gymeriad hoffus, llawn nwyd pregethu. Yr oedd arno lawer iawn o sawr a chwaeth y Cyfarfod Gweddi Pump o'r Gloch a thystia Dic mai yno y clywodd yr alwad i'r weinidogaeth. Arferai ddweud mai William Hughes, Islwyn, a gyfeiriodd ei feddwl at ddarllen a pha beth i'w ddarllen – cymwynas werthfawr iawn. Deil i gydnabod mai dyledwr ydyw i'r canlynol: '(i) yr Arglwydd a'm galwodd; (ii) Hugh Roberts am gynnau'r fflam; (iii) William Hughes am drimio'r wig, a (iv) Tad a Mam bryderus a gofalus.'

Yng ngeiriau O.R. mewn ysgrif dan y pennawd 'Tros fy ysgwydd' ym mhapur bro *Y Bedol*, Mehefin 1986, 'Pennod ddiddorol yw'r un am y colegau y bûm ynddynt lle cefais gyfle i astudio, actio a phêl-droed, y cyfan yn y drefn yna rwy'n meddwl. Yn y pwnc olaf y cefais anrhydedd!'

Do, mae'n debyg y disgleiriodd fel pêl-droediwr, fel y proffwydwyd yn Ysgol Elfennol y Bodffordd gynt. Bu'n aelod o dîm y Brifysgol ym Mangor a chan gofio mai un ar ddeg sy'n gwneud tîm, roedd yn gryn anrhydedd. Ond, heb os, fel actor yn y cwmni drama ym Mangor y bu ei gyfraniad mwyaf ac roedd yn gryn ased i'r Gymdeithas Gymraeg yno. Yn ystod y cyfnod hwnnw ni pherfformiwyd yr un ddrama Gymraeg na fyddai Dic Parry yn rhan allweddol ohoni. Deil ei gyd-aelodau o'r cwmnïau hynny i sôn am ei gyfraniad hwyliog ym mhob ymarfer a pherfformiad. Y fo fyddai arian byw'r gymdeithas. Manteisiodd O.R. yn helaeth ar fywyd cymdeithasol ac addysgol y tri choleg y bu ynddynt a chafodd gyfleusterau gwych i ymarfer a meithrin ei ddawn. Yn y pen draw, onid dyna yw addysg?

Yn 1942, sefydlwyd y Parch. John C. Evans, un o hogiau Môn, yn weinidog yn Gad a Chana, pan oedd cysgod y rhyfel yn tywyllu pob ardal a thref. Cafodd Dic Parry a Wil Price, myfyrwyr dan ei ofal, gyfaill hwyliog a diddan ynddo. Er bod y gweinidog newydd yn ifanc a dibrofiad, bu'n help ac yn gwmni amhrisiadwy i'r ddau a deil Dic Parry i adrodd am droeon trwstan ac amser difyr a gafodd yng nghwmni John Evans, heb os, yr addfwynaf o blant dynion.

Wedi cwblhau ei gwrs coleg yn 1948, derbyniodd O.R. alwad o Henaduriaeth Arfon a'i sefydlu'n weinidog Penygroes, Tregarth a Hermon, Mynydd Llandygái. Fe'i hordeiniwyd yn Sasiwn Betws-y-coed, gyda dau gyfaill coleg iddo, R. G. Thomas o Lŷn a Hugh Williams o Fôn. Yn 1948, pentre o chwarelwyr oedd Tregarth, ardal wych i weinidog ifanc gychwyn a hogi ei arfau. Nid i Dregarth heddiw yr aeth O.R. – rhyw swbwrbia ar gwr dinas Bangor a'r 'lle i fyw' yn ôl jargon cymdeithaseg y dydd. Mwynhaodd Dic gwmni'r chwarelwyr a dysgodd am eu ffraethineb a'u gwreiddioldeb, a buont yn foddion i loywi ei ddychymyg a'i brofiad.

Nid yn unig y cafodd Dic Parry ddwy eglwys i ofalu

amdanynt, fe gafodd wraig i ofalu amdano yntau, ac roedd hynny'n hynod o bwysig ac angenrheidiol. Yr oedd Menna Ellis yn ferch i'r Parchedig T. G. Ellis, un o weinidogion amlycaf y Wesleaid yng Nghymru. Yn sicr, yr oedd T. G. Ellis yn un o weinidogion a phregethwyr enwocaf ei gyfnod. Daeth brawd Menna, Osian Ellis y telynor, yn fyd-enwog yn ei faes. Mae geiriau'r hen ddiarhebwr Iddewig eto yn wir iawn am Menna, 'Llawer merch a weithiodd yn rymus; ond ti a ragoraist arnynt oll.' Sefydlwyd Richard a Menna ym Mhenygroes a chawsant gartref hapus ym Mro Dawel.

Hir y cofiwyd am y Cyfarfod Sefydlu hwnnw gydag erfyniad taer Hugh Roberts, 'Dowch yma i gynnal breich-iau'r hogyn 'ma!'

Yn wir, bu ymateb da i weinidogaeth y gweinidog newydd yn Hermon a Phenygroes ac y mae rhai o hyd, a fu'n aelodau iddo, yn dal i gofio am ei ymroad neilltuol yn ei ofalaeth gyntaf. Er bod dros hanner canrif ers hynny, deil Idris Jones, y blaenor ifanc, i gofio'r amser. Mewn dim o dro roedd y gweinidog newydd fel arian byw ac yn rhan o fywyd y gymdeithas yn y mynydd.

Roedd gan Idris Jones a'r teulu achos neilltuol dros gofio'i ddyfodiad ac fe gofia'r gweinidog hefyd am deulu Hirdir Ganol. Wythnos yn unig wedi iddo gyrraedd fe'i galwyd i angladd Anti Mags y teulu, a fu farw'n ddisymwth yn Lerpwl. Yr angladd cyntaf i Mr Parry'r gweinidog yn ei ofalaeth gyntaf. Cyn diwedd y flwyddyn yr oedd yn gwasanaethu yn ei fedydd cyntaf, plentyn bach Idris Jones a'i briod. Mewn sgwrs ag Idris Jones a Meirwen ei ferch fe soniodd fel y bu i'w wraig ac yntau gymryd at y gweinidog ifanc ac fe gofia Meirwen: 'Ym medydd Eirwyn ym mis Rhagfyr 1948 mae gen i gof cyntaf am Mr Parry yn dal fy mrawd bach ac yn siarad a gwenu arno a golchi ei dalcen. Roedd yn edrych yn ddyn caredig a fyddai'n dylanwadu arnaf i yn y blynyddoedd i ddod.' Pa weinidog na fyddai'n falch o'r deyrnged yna? A dyma bwt eto o werthfawrogiad Idris Jones:

Yn sicr, roedd y wraig a minnau wedi cymryd at y gweinidog ifanc yma. Bu gyda ni trwy amser anhapus iawn ac wedyn yn rhannu'r hapusrwydd o fedyddio'n plentyn bach. Roedd yn gymeriad hoffus iawn, yn hawdd gwneud ag ef ac roedd ganddo amser a sylw i blant.

Y mae ganddo atgofion diddorol am y gweinidog ifanc yn crwydro'r ardal fel Jehu ar gefn ei feic – digwyddodd, darfu! Weithiau ar y Sul byddai'r siwrnai'n ormod i'r beic, neu'n hytrach i'r gweinidog a daeth Idris Jones a'i Forris 8 i'r adwy droeon bryd hynny. Yn ôl y blaenor ifanc fu erioed well gweinidog plant a phobl ifanc na Dic Parry, gyda'i ffordd ryfeddol i'w denu. Cynhaliai ddosbarthiadau ar eu cyfer yn gyson drwy'r flwyddyn ac ni cheid dim trafferth i gael yr ifanc i fynd ato. Un o fannau cryfaf O.R. fyddai ei ddawn gartrefol i gynnal ac i gadw seiat. Byddai'r plant, hyd yn oed, yn teimlo'n reit gartrefol yno.

Tystia Meirwen y byddai wrth ei bodd yn gweld Mr Parry'r gweinidog yn galw; deuai ag awyrgylch ysgafn braf i'w ganlyn a chymerai ddiddordeb ym mhopeth a wnaent fel plant. Cof da ganddi iddo alw unwaith ar amser te; yr oedd hi'n ben-blwydd priodas ei thad a'i mam. Cwynai'r pâr priod fod deuddeng mlynedd wedi llithro'n gyflym a theimlai'r ddau, wrth edrych ar lun eu priodas ym Mai 1939, eu bod wedi heneiddio'n go arw. Mewn ateb byr a bachog, tan godi'r llun, meddai Dic, 'Y llun sy'n heneiddio, nid y bobol sydd ynddo.' Fe wobrwywyd ei lafur â llwyddiannau'r plant mewn Arholiadau Sirol a Chyfarfodydd Darllen.

Mae'n amlwg, ar sail tystiolaeth y teulu hwn o Fynydd Llandygái, i'r O. R. Parry ifanc ddod ag awyr iach i'r oedfa, seiat a'r Band o' Hôp, cymaint nes eu gwneud yn atyniadol i bob oed. Dyna gompliment i weinidog fod plentyn pump oed o'i ofalaeth gyntaf yn dal i gofio gweinidog dyddiau'i mebyd, a mwy fyth ei bod hi wedi dal yn y 'pethau' ac yn aelod ffyddlon drwy'r blynyddoedd ym Mynydd Seion, Abergele.

Ond, wedi chwe blynedd ym mro'r chwareli a'i chymdeithas werinol braf, bu gwahoddiad o Drawsfynydd yn ormod o demtasiwn i O. R. Parry. Nid oedd hi'n hawdd gadael Bro Dawel, eu cartref cyntaf, lle ganwyd y ddwy ferch, Morfudd a Delyth. Erbyn 1954 yr oedd arwyddion amlwg fod dyddiau'r chwarel, hyd yn oed chwarel enwog y Penrhyn, yn dirwyn i ben. Symudai'r ieuenctid o'r ardal i chwilio am waith yn y canolbarth a buan y synhwyrai'r gweinidog ieuanc fod bylchau mewn oedfa a seiat. Ond beth bynnag fu'r achos, symudodd O.R. a'i deulu i Drawsfynydd, i blith pobl dra gwahanol i chwarelwyr Tregarth a Mynydd Llandygái.

Yma y bu'r enwog Dafydd Hughes yn weinidog gydol ei oes, gŵr a adawodd ei stamp ar y lle am bum mlynedd a deugain. Gŵr hamddenol a rhadlon, yn gwbl nodweddiadol o'i oes, a chanddo ddigon o hamdden i alw am swper yn y Fodwen ar ei ffordd o'r seiat yng Nghwm Prysor. Cofia Edward, er yn blentyn bychan, amdano yn estyn am dân ar y sbilsen, yna ei dad yn dechrau sgwrs a Dafydd Hughes yn dal y tân ac yn gwrando nes llosgi pennau ei fysedd.

Dilynwyd Dafydd Hughes gan y Parch. Richard Williams a dilynwyd yntau gan George Howell. Fe alwyd O.R. i olyniaeth neilltuol iawn, yn siŵr.

Buan iawn y synhwyrodd y gŵr o Fôn ei fod yn cartrefu'n rhwydd yn y Traws ac roedd yn amlwg fod ei ddawn a'i gymeriad yn gweddu i'r dim i'r lle. Aeth yn glòs at y bobl mewn dim o dro a mwynhâi ei hun yn eu plith. Treuliai amser yng nghwmni pensiynwyr y pentref, a hynny cyn bod sôn am Glwb Pensiynwyr. Yn wir, bu iddynt gyfarfod maes o law mewn ystafell fach yng nghefn y Post – rhyw fath o seiat neu areithfa answyddogol. Dyma'r math o beth yr oedd O.R. yn bencampwr arno.

Mae'n debyg fod pobl Traws yn debycach i bobl Môn na phobl y chwareli gan ei bod yn ardal amaethyddol, er ei fod yn amaethu gwahanol iawn. Byddai Dic Parry wrth ei fodd yn galw yn ffermydd ei ofalaeth yn y gwahanol dymhorau. Yr oedd cneifio yn un o amseroedd pwysicaf y flwyddyn ac ni fyddai dim amser i eistedd i fân siarad â'r gweinidog ar ddiwrnod cneifio. Felly, ni fyddai dim amdani ond darganfod rhan yn y tîm i'r gweinidog. Pitsio neu nodi'r defaid fyddai'r unig swydd y gallai Dic ei gwneud hefo rhyw fesur o foddhad. Dyna, debyg, y swydd isaf yn hierarchiaeth diwrnod cneifio! Byddai yn ei afiaith yn pitsio'r ochr dde i'r defaid gydol y dydd, wrth i'r cneifwyr eu gollwng. Gan mor gelfydd a fyddai'r cneifwyr, rhoesant dro sydyn yn y ddafad weithiau a chynnig yr ochr chwith i'r pitsiwr blinedig. A dyma'r gweinidog wedi cyflawni pechod duaf y pitsiwr – marcio'r ochr anghywir, ac ni cheid diwedd ar y gwatwar.

Galwai yn ystod y cynaeafu gwair ac ŷd hefyd, ac erbyn canol y pum degau, yr oedd y tractor yn cymryd lle y wedd. Gyrru'r tractor o fwdwl i fwdwl, ac o stwc i stwc, fyddai ei waith yn y ddau gynhaeaf. Nid oedd gan Dic Parry mo'r syniad lleiaf sut i yrru car ond cafodd ysgol dda pan ymddiriedwyd tractorau'r Traws i'w ddwylo. A sôn am ddreifio, fe gwynai un hen wraig fach nad oedd y gweinidog newydd yn mynd â nhw am drip fel y gwnâi Mr Howell. Byddai'r gŵr hwnnw'n mynd â'i bobl, lond bws ohonynt, ar dripiau i leoedd o bwys hanesyddol drwy'r wlad, ac yntau'n dywysydd. Fel ei fam o'i flaen, byddai gan Dic ateb ym mhob sefyllfa ac meddai wrth y wraig oedd yn swnian, 'Cofiwch, Mrs, mai Minister of Religion ydw i, nid Minister of Transport'; sylw mor nodweddiadol ohono.

Dro arall âi i bysgota hefo Hugh Lewis, fel Cynan gynt, ond nid ar lyn Traffwll ond ar lyn Trawsfynydd. Yr oedd wedi dysgu cryn dipyn am bysgota hefo chwarelwyr Tregarth ond bellach roedd yn 'sgotwr llyn. Yr oedd modd hurio cwch ar lan y llyn yn eithaf rhesymol ac nid oedd dim dihangfa debyg. Yno yr ymgollai Dic a'i gyfaill heb boeni rhyw lawer am ddalfa. Mae'n debyg y byddai'r sgwrsio a'r chwerthin harti yn siŵr o godi amheuaeth ar y gwiriona o bysgod Meirionnydd. Ar un o'r achlysuron hyn bu i'r cwch bach ddrifftio'n dawel o'i gwrs heb i'r ddau gychwr siaradus sylweddoli. Dysgwyd gwers i'r gweinidog y noson honno, 'Y mae'n rhaid cael nod ar y lan er mwyn cadw at y llwybr,' meddai Hugh Lewis. 'Cadwch lygaid ar gapal Cae Adda, draw acw. Pan gollwch chi'r capal, mi rydach chi wedi drifftio cryn dipyn.' Y nos Sul ddilynol rhoddodd O.R. wers seiliedig ar ddameg y llyn. Tystia pobl Traws nad oedd neb tebyg i O.R. am y math yma o bregethu syml, hawdd i'w ddeall. Byddai'n sgut am stori a sylw a'i gweithio'n gelfydd i'w bregethau. Deuai â darluniau byw o ganol bywyd i'w bregethau fel y gallai'r distadlaf ei ddilyn a'i ddeall a byddai rhyw ffresni yn nodweddu ei bregethau.

Yn ôl atgofion rhai o'r Traws tueddai'r dosbarth hŷn i anghytuno â'i ddaliadau, yn arbennig ei esboniadau rhyddfrydol o'r Beibl. Yr oedd yn rhaid credu fod y morfil wedi llyncu Jona; yn wir byddai rhai ohonynt yn barod i gredu fod Jona wedi llyncu'r morfil pe dywedai'r Beibl hynny! Holai rhai'n amheus, 'Beth ddwedai Dafydd Hughes pe clywai am alegorïaeth y gweinidog newydd?' Ond, fe ddaeth seiat Moreia yn bur boblogaidd a châi'r gweinidog gyfle i egluro ei safbwynt, mai rhoi gwin newydd mewn hen gostrelau a wnâi.

Yng nghyfnod Trawsfynydd tyfodd O.R. i gryn amlygrwydd fel pregethwr poblogaidd, gan ddod yn un o bregethwyr mwyaf poblogaidd y Methodistiaid. O ganol y pum degau yr oedd galw cyson arno i bregethu yn Sasiynau ei enwad a châi ei wahodd i bregethu mewn Cyrddau Pregethu ym mhob cwr o'r wlad, gan bob enwad. Byddai cwmni a chymdeithas pobl wrth ei fodd a gwyddai'n well na neb sut i gysylltu â'i gynulleidfa; fu mo'i debyg fel cyfathrebwr.

Ond er mor glòs a hapus ei gyswllt â'r Traws fe'i temtiwyd ymhen chwe blynedd i symud i Ruthun. Pwy fyth a gredai? Cafodd ryddid i grwydro lle y mynnai bregethu ac ymhyfrydai pobl Traws fod y fath alw ar eu gweinidog, mor wahanol i ambell fan! Bu'r symudiad yma yn gryn syndod i lawer; yr oedd hi'n bartneriaeth berffaith. Byddai O. R. Parry yn arfer dyfynnu, yn ei erbyn ei hun, eiriau rhyw frawd o Lerpwl am ei symudiad o Drawsfynydd i Ruthun, 'Mi roedd O. R. Parry Trawsfynydd yn rhywun, fydd O. R. Parry Rhuthun yn neb, cofiwch.' Pam fod dyn sy'n hapus yn symud, tybed?

Ar y pryd roedd cryn sôn a siarad yn Nhrawsfynydd a'r Blaenau am godi Atomfa ar lan y llyn. Synhwyrodd y gweinidog y byddai hon yn chwalu'r gymuned – yn cau areithfa'r post ac yn difa pysgod y llyn. Mae'n wir iddo ddweud, â'i dafod yn ei foch yn y cyfarfod i'w ollwng o Traws, 'Rwy'n ymadael yn hytrach na bod dau bŵer mawr yn gwrthdaro. Penderfynais symud i Ddyffryn Clwyd.'

Ni wireddwyd damcaniaeth y dyn o Lerpwl. Yn fuan iawn daeth O. R. Parry Rhuthun yn enw cyfarwydd a dyma'r enw a fyddai iddo bellach. Ym Methania, Rhuthun, y bu O.R. a Menna am chwe blynedd ar hugain, nes ymddeol yn 1986, ac yno y maent o hyd.

Tref farchnad i wlad amaethyddol fras yw Rhuthun. Y mae gwell blewyn o sbel ar ffermwyr y dyffryn hwn nag sydd ar ffermwyr mynydd-dir Trawsfynydd, a gwell hefyd na sydd ar ffermwyr Môn, ond go brin fod yn y dyffryn well lle i bregethu na Thraws na Môn!

Parhaodd poblogrwydd O.R. yn ei ofalaeth newydd. Bu galw cyson arno eto, oddi yma, i bregethu yng Ngwyliau Pregethu'r wlad. Cafodd hefyd gyfle i ymarfer ei ddawn fel actor ym Methania. Yr oedd yno draddodiad drama yn mynd yn ôl i ddechrau'r dau ddegau, yng nghyfnod y Parch. John Williams (1923–33). Yma rhoes Oswald Rees Owen gryn enw i'r ddrama gyda chynyrchiadau safonol o *Hedda Gabler*, *Siop Morgan* a'r *Stryd Fawr*. Bu cryn sylw i gynhyrchiad y pasiant, *Y Beibl Cymreig*, yma hefyd yn 1937. Byddai Ellen Roger Jones yn llaes iawn ei chanmoliaeth i wythnos ddrama Rhuthun hefyd. Do, bu gweinidog Bethania yn ased werthfawr i'r cwmni fel actor a chynhyrchydd.

Bu ei ddylanwad yn rymus ar ei eglwys fel gweinidog a phregethwr hefyd a bu ei gerddediad yn amlwg yn nhref Rhuthun. Bu'n ffefryn i'w bobl ym Methania ac yn wyneb cyfarwydd yn y dref farchnad a gwerthfawrogid ei bregethu coeth. Yn ychwanegol at ei agenda lawn fel gweinidog a phregethwr prysur, bu'n gaplan dwy ysbyty a chartref henoed yn y dref ac, yn ei flynyddoedd olaf yn y weinidogaeth, bu galw cyson arno mewn swyddi cyfrifol yn ei Gyfundeb. Fe'i hanrhydeddwyd gan ei Gyfundeb yn 1993 pan y'i dyrchafwyd yn Llywydd Cymdeithasfa'r Gogledd. Daeth Dic â gwên ac ysgafnder i'r swydd honno hefyd a chafodd dymor llwyddiannus.

Ond, yn y pen draw, er ei amrywiol ddoniau, pregethu a darlithio yw ei gariad pennaf. Y mae ganddo bob cymhwyster i'r gwaith – personoliaeth hardd, wyneb a dau lygad enillgar a llais treiddgar a liwia mor effeithiol. A dichon, yn bwysicach na dim, mae ynddo ryw angerdd a gyffyrdda ei gynulleidfa.

Mae'n wir na fu Dic Parry drwy wres y Diwygiad fel Hugh Roberts, ond erys gwreichion y Cyfarfodydd Gweddi arno o hyd a theimlir hynny mewn sawl oedfa dan ei arweiniad. Oni ddywedodd un o'i gyfeillion wrtho noson ei sefydlu yn

Nhregarth, 'Cofia, Dic, pan fyddi di ar dy draed yn cy-hoeddi'r Gair, mi fyddwn ni ar ein gliniau yn dy gynnal di.' Bu'r addewid yna'n gryn symbyliad a chysur i O.R. o wybod nad oedd wrtho'i hunan yn y frwydr.

Fe dorrodd ei rych ei hun fel pregethwr er iddo, er yn ifanc, gael ei feithrin yn swyn pregethu mawr Môn yn hanner cyntaf yr ugeinfed ganrif ac, o ganlyniad, mae'n anodd ei ddosbarthu fel pregethwr.

Fe ddywedid am Robert Roberts, Clynnog (1762–1802), fod ynddo deimlad angerddol a dychymyg cryf, dychymyg o nerth dramatig rhyfeddol, ynghyd â'i gyfeillach addfwyn a siriol. Tybed ai yn y traddodiad hwnnw y saif y Parch. O. R. Parry fel pregethwr a chymeriad hoffus? Cafodd ambell oedfa nodedig iawn. Deil i sôn am oedfa a gafodd ym Mhenygroes, Tregarth, yn gynnar yn ei weinidogaeth yno. Daeth yr awel, ac fe loriwyd y gweinidog ifanc. Cafodd ei hun rhwng deufyd yn rhywle – rhyw stad o lesmair dieithr. Wrth ddeffro a dadmer gwelai ddau flaenor o boptu iddo yn y pulpud. Holodd yn ddryslyd, 'Be ar y ddaear ydach chi yn ei wneud yma?' Samuel Jones a Griffith John Jones oedd y ddau, ac atebasant gyda thinc o orfoledd, 'Canmol Iesu Grist efo chi, Mr Parry.' Ni chafodd O.R. erioed eglurhad boddhaol am yr oedfa honno, ond fe drysora pob atgof ohoni.

Cafodd oedfa nodedig iawn ym Moreia, Llangefni, hefyd, sef oedfa gyntaf Sasiwn Môn ym Mehefin 1981. Roeddwn i yn yr oedfa honno, oedfa y bu cryn siarad yn ei chylch yn hir wedyn. Yr oedd y pregethwr yn ei hwyliau gorau, yn gwenu a nodio ar hwn a'r llall o'r pulpud ac mi fedrai Dic wneud peth felly heb ddarfu ar yr oedfa. Yr oedd cynulleidfa luosog yno – mae pobl Môn yn hoff o'i phobl ei hun! Cododd Dic Parry ei destun – hanes y llongddrylliad yn Llyfr yr Actau: 'Pan gododd gwynt ysgafn o'r de, tybiais fod eu bwriad o fewn eu cyrraedd.' Cydiodd y pregethwr yn y gair 'tybio' a chwarae'n ddiddorol ag ef. Cyfeiriodd at y gweithwyr hynny yn nameg yr Iesu, yn 'tybio' y caent fwy o gyflog am ddal pwys a gwres y dydd. Cerddodd Mair a Joseff daith diwrnod tua thref gan 'dybio' fod Iesu'r plentyn rhywle yn y fintai. Cododd ei lais, ciliodd y wên, fel haul yn mynd tan gwmwl, 'Mae ein

172

cenhedlaeth ni yn mentro ar siwrnai bywyd gan "dybio" fod y deheuwynt yn argoeli siwrnai dda iddynt.'

Yna fe rannodd ei destun dan dri phennawd:

(i) *Y dyn sy'n siarad cyn y storm.*

Paul yn rhybuddio cyn y storm, a neb yn gwrando. Mor dueddol ydym i siarad yn ddoeth wedi'r storm, gydag ymadroddion fel, 'mi ddwedais i mai fel yna y bydda hi'.

(ii) *Y dyn sy'n sôn am ddiffyg paratoi ar gyfer storm.*

Soniodd y pregethwr am gofgolofn Hedd Wyn yn Nhrawsfynydd. Cofiai fel y bu iddo alw sylw Mrs Jarret yn y Post ati (dyma'r teulu a roes y tir i godi'r golofn), gan gyfeirio at y llaweroedd a stopiai wrthi, ond ateb bachog Mrs Jarrett oedd, 'Mae yna fwy yn pasio, Mr Parry bach.'

(iii) *Y dyn yn tawelu'r storm.*

Colli'r llong, ond y criw yn saff;
Colli'r cargo, ond y gwerthfawr drysor yn saff.
Rhaid symud o fyd 'tybio' i fyd 'credo'. Nid yw'r cargo yn dda i ddim pan fo'r llong ar fin suddo.

Yr oedd ganddo neges ddifrifol gan ddwyn ei gynulleidfa wyneb yn wyneb â'i chyfrifoldeb. Cyflwynodd ei neges gyda mesur da o hiwmor, ond wrth gwt y doniol fe geid y difrifol. Yr oedd ganddo bregeth a oedd yn ffitio dull, llais ac anianawd y pregethwr i'r dim.

Cawn enghraifft dda o'i syniad am bregethu pan ofynnwyd iddo draddodi'r Cyngor mewn Sasiwn Ordeinio yn Llandudno. Tystiai mai'r unig gymhwyster a feddai i'r gwaith oedd deunaw mlynedd ar hugain yn y weinidogaeth. Er mai un yn unig o ordeiniwyd yn y Sasiwn honno, sef Meirion Morris, cafodd gyngor llawn a gwerthfawr. Y mae llawer iawn o'r Cynghorwr yn y Cyngor a roes O.R. yn ei ddull unigryw ei hun.

Fe'i rhannodd yn dri phen, fel pob pregethwr da:

(i) *Gofalwch fod pobl yn eich gweld.* Soniodd am y Parch. R. Prys Owen, Llangefni, yn cerdded y strydoedd bob dydd Iau marchnad, a phe gofynnid i rywrai, 'Pwy welsoch chi tua'r dre?' yr ateb yn ddieithriad fyddai,

'Wel, fe welsom y gweinidog.' Gofalwch fod pobl yn eich gweld chwi, eich gweld fel Gŵr Duw.

(ii) *Gofalwch fod pobl yn eich clywed chi.* Peth diflas iawn ydi pregethwr anghlywadwy! Llefarwch yn uchel ac yn glir, ar faterion *Gwleidyddol, Diwiynddol* a *Gweinyddol,* eithr byddwch yn bur dawedog ar faterion *Mympwyol.*

(iii) *Gofalwch fod pobl yn eich deall chi.* Cyn bwysiced â bod yn *Glywadwy,* yw bod yn *Ddealladwy.* Peidiwch â gadael i neb ddweud amdanoch, 'Mae'n bregethwr da, tasa posib ei ddeall o.' Fe ddywedwyd am weinidog ifanc beth fel hyn, *'For six days of the week, he's invisible and on the seventh he's incomprehensible.'* Gwastraff amser ac ynni yw llefaru'n dywyll. Gadewch i bobl eich deall chi – deall eich teimladau tuag atynt, a'ch bwriadau pan ddaw gofyn am geryddu, disgyblu ac argyhoeddi. Gadewch iddynt ddeall mai o Gariad y gwnewch y cyfan.

Dyna heb os yw athroniaeth O. R. Parry am y weinidogaeth Gristnogol mewn bugeilio a phregethu. Cerddodd ei lwybr ei hun, nid er mwyn bod yn wahanol ond er mwyn cyrraedd a chyffwrdd pobl. Credai yn angerddol yn ei Neges ac ymdrechodd i'w chyflwyno i'w bobl. Yr oedd yn ei natur elfennau gwrthgyferbyniol, y dwys a'r digrif – neu fel y gwelai ef hwy – y duwiol a'r doniol. Ymdrechodd i gymodi'r elfennau hyn, er y mynnai weithiau eu bod yn anghymodlawn. Gwyddai Dic yn well na neb am y ddwy natur hyn yn ymlid â'i gilydd. Yr oedd gan rai fel David Williams, Llanwnda (1835–1920), a John Moses Jones, Dinas (1822–1903), ac, ychydig yn ddiweddarach, Morgan Griffith, Penmount, a J. W. Jones, Conwy, drwydded i ddefnyddio'r duwiol a'r doniol yn y pulpud; ond gwae i neb arall roi cynnig arni. Ond, tybed a fu iddynt roi'r gorau i ollwng y trwyddedau hyn?

Oni chyfeirir at y bedwaredd ganrif ar bymtheg fel canrif y difrifoldeb mawr, difrifwch crefyddol a gwleidyddol mudiadau ac unigolion? Oni thorrodd Gwilym Hiraethog (1802–83) ei gŵys ei hun gyda stôr o ddigrifwch a naturioldeb dirodres? Dyma ddyfyniad byr a roddodd yng ngenau f'Ewyrth Robert yn ei addasiad o *Uncle Tom's Cabin*:

Mi rydw i'n licio cael llond 'y mol o chwerthin, pan ddaw o ata i. Mae o'n iechyd i mi – mi neith fwy o les i mi na dos o ffisig o'r hanner; a tydi o ddim drwg yn y byd, ynte fasa fo ddim yn perthyn i'n natur ni. Feder 'run cryadur arall, ond dyn, chwerthin; a toes gin i ddim trust byth i'r un dyn na fedro chwerthin yn harti hefyd.

(Aelwyd F'ewythr Robat, Gwasg Gee, 1853.)

Ond fe ddaeth ymwared yn y 'ddarlith ddoniol', lle câi'r ddwy elfen gydchwarae â'i gilydd. Ni wyddom yn iawn ymhle na chan bwy y cychwynnodd y traddodiad hwn. Mae pob lle i gredu mai o fro'r chwareli y daeth ac o gymdeithas glòs cefn gwlad. Byddai'r ddarlith draddodiadol yn rhyfeddol o feichus, yn wir yn drymach nag ambell bregeth. Darlithoedd academaidd ac ysgolheigaidd oedd y rhain ac weithiau ceid rhai diwinyddol ac athronyddol. Dyma destunau rhai o ddarlithoedd Tecwyn Evans: Llyfr Job, Ymneilltuaeth, Enwadaeth a Phrotestaniaeth. Go brin y ceid rhyw lawer o ddifyrrwch o destunau o'r natur yna. Yn hytrach yr oedd 'darlith ddoniol' yn hynod o boblogaidd ac roedd iddi le o bwys yn hanes gwerin Cymru, a châi ei chroesawu gan yr eglwysi ymneilltuol yn arbennig, am dros ganrif. Cyn bod sôn am radio na theledu fe dyrrai'r werin i'r ysgoldy neu gapel neu neuadd bentref ac mae'n debyg mai unig bwrpas y darlithoedd hyn fyddai difyrru'r amser. Dyma'r unig ddifyrrwch a geid yng nghefn gwlad ar ddechrau'r ugeinfed ganrif.

Heb os, dau bregethwr Wesla oedd y pencampwyr ar y 'ddarlith ddoniol', sef R. G. Hughes, brodor o Dal-y-sarn yn Arfon, a John Alun Roberts, brodor o Lanllechid ger Bethesda. Nid yn unig fe ddeuent o fro'r chwareli – y Penrhyn a Dorothea – ond buont ill dau yn gweithio yno er yn ieuanc iawn.

Fe gred rhai mai Robert G. Hughes (1889–1962) oedd tad y ddarlith boblogaidd. Gadawodd gymdeithas y chwarel yn Nhal-y-sarn a mynd i Goleg Richmond yn Surrey, y lle mwyaf Seisnig yn y byd ac yntau'n Gymro uniaith hollol. Ond fe lwyddodd, a chwblhaodd ei gwrs ym Manceinion ac mae'n debyg mai ef oedd un o bregethwyr melysa'r Wesleaid. Ond, fe'i cofir yn fwyaf arbennig fel darlithydd difyr a doniol. Lle bynnag y cyhoeddid ei enw ef i ddarlithio, fe geid tŷ llawn. Dyma bwt o deyrnged y Parch. Arthur Ll. Williams i R. G. Hughes yn 1963 a gaed yn *Yr Eurgrawn*, Gwanwyn 1963 (t. 256), ac mewn ysgrif goffa gan G. T. Roberts yn *Y Gweledydd*, Ionawr 1963, t. 278:

> Cofir amdano hefyd fel darlithydd. Y mae'n amheus a fu darlithydd mwy poblogaidd yn rhengoedd ein gweinidogion erioed. Cafodd ei ddonio'n helaeth fel storïwr a medrai gyfuno sylwedd a hiwmor nes cyfareddu cynulleidfa am ddwyawr i wrando – camp anodd mewn cyfnod gorffwyll a diamynedd i wrando.

Yn ôl ei gyfaill, y Parch. Griffith Thomas Roberts, 'Bu galw mynych arno i ddarlithio i bob cwr o'r wlad, a gwn am rai lleoedd a fynnodd gael clywed yr un ddarlith eilwaith ganddo. Cyfaddefodd wrthyf unwaith ei fod wrth ei fodd yn gwneud i bobl eraill chwerthin.' Yr oedd ganddo ddewis lawer o ddarlithoedd a'r rheini i gyd yn ddoniol ac yn ddifyr i'w gwrando. Tueddiad ydi gwisgo un ddarlith o'r natur yma am oes, gan newid ambell stori o fan i fan. Ond fe gymerodd R.G. Hughes y busnes o ddifrif, a chyfansoddai'r ddarlith yn frodwaith gelfydd yn y fath fodd nes y credai'r gynulleidfa fod y cyfan yn fyrfyfyr. Yr oedd ganddo ddawn anhygoel i amseru ei gyflwyniad. Digwyddai'r cyfan mor ddiffwdan a naturiol fel pe sgwrsiai yng nghaban y chwarel. Ymhlith chwarelwyr Dyffryn Nantlle y dysgodd y grefft, a'i dysgu hyd berffeithrwydd. Un o'i destunau, sy'n dal ym meddiant Roberta, ei ferch, yw 'Dafydd a Catrin Dafis' ac yn ôl y sôn yr oedd hon yn glasur o ddarlith, yn portreadu cwpwl o gymeriadau o dueddau Glyndyfrdwy. Ymysg ei destunau eraill roedd 'Priodasau', 'Ym merw'r byd', 'Plant y plygain', 'Pobol y ffair', 'Corlannau'r praidd' a 'Wynebau'. Cofiaf, pan oeddwn yn blentyn, wrando arno'n traethu ar 'Wynebau'. Sôn am 'gomedïwr ar ei draed' – ni fyddai'r un ohonynt hwy yn deilwng i agor carrai ei esgidiau. Dyma ddarlithydd oedd yn adnabod ei ddawn, yn trefnu'i destun i'r atalnod dibwys ac yn parchu a charu ei gynulleidfa. Yn siŵr safai R.G. ysgwydd yn ysgwydd ag unrhyw gomedïwr o Sais neu Gymro heddiw. Ef yn wir oedd brenin y 'ddarlith boblogaidd'.

Y mae lle i'r Parch. John Alun Roberts (1911–95) yn yr

Oriel hon hefyd. Yr oedd dylanwad ffraethineb chwarelwyr Dyffryn Ogwen yn drwm ar John. 'Stori ei fywyd' fyddai darlith enwoca John Alun ac amrywiadau ar honno fyddai pob darlith arall ganddo. Roedd hi'n anodd iawn gwahaniaethu rhwng darlithoedd John a'i sgwrsio parablus, difyr. Mi wariais arian gloywon yn gwrando ar John yn bwrw trwy'i bethau ar y ffôn ac ar ddiwedd sesiynau felly byddai'n fy atgoffa, 'Ti sy'n talu!'

Y mae eraill a berthyn i'r traddodiad ond heb fod mor amlwg â'r ddau Wesla hyn. Clywais J. W. Jones, Conwy, fwy nag unwaith yn difyrru cynulleidfa am dros awr, heb nodyn o'i flaen. Mi fedrai ymestyn stori fach ddigon syml i bara am ddarn o noson am fod ganddo ddawn y storïwr ar ei gorau, a gwyddai'n well na neb sut i amseru ei ddweud.

Roedd darlith W. J. Jones, Bodedern, ar 'Ynys Enlli', lle bu'n weinidog, yn ddoniol ryfeddol. Ymollyngai'r gynulleidfa mewn chwerthin iach. Ond methai W.J. â deall pam eu bod yn chwerthin! Nid yr hyn a ddywedai oedd yn ddoniol, ond ei ffordd a'i ystum ef o'i ddweud. Oherwydd hynny, byddai'r perfformiad yn fwy effeithiol fyth.

Mae'n debyg fod Iorwerth Jones Owen a Harri Parri yn perthyn o bell i draddodiad y 'ddarlith ddoniol' hefyd. Y mae R. E. Hughes, Nefyn, wedi rhoi mwy o sylw i'r fformiwla hon ac mae yntau'n storïwr da a chanddo ddawn arbennig i bortreadu cymeriadau diddorol. Deuthum i adnabod sawl cymeriad ym Môn cyn dod yma a hynny trwy ddisgrifiadau byw Ted yn y coleg gynt. Cafodd yntau fesur da o filltiroedd o rai o'i ddarlithoedd, rhai megis 'Perlau mewn llwch' a 'Mi fûm yn gweini tymor'. Y mae'r ddwy ddarlith yma yn nhraddodiad y ddarlith boblogaidd, gyda thestun chwerthin ym mhob brawddeg ohonynt.

Ond, yn ddi-os, O. R. Parry yw gefaill unfath ag R. G. Hughes. Ychydig iawn o gwmni'r chwarelwyr a gafodd Dic ac, o ganlyniad, ni ellir olrhain ei hiwmor atynt hwy. Ond fe'i magwyd, fel Charles Williams yntau, ym Modffordd ac yn siŵr, fe berthyn rhyw gyfaredd ryfedd i'r fro honno. Nid oes unman ym Môn i gyd a gododd gymeriadau mor ffraeth a gwreiddiol â'r Bodfforddiaid.

Dywedodd rhyw hen wag o'r fro unwaith wrthyf fod

Charles Penffordd a Dic Minffordd wedi cario llawer o ddŵr o ffynnon Owen John, mab John Jones Cariwr. Wel, mi ddwedwn ei bod yn ffynnon werthfawr iawn. Un o'r rhai mwyaf ffraeth o bobl y byd oedd Owen John a hwnnw'n ffraethineb cwbl naturiol. Yr oedd yn gomedïwr wrth reddf a'i sgwrs yn gyforiog o ddoniolwch gwreiddiol. Magwyd Charles a Dic i ryfeddu at ddoniau cynhenid cymeriadau fel Owen John ac Owen Hughes, Cerrig Duon. Ac wrth gwrs, yr oedd Annie Parry, Minffordd yn eithaf mêts iddynt gyda'i ffraethineb syber. A chwarae teg i'r ddau, byddent wastad yn cydnabod eu dyled i Fodffordd a'i chymeriadau unigryw. Oni ddywedwyd am Charles na fu erioed ei gyffelyb am drin cynulleidfa, oherwydd iddo er yn ifanc ddysgu bod yn un o'r gynulleidfa? Onid ymhlith cymêrs Bodffordd y magodd Charles y cyflymder meddwl a allai fanteisio'n ddisymwth ar ddigwyddiadau ymhlith y gynulleidfa neu ar y llwyfan?

'Yr oedd yn arweinydd Noson Lawen tan gamp. Un o'r goreuon, os nad y gorau,' meddai Huw Jones amdano. Ac mor wir yw geiriau Alwyn Humphreys, 'Roedd Charles yn byw drwy gymeriadau'r pentra, yn eu nabod nhw fel pe bai o wedi eu creu nhw ei hun, ac yn eu dynwared nhw efo'r ddawn aruthrol honno oedd ganddo fo i ddod â nhw yn fyw o flaen eich llygaid chwi.' Digon yw dweud mai o'r stabal yna y daeth yr amryddawn Dic Parry ac fe roes y pulpud a'r ysgoldy gyfle iddo yntau ymarfer y ddwy natur a'r ddwy gamp ryfeddol yma sy'n lletya yn yr un person.

Prif faes Dic, hefyd, yw cymeriadau a adnabu a'u hedmygu. Fel pob perfformiwr, tuemda yntau i chwyddo'r llun ac i roi geiriau yn eu genau nas ynganwyd ganddynt erioed, ac eto, llwydda'n ddi-feth i gadw'r llun gwreiddiol. Nid yn unig fe rydd eiriau yn eu genau ond gall eu dynwared i'r dim a dyna a rydd fywyd yn y cymeriadau a gofir ganddo. Ni ddylid credu am funud i Dic Parry wneud hwyl na sbort o'r bobl hyn, ymgais yw'r cyfan ganddo i barchu eu coffa-dwriaeth.

Bu galw mynych arno i ddarlithio, fel i bregethu, i bob cwr o'r wlad. Bron na ddywedem mai parhad o'i ddarlith oedd ei sgwrs a'i gwmni, neu fod y sgwrs yn barhad o'i ddarlith! Fel cwmnïwr y mae yn un o'r rhai diddanaf y gellid taro arno byth, ac nid oes ball ar ei straeon. Nid oes dim byd a rydd fwy o foddhad iddo nag ymateb byrlymus cynulleidfa hwyliog, ac fe lwydda cystal â neb i gadw'r momentwm hwyliog am dros awr – tipyn o gamp.

Coronwyd arbenigedd O.R. fel darlithydd gyda gwahoddiad i roi darlith ym Mhabell Lên Eisteddfod Dinbych 2001. Fe'i cyflwynwyd gan ei gyfaill, Dafydd Hughes Jones o'r Rhyl, fel diddanwr, actor a thelynegwr heb anghofio mai ei brif wasanaeth oedd ei weinidogaeth gydol y blynyddoedd. Yn y weinidogaeth honno fe sychodd ddagrau chwerw ei bobl ac fe sychodd, dro arall, ddagrau eu chwerthin iach.

Yn briodol iawn fe ddewisodd yn destun i'w ddarlith, 'Y duwiol a'r doniol'. Yn ddi-os yr oedd yn feistr ar ei bwnc. Yna dyfynnodd y llywydd bennill o'i waith ei hun yn cyfleu deuoliaeth y testun,

> Heb y cloc, caem o'i stôr, i'n diddori
> O'r doniol a'r duwiol heb dewi;
> Os bu 'rioed un dwys llawn sbri
> Pa wariar fel Dic Parry?

Yna dyfynnodd bennill arall ar yr un trywydd,

> Mae yna dalent mewn dwli,
> Moddion chwerthin yn y miri,
> Y sobor i'w weld yn y sbri
> A deigryn yn y digri.

Enillodd y darlithydd ei gynulleidfa yn syth. Yr oedd mewn ysbryd rhagorol a chadwodd afael diollwng arnynt. Cawsom awr soled o chwerthin iach a dyna fu'r sôn a'r siarad ar y Maes y pnawn hwnnw, 'Glywist ti Dic Parry?', 'Nefoedd, mi roedd o'n dda', 'Tydio'n heneiddio dim a'i gof mor dda!' Os cafodd y gynulleidfa gref fodd i fyw, yr oedd Dic Parry yn ei ogoniant hefyd; wedi'r cwbl, chwerthin pobl yw'r adrenalin sy'n gyrru Dic yn ei flaen i anghofio ei fod wedi 'pasio'r pedwar', chwedl pobl Sir Fôn.

Ond cofiwn fod, dan yr ysgafnder, haen ddofn o ddifrifoldeb dwys. Mae'n rhaid dod yn bur agos ato, efallai, i weld pa mor agos yw'r deigryn i'r digrifwch, 'A deigryn yn y digri'. Dan yr wyneb a thu ôl i'r digrifwr y mae dyn dwys tu hwnt. Onid yw hyn yn wir iawn am y rhelyw o ddigrifwyr ymhob oes? Y mae'n hynod o wir am y Parch. O. R. Parry.

Dyna fo, Dic Parry a'i allu anhygoel i gyfuno sylwedd a hiwmor, neu fel y gwelai ef hi – cyfuno'r 'duwiol a'r doniol'. Gwyddai'n iawn fod y doniol yn llawer mwy doniol pan saif wrth ochr y duwiol; ac yn yr un modd y mae'r duwiol yn dduwiolach fyth wrth ochr y doniol. Mae'n gryn gamp i ddirwyn y ddwy elfen yn gordyn heb orliwio'r naill na'r llall ond bydd Dic yn ei elfen yn rhodio'n rhyfygus, 'O'r naill drum i'r llall yn hedeg'.

Ymhlith y trumiau hyn fe geir y delyneg a'r triban hefyd. Cyfeiriodd ei gyflwynydd ato yn y Babell Lên fel 'telynegwr gwych' gan hanner ei geryddu na fyddai wedi cynhyrchu llawer mwy. Yn siŵr, ni fyddai'r darlun o O.R. yn gyflawn heb sôn amdano fel bardd, a'r delyneg a'r triban yw ei hoff gyfrwng. Y dwys yn hytrach na'r doniol a glywir yn ei delynegion, fel Mab y Mynydd oddi cartref yn gwneud cân,

Dim Ateb

Bûm draw ym Modffordd neithiwr,
Yn chwilio am J.O.,
Y bardd na chafodd deyrnged
Haeddiannol gan ei fro.

Ac am J.T., y porter,
Y telynegwr clên,
Saernïodd lawer pennill
Rhwng mynd a dod y trên.

Doedd yno ddim i adrodd
Eich hanes yn y fan,
Ond ambell gân ac englyn
Ar gerrig glas y Llan.

Ai am i ni anghofio
Eich enwau chwi a'ch gwaith
Na fynnwch chwithau heno
Ein harddel ninnau chwaith?

Troi yn ôl i Fôn a wna eto yn naws draddodiadol yr hen dribannau hyn ar ei daith i gartrefi'r arwyr gynt,

Mewn breuddwyd yr âf eto

Yn ôl i Fôn, a throedio
Yr hewl fach gul i'r Henllys Fawr,
I gwmni'r cawr sydd yno.

Neu cael fy hun yn sydyn
O fewn i Lys Llywelyn,
Yn hwyl y ddawns a chwmni'r glêr
A nodau pêr y delyn.

A phan â'r haul i'r heli,
Cael hamdden wedi'r miri
I ddweud Nos Da wrth Capten Jâms
A Williams, a'r Hen Siandri.

Barnwyd iddo'r wobr gyntaf am y delyneg ganlynol yn
Eisteddfod Dyffryn Ogwen, 1999. Deil i gystadlu'n gyson ym
mhob eisteddfod leol drwy'r gogledd bron. Gresyn na
chasglai ysgub o'i delynegion a'i dribannau i'w cyhoeddi.

Bwlch

Ni chlywais am 'wynt traed y meirw',
O'r herwydd ni faliwn 'run dam
Hyd yr awr y daeth heibio a'm fferru
Trwy'r bwlch, ddiwrnod claddu fy mam.

Dyna fo yr hogyn un ar bymtheg oed – y cyntaf o'r hogiau
'i fynd ymlaen' yn y Cyfarfod Gweddi hwnnw gynt yn Gad ac
yn ei eiriau ef ei hun, 'Y mwyaf annhebyg ohonynt i gyd'.
'Nid rhai cyfiawn eilw Duw, Dic Bach!'

Cydnabyddir:

Owen Parry, Llangefni (cefnder).

T. P. Roberts, Bodffordd.

Mary Evans, Llangefni.

Idris Jones (Llandegai), Abergele.

Meirwen Hughes, Abergele.

Mair Jarrett, Trawsfynydd.

Edward Jones, Cwm Prysor.

Parch. Dafydd Hughes-Jones, y Rhyl.

Cwmni Tapas, Cibyn, Caernarfon, am y fideo
'Eisteddfod Dinbych 2001'.

JOHN CHRISTMAS EVANS
(1909–1996)

John Evans â'i gwmni drama o Gapel Gad.

Dau ddosbarth, neu ddwy alwedigaeth, bwysicaf Môn ers talwm, fyddai porthmona a phregethu. Dyma'r pencampwyr ymhlith cerddwyr Cymru mewn oes a fu pan fu'r porthmyn a'r gyrwyr yn cerdded eu gyrroedd o Fôn i Barnet, Smithfield neu Ashford o 1300 hyd 1870. Yn ôl llythyrau Trefeca a dyddiaduron y Methodistiaid cynnar bu'r pregethwyr hwythau'n teithio'r wlad er yn gynnar yn y ddeunawfed ganrif, gan fanteisio weithiau ar ffyrdd y porthmyn. Yn ei lythyr at Howel Harris ar 20 Mehefin, 1749, cyfeiria William Richard, 'Bore Llun cychwynnais ar daith am Sir Fôn... i Benmachno ac oddi yno i Lanberis a Waunfawr a thua chanol dydd, cyrraedd Sir Fôn.' Yr oedd rhai o'r Methodistiaid yn berchen meirch cyflym a drudfawr i'w taith, fel yr edrydd yr hen rigwm hwnnw,

> Howel Harris ar ei hors
> O Lanerchymedd i Lan y Gors;
> Oddi yno i Garreg Lefn
> A baich o ddiawliaid ar ei gefn.
> (*Methodistiaeth Fore Môn*, W. Griffith,
> Llyfrfa'r MC, 1955. t. 99)

Yr oedd sawl drws ar agor i'r pregethwyr cynnar hyn ond bu cryn erlid a gwrthwynebu arnynt mewn mannau eraill. Un o'r cartrefi hynny a groesawodd bregethu oedd Chwaen-wen ym mhlwyf Llantrisant; felly, nid rhyfedd mai Capel Ty'nmaen yw un o eglwysi hynaf y Methodistiaid ym Môn.

Ar aelwyd Tremoelgoch yn yr ardal hon, ymhen blynyddoedd, y magwyd dau fab, John a William, y naill yn bregethwr a'r llall yn borthmon. Ac er i Tony Carr ddweud yn *Medieval Anglesey* (cyh. Hynfiaethwyr Môn, 1981) mai plwyf Llanfugail oedd 'the poorest parish in Anglesey', bu i amaethu da godi daear fras, maes o law, yn y plwyf hwn. Roedd yma ddigon o gyfoeth i godi pregethwr a phorthmon o'r radd flaenaf. Er bod William Evans bellach dros ei ddeg a phedwar ugain, deil i gyrchu marchnadoedd y Gaerwen, Bryncir a Dolgellau. Bydd yn craffu ar y gwartheg stôr yn y cylch heb sbectol, cap na ffon. Mae'n borthmon wrth reddf. Ac er bod y bri a fu ar y ddwy alwedigaeth hon wedi peidio, eto, fe roes y ddau frawd hyn safon ac urddas i'r ddwy swydd. Ond, er difyrred stori'r porthmon, hefo'r pregethwr yr arhoswn y tro hwn. Fel gyda phob pregethwr arall y mae'n hynod bwysig gwybod yr hyn a allwn am ei gefndir a'i deulu.

Yr oedd John Evans yn fab i Evan a Catherine Evans a'u gwreiddiau ar gwr yr Ardal Wyllt. Yr oedd John Evans – tad Evan Evans – yn gymeriad reit arbennig. Fe'i magwyd yng Ngwaun Bangor, ger Llangefni, a bu'n ben-garddwr ym Mhencraig, Llangefni, yn ei flynyddoedd cynnar. Dyma'r oes y byddai gan y byddigions gryn falchder ynglŷn â'u gerddi. Nid yn unig yr oedd y John Evans hwn yn arddwr nodedig, fe'i cyfrifid hefyd yn dipyn o ben yn ei ddydd. Medrai ysgrifennu a darllen cystal ag unrhyw fonheddwr a byddai cryn alw arno i ysgrifennu llythyrau ar ran trigolion y Garn.

Wrth i'r teulu gynyddu, gosodwyd Penygraig, tyddyn yn ardal Llanfair-yng-Nghornwy, i John Evans a'i deulu gan ei bod yn rhan o stad Tregarnedd, Llangefni, ac yno, ar fynydd y Garn, y magodd ei dyaid o blant ac ar ei ddyfodiad i Benygraig trefnodd ardd newydd at yr un a oedd ganddo eisoes. Arhosodd William a Hugh gartref ar y fferm yn hen lanciau. Priododd Evan â merch Hafoty Rhydwyn, Catherine Hughes, teulu o Fedyddwyr selog. Yr oedd John Hughes, ei brawd, yn gymeriad siaradus a ffraeth, nodwedd a oedd mor amlwg yn John Evans, ei nai.

Symudodd Evan a Catherine Evans, ar eu priodas, i ddyddyn yn ardal Llanfwrog o'r enw Tynycae ac yno y ganwyd John Evans yn 1909. Yn ddiddorol iawn, ymhen y flwyddyn fe anwyd John Roberts, Glan'rafon, rhyw dafliad carreg o Dynycae. Dau bregethwr enwog Môn yn codi o'r un ardal yr un amser!

Fe symudodd teulu Tynycae i Dremoelgoch ym mhlwyf Llanfugail, led cae o gapel Tynymaen. Yr oedd hon yn fferm o gan erw a hanner a magwyd John Evans mewn ardal arbennig, canolfan Ymneilltuwyr cynnar gogledd Môn. Yr oedd dau ddegawd cyntaf y ganrif ddiwethaf yn flynyddoedd gwael a llwm ar amaethyddiaeth ym Môn, fel ym mhobman arall, gan fod prisiau'r gwartheg a'r grawn yn rhyfeddol o isel. Er hyn, mynnodd Evan Evans y câi John, y mab hynaf, addysg bellach nag ysgol elfennol Llanddeusant. Bu'n ddraddodiad i ffermwyr Môn roi addysg bellach i un neu ragor o'u meibion mewn ysgolion preifat ac yr oedd dewis o'r ysgolion hyn yno: Ysgol Hugh Pritchard yn Llannerch-y-medd, Ysgol Morgan Jones yng Nghaergybi ac Ysgol Cynffig Davies ym Mhorthaethwy. Cafodd John gwmni dau o'i gymdogion yn ei ysgol newydd, un o feibion Tregwehelyth, Hugh Hughes, Llywennan, a mab Cae Mawr, Rhydmwyn, cymdogion i deulu ei fam, a threuliodd John Evans ddwy flynedd digon buddiol yno.

Ac yntau bellach yn un ar bymtheg oed, daeth adref i Dremoelgoch i ddigon o waith hefo'i dad a William ei frawd. Erbyn hyn roedd ei ewythr, Hugh Evans, ar ei ben ei hun ym Mhenygraig wedi colli William ei frawd a byddai galwadau lled fynych i fynd yno i roi help llaw. Yr oedd Hugh Evans yn un o gymeriadau nodedig ardal y Garn, hen lanc, y mwyaf ffraeth o blant dynion a dysgodd John Evans iaith gyhyrog Sir Fôn a pherlau o idiomau yn ei gwmni. Ymhen amser symudodd o Benygraig i lawr i'r pentref, i dyddyn o drigain erw, Maes y Brethyn Brych. Clymwyd cryn arbenigrwydd hanesyddol wrth y tyddyn hwn gan mai yma y cafodd Evan Thomas loches pan achubwyd ef o'r môr yn blentyn bach. Dyma'r cyntaf o'r meddygon esgyrn enwog a gysylltir ag ardal Llanfair-yng-Nghornwy. Yma bellach y deuai John a William i roi help i'w hewythr ar amser cynhaeaf.

Byddai gwrthdaro parhaus rhwng Hugh Evans a Rhagluniaeth a cheid sawl ymgom a ffrae henffasiwn rhyngddynt. Un tro ar gynhaeaf gwael a hithau'n annichon cael y gwair, manteisiodd Hugh ac Owen Williams, Waenlydan, y gwas, ar fore heulog a brasgamu â'u picffyrch ar eu hysgwyddau am y cae gwair. Daeth cwmwl du o rywle, cuddiwyd yr haul a daeth ambell ddiferyn mawr o law.

'Aros,' meddai Hugh, 'waeth inni droi yn ôl, mae o wedi'n gweld ni.' Mynnai Hugh druan fod gan Ragluniaeth ryw fendeta yn ei erbyn!

Dro arall, ac yntau'n cribinio gwair gweirglodd mân a sych i'w fwdwl, cipiwyd ei helfa gan y gwynt gan adael Hugh â'i gribin yn wag. Er ymladd ei orau yn erbyn ei wrthwynebydd, fe'i trechwyd yn lân. Ildiodd Hugh yn y diwedd gan luchio'r gwair i ddannedd y gwynt gyda'r geiriau, 'Hwda fo, mi ddiffeia i di na wnei dithau ddim ohono fo heb gribin.'

Tra oedd ar ei ffordd adref o Rydwyn unwaith fe'i daliwyd mewn dilyw o gawod ddirybudd. Teimlodd y glaw yn cyrraedd at ei groen ac roedd ei draed yn wlyb diferol nes o'r diwedd safodd, wedi ei drechu'n llwyr. Ciledrychodd tua'r nef ac meddai, mewn llais dolefus, 'Hwi, bwria, mae fy nghrys isa'n wlyb trwodd, mae llond fy 'sgidia o ddŵr a llond fy nghlustiau ac oni bai fod fy nhrwyn â'i ben i lawr mi fyddai llond hwnnw hefyd ac mi fyddwn wedi mygu'n gorn.' Ond er mor rhyfedd yr esboniad ar 'ragluniaeth fawr y nef', byddai Hugh Evans yn ei chanmol hefyd i'r entrychion os teimlai y byddai o'i du!

Roedd hi'n hawdd iawn maddau popeth iddo ar gyfrif ei ddiniweidrwydd diddan a'i gwmni, y mwyaf gwreiddiol o neb. Rhywfodd cafodd lonydd i dyfu a datblygu heb ymyrraeth unrhyw gyfundrefn addysg na gorfodaeth gan neb. Cafodd fyw dros ei ddeg a phedwar ugain oed a bu John Evans, ei nai, a Richard Williams, Tŷ Wian, yn ffeind tu hwnt tuag ato i'r diwedd. Gadawodd ei ddylanwad mewn gair a gweithred ar John ei nai a bu Maes y Brethyn Brych yn ysgol dda iddo.

Bu Capel Tynymaen yn athrofa neilltuol iddo hefyd. Y mae

hanes diddorol i'r capel bach yma a godwyd gyntaf yn 1800, yn gapel unto â'r tŷ capel. Dyma'r capel hynaf yn y cwmwd eang ac yma y cyrchai'r Ymneilltuwyr o'r ardaloedd cylchynnol. Nid oedd dim modd cynnwys yr holl addolwyr yno felly roedd un ffenestr arbennig iddo a oedd yn fwa allan o'r mur, a'r pulpud oddi fewn iddi. Wrth agor y ffenestr gallai'r gynulleidfa glywed y pregethwr yn glir ac, yn aml iawn, byddai'r gynulleidfa oddi allan yn fwy lluosog na'r un oddi fewn. Yn ôl yr hanes, 'Nid peth dieithr fyddai canfod ar y Sabath o amgylch Tynymaen yng nghylch dau gant o geffylau.' Yr oedd gofyn am gryn faes i'w parcio a'u pori!

Dyma'r capel mwyaf poblogaidd ym Môn ar un amser ac, yn ei dro, deuai John Elias yma i bregethu. Fel y codwyd capeli yn Llanfwrog, Llanddeusant, Llanfaethlu a Llan -fachreth fe gollodd Tynymaen ran helaeth o'i gynulleidfa ond daliodd yn eglwys fach fyw, weithgar iawn, er colli'r tyrfaoedd. Yn y Tynymaen hwnnw y trwythwyd John Evans, Tremoelgoch, yn y ffydd Gristnogol. Dyma fel yr ysgrifenna,

> Y mae gennyf atgofion lu am gyfraniad y brodyr, yn weinidogion a blaenoriaid. Yr oedd cyfle i wrando, i fwynhau ac i werthfawrogi y rhai a ddeuai i bregethu bob Sul i Dynymaen yn foddion gras ac yn hyfrydwch. Yr oedd y pregethu yn amrywio o ran dull, dawn a dylanwad.

Yn ddiddorol iawn y mae'n enwi'r pregethwyr a glywodd yno yn ystod dau ddegau'r ganrif ddiwethaf, W. P. Owen, y Garreglefn; Richard Matthews, Nebo; William Roberts, Gorslwyd; William Davies, Cemlyn, a Robert Hughes, y Fali. Caent gyfle i glywed pregethwyr o'r tu allan i'r sir yn ystod mis Awst. Deuai R. P. Hughes, Dyserth; William Rowlands, Stockport, a'r anfarwol R. O. Williams, Cefnywaun. Yno yn ei dro hefyd deuai'r Dr E. P. Williams, gweinidog yr Annibyn -wyr, Tabernacl, Caergybi. Yr oedd Henry, ei frawd, yn flaenor yn Nhynymaen a dyna'r atyniad. Cofia John am y Doctor yn pregethu ac yn dyfynnu ar ei bregeth, emyn mawr William Morris:

> Golchwyd Magdalen yn ddisglair,
> A Manasse ddu yn wyn –

Yna byddai John Evans yn dynwared y pregethwr, 'Pam

Magdalen a Manasse, 'mhobol i? O, mi ddweda i wrthoch chi – Manasse oedd y dyn gwaethaf yn yr Hen Destament a Magdalen y wraig waethaf yn y Testament Newydd.' Yna fe gaem glywed yr hen ddoctor yn mynd ymlaen â'i berorasiwn yn null hen bregethwyr Môn,

'Pwy a ŵyr na olchir finnau?'

Cyn i'r pregethwr allu symud yn ei flaen roedd Henry ar ei draed yn y sêt fawr yn canmol, 'Well done, Roberts, carry on.' Ymhyfrydai John Evans iddo glywed y pregethu hwnnw ym Môn ac fe ganmolai ei weinidog hefyd, sef Hugh Williams, Elim. Roedd enw'r hen lanc hwn yn perarogli drwy'r sir, meddai. Un a fagwyd yng 'nghwm tecaf y cymoedd' oedd o, ac fe lynodd llawer iawn o'r tegwch hwnnw wrtho. Bu'n help mawr i John Evans ac mae'n ein hatgoffa o hynny'n gyson:

> Mae fy nyled i'n fawr iddo am gyfarwyddyd ynglŷn â gwasanaethau'r eglwys, fel cynnal seiat, cyfarfod gweddi, priodasau ac angladdau. Erys atgofion melys am yr amser difyr a dreuliais yn ei gwmni.

Yr oedd gan John ei restr o gewri'r pulpud yr ymffrostiai iddo gael y fraint o'u clywed. Bu pregethu'r rhain yn gryn berswâd arno yntau i fynd i'r weinidogaeth. Y mae'n eu henwi gyda balchder, D. Cwyfan Hughes, Amlwch; R. J. Jones, Porthamlwch; Dr Thomas Williams, Gwalchmai; Llewelyn Lloyd, Cemaes; H. D. Hughes, Caergybi; R. R. Hughes, Niwbwrch; R. W. Jones, Hyfrydle, a John Llewelyn Hughes, y Borth. Dichon, yn fwy dylanwadol na'r rhain hyd yn oed oedd myfyriwr ifanc o Lanfwrog gerllaw, John Glan'rafon. Roedd John Roberts yn bregethwr eneiniedig a bu'n daer ei berswâd ar John Evans pan ddeuai, fel myfyriwr, i bregethu i Dynymaen. Sugnodd John Evans faeth ysbrydol wrth draed y cewri hyn. Rhoesant iddo ddidwylledd y gair a chynyddodd yntau arno yn ddigon cryf i ollwng cyrn yr aradr ac ymroi i gyflawn waith y weinidogaeth. Fel y canodd Hwfa Môn am ei fam:

> Hi hoelia yn fy nghalon
> Bethau mawr Sabathau Môn.
>
> (*Cofiant Hwfa Môn*, W. J. Parry
> Manchester 1907)

Ond nid pregethu fu'r unig ysgogiad i John Evans. Ymhlith y cyfleon a gafodd yn Nhynymaen i'w baratoi, y pennaf, yn ei dyb ef, oedd cynrychioli'r eglwys yng Nghyfarfod Ysgol Dosbarth Bodedern. Nid oedd unman tebyg i'r Cyfarfodydd Ysgol i fagu hyder mewn pobl ifanc a'u gwneud yn siaradwyr cyhoeddus. Oni ddywed Ambrose Bebb:

> Ymdrafferthodd yr Ysgol Sul i ddysgu plant y werin i ddarllen eu hiaith eu hunain, i feddwl yn gyfrwys ac yn gain, ac i'w mynegi eu hunain yn groyw. Bu'r dull hwn o drafodaeth rhwng athro a dosbarth y dull mwyaf effeithiol.'

Onid rhan bwysig o beirianwaith yr Ysgol Sul yng Nghymru yn y gorffennol oedd y Cyfarfod Ysgol? Bu ambell weinidog yn bencampwr fel holwr a gwnaeth John Moses Jones, Dinas, Llŷn, gryn enw iddo'i hun fel holwr gwreiddiol, a digon doniol ar brydiau. Yr oedd W. H. Jones, Hebron, Bryngwran, hefyd yn gryn arbenigwr yn y gelfyddyd. Yn ôl y sôn byddai John Tynymaen yn fwy bywiog a chegog na neb ar lawr y Cyfarfod Ysgol a gwnaeth enw iddo'i hun er yn ifanc, enw o fod yn atebwr da – ased wych i unrhyw holwr!

Ond, heb os, yr hergwd olaf a gafodd i'r weinidogaeth fu'r cyfle a roed iddo i annerch yng Nghymanfa Pobl Ifanc Henaduriaeth Môn ym Mryndu yn 1933. Byddai'r Gymanfa honno yn un o uchel wyliau'r Henaduriaeth yn y blynyddoedd hynny. Cafodd y llanc awel dan ei adain yn un o bulpudau enwocaf Môn – Bryndu. Bu cryn sôn a sgwrsio wedi'r oedfa honno a chredai'r gynulleidfa luosog fod y gŵr hwn yn aeddfed iawn i'r weinidogaeth. Coronwyd y Gymanfa honno gan bregeth wefreiddiol y cawr o Bwllheli, y Parch. Morgan Griffith. Bu'r anerchiad hwnnw ym mhoced John nes iddi felynu, cymaint oedd ei feddwl ohoni.

Rhwng popeth yr oedd John Evans yn barod i gychwyn ar y broses golegol ar gyfer ei waith. Bu adref ar y fferm hefo'i dad a William, ei frawd, am yn agos i ddeng mlynedd ac, o ganlyniad, nid oedd yn hawdd ailgydio mewn cwrs addysg. Yr oedd balchder mawr yn Nhynymaen o gael yr hyfrydwch o godi un o'u plith yn weinidog. Holai Hugh Llewelyn

Williams wrth agor mater yn y Cyfarfod Misol, 'A ddichon dim da ddod o Nazareth?' Yn ei ddull didaro ei hun meddai Hugh, 'Wel, oes siŵr – Iesu Grist.' Aeth yn ei flaen a gofyn, 'A ddichon i ddyn mawr godi o le bach? Wel oes siŵr iawn, meddyliwch am John Evans yma yn codi o Dynymaen.' A John yn chwerthin ac yn porthi dros y lle!

Tua chanol y tri degau yr oedd dau fab Tremoelgoch yn troi allan i'w gwahanol alwedigaethau – William i borthmona a John i bregethu. Er bod byd amaeth yn rhyfeddol o dlawd a chaled bryd hynny, eto fe roes Evan Evans, eu tad, ganpunt yr un i'w feibion. Dyfalwch beth oedd gwerth can punt ddeng mlynedd a thrigain yn ôl! Rhoes John ei ganpunt ef i William, 'Cymer di fenthyg fy nghan punt i, mi fyddi di fwy o'u heisiau na mi.' Gweithred gwbl nodweddiadol ohono; fe berthynai iddo ryw garedigrwydd cwbl ddigymell.

Ym Medi 1934 rhestrwyd enw John Evans ymhlith myfyrwyr Coleg Paratoi Clwyd y Methodistiaid yn y Rhyl. Nid oedd y cyrn ar ei ddwylo caled wedi meddalu eto ac roedd lliwiau hafau a gaeafau gogledd Môn ar ei wyneb. Ni fyddai John byth yn ymffrostio, fel rhai, iddo basio rhyw arholiad neu'i gilydd ond ni chanmolai neb fwy nag ef ddylanwad rhai athrawon arno. Onid dyna yw gwir ystyr addysg yn y pen draw? Soniai'n barhaus am athrawon y gwahanol golegau, R. S. Hughes a Dewi Williams o Goleg Clwyd; yr athrylith hwnnw Syr Ifor Williams ym Mangor; yr Athro Harris Hughes yn Aberystwyth a Dr Phillips o'r Bala. Ni fu erioed fyfyriwr mwy poblogaidd nag ef gyda'i gyd-fyfyrwyr. Sonia pob un ohonynt gyda rhyw anwyldeb amdano yn ystod blynyddoedd y coleg ac yr oedd ei wreiddioldeb naturiol yn fiwsig i glust yr athrawon hefyd.

Yn ystod ei efrydiaeth yn y pedwar Coleg cadwodd John gyswllt agos â Môn ac â Thynymaen drwy bregethu'n gyson ar y Suliau, er nad oedd hi'n hawdd iawn i fyfyriwr gael cyhoeddiad o gwbl yn y blynyddoedd hynny. Yn 1934, pan gychwynnodd John Evans ar ei gwrs, yr oedd gan y Methodistiaid yn unig gymaint â thrigain o weinidogion ym Môn a thri ar ddeg o fyfyrwyr ar adeg pryd yr oedd pulpudau yn brinnach na phregethwyr. Yn ddiddorol iawn yr oedd tri o'r saith deg tri hyn â'r un enw, 'John Evans'; dyna ddryswch go iawn. Cafodd John, Tynymaen, ei ailfedyddio ac fe'i galwyd yn John Christmas Evans. Onid oedd ei fam, Catherine Evans, Hafoty, Rhydwyn, yn Fedyddwraig ac wedi'i bedyddio? Pan holodd John am enw canol i'w wahaniaethu oddi wrth bob John Evans arall, ni chafodd ei fam drafferth yn y byd. Rhoed iddo enw'r Bedyddiwr mwyaf welodd Môn erioed – Christmas Evans. Ond ni chydiodd yr enw yn nychymyg neb, rywfodd.

John Evans o Fryntwrog, a fu farw'n ŵr ifanc hynod addawol, oedd un myfyriwr arall o'r un enw. Wedi treulio rhai blynyddoedd yn weinidog yng Ngoginan, Sir Aberteifi, fe symudodd i'r Bontuchel a Chyffylliog. Dyma'r cymwynaswr mwyaf a aeth i'r weinidogaeth erioed. Gwasanaethodd ei bobl ym mhob peth yn gwbl ddiarbed. Bu farw yn ei ddeugeiniau cynnar a chanodd Wil Oerddwr deyrnged iddo:

Y Cymwynaswr

Mae gloes ym Mro Hiraethog
A chŵyn y chwithdod mawr,
Ar ôl i'r hen weinidog
Ymdrechgar fynd i lawr,
A'i gludo'n fud ar hyd y lôn
Dros Bont y Borth i Ynys Môn.

Nid gŵr mewn dillad gwychion
A rhwysg ar hyd ei rawd,
Wrth alw i weld y cleifion
Mewn cyni, oedd 'r hen frawd,
Fe roddai help ei law bob tro
I drin y cnwd, neu gludo glo.

Mae'n Annedd unig eto
A bara ar ei bwrdd,
Er galw'r hen bererin
Dros Bont y Borth i ffwrdd,
A'r Cwmwd wedi colli cawr
Fu trwy Athrofa'r Brenin mawr.

Roedd ysfa'r Cymwynaswr
Yn reddfol yn ei waed,
Yn Gristion wrth benlinio,

A bugail ar ei draed,
Roedd dawn traddodi gan y dyn
A llaw i waith ar fore Llun.

Gwnaed cronfa fawr odidog
Cyn canu'n iach i John,
Roedd llaw yr Hollalluog
Tu ôl i'r gronfa hon,
Gall ef roi cymorth hael fel hyn
I'r cymwynaswr pryd y myn.

Ond, beth bynnag am yr enw, câi John Christmas ei alw'n gyson i bregethu i Fôn. Yn ddiddorol iawn byddai Evan Hughes, blaenor yn Salem, Llanfair-yng-Nghornwy, yn codi nodiadau o bregethau'r rhai a ddeuai yno. Ar y pedwerydd ar hugain o Orffennaf, 1938, yr oedd dau fyfyriwr o'r sir yn pregethu yno. John Evans o Dynymaen a bregethodd yn y bore a chymerodd yn destun eiriau o Lyfr Exodus, pennod 32 ac adnod 26, 'Yna safodd Moses wrth borth y gwersyll, a dweud – Pwy bynnag sydd o blaid yr Arglwydd, doed ataf fi.' Rhannodd ei destun yn dri phen, fel Methodist da, gan ofyn – 'Pwy sydd ar du yr Arglwydd?'

    (i)   mewn meddwl
    (ii) mewn gair
    (iii) mewn gweithred.

Yn yr hwyr pregethodd myfyriwr arall – Huw Jones, Bethesda, Cemaes, ar y geiriau cyfarwydd, 'Deuwch ataf fi bawb ag sydd flinderog a llwythog.' Aeth y cofnodwr mor bell a chyfrif casgliad yr hwyr, sef deg swllt, ac meddai, 'Fe drosglwyddwyd y casgliad i gyd i Huw Jones!' Cawn ninnau ddyfalu beth oedd gwerth chweugain bryd hynny. Yn anffodus nid oes sôn am gasgliad na thalu i bregethwr y bore! Ond fe rydd Evan Hughes, fel prifathro ysgol, ei ddedfryd ar bregethu'r ddau fyfyriwr, 'Da iawn – rhagolygon gwych.' Bu proffwydoliaeth Evan Hughes yn eithaf gwir.

Os oedd hi'n anodd cael cyhoeddiad ar y Sul, beth fyddai siawns myfyriwr o gael eglwys wedi gorffen ei gwrs? Ac yn goron ar y cwbl, yr oedd y rhyfel ar ei waethaf yn 1941, pan orffennodd John Evans. Ond er gwaethaf popeth fe dderbyniodd alwad i ofalaeth Gad ym Modffordd a Chana yn

Rhostrehwfa, dwy eglwys fyw a gweithgar. Maes a oedd yn gweddu i'r dim i John, gan fod y ddwy ardal yn wledig ar gwr tref farchnad Llangefni. Fel y dywedodd Dilys Hughes, blaenor yng Nghana, ar ddydd ei arwyl, 'Yr oedd John Evans yn gynnyrch cefn gwlad Môn ar ei orau. Gyda'i gefndir amaethyddol a chrefyddol a'i natur werinol fe'i hanwylid gan ei bobol yn Gad a Chana.'

Cafodd aelwyd gysurus yn Nhŷ Capel Gad gyda Anti Mem, a fu fel mam iddo. Yr oedd Mrs Owen yn gynefin â chadw tŷ i weinidog ym Mhorthmadog, flynyddoedd ynghynt ond roedd y gweinidog hwn mor wahanol. Medrai balu'r ardd, ei thrin a'i phlannu a fu neb haws ei blesio wrth y bwrdd bwyd. Mi fodlonai John Evans ar stwnsh ffa, '...a fydd dim isio dim byd arall, Anti Mem,' meddai. Nid oedd y gweinidog hwn ychwaith angen napcyn, fel yr un ym Mhorthmadog.

Yr oedd cysgod rhyfel yn drwm dros y wlad a chymaint â phedwar ar bymtheg o fechgyn ifanc yr eglwys yn y lluoedd; amser hynod o bryderus i'r teuluoedd, ond, er pob gwaharddiad i ddiffodd pob goleuni, ni lwyddodd y *blackout* i ddiffodd goleuni nac oeri gwres Gad a Chana. Ymroes John i arwain ei bobl, a hynny gyda gwên a gwyleidd-dra rhyfeddol. Yr oedd dau fyfyriwr am y weinidogaeth yn aelodau iddo yn Gad – William Lloyd Price ac O. R. Parry. Bu'r ddau, fel y gallesid disgwyl, yn gwmni da ac yn gysur gwiw iddo. Mae'n wir y byddai'r ddau yn tynnu'i goes yn ddidostur ond er i'r rhyfel, yn naturiol, gyfyngu ar weithgareddau byd ac eglwys, eto cadwyd y gymdeithas hefo'i gilydd yng nghysgod y capel.

Deuai'r cwmni drama at ei gilydd yn gyson ac yr oedd Cwmni Gad yn un pur enwog, gyda Charles Williams yn cynhyrchu ac yn actio. Un o'r uchafbwyntiau oedd ennill y Ddraig yng Ngŵyl Ddrama Môn, gyda'r gweinidog yn cynhyrchu pan berfformiwyd *Pawen y Mwnci*. Perfformiwyd drama oedd yn gofyn am ddillad o'r oes o'r blaen hefyd ac fe'u cafwyd gan fenthyciwr o Fethesda. Yn ei brys, heb fesur yn ddigon gofalus, cafodd un o'r actoresau ffrog rai modfeddi yn rhy fychan. Wrth i Gwen druan ymlafnio i gael ei hun i'r dilledyn cwta rhoes y cynhyrchydd ei ben-glin ar ei mynwes gan dynnu'n ddyfal yn neupen y wisg. Llwyddodd Gwen druan i'w botymu ond ni fedrai hi anadlu na symud, heb sôn am siarad!

Ar waetha'r rhyfel, ni ddistawodd gweddïau'r saint ychwaith yng ngofalaeth John Evans a hir y cofir am ei Amen yn gymorth i weddïwr ifanc. Deuai'r plant ynghyd hefyd a byddai pob un ohonynt yn ffrindiau iddo. Medrai fynd i'w byd ac, yn wir, daeth Cyfarfod Plant yn lle wrth eu bodd, fel y dylai fod. Fe soniai lawer am Gyfarfod Plant Cana ar nos Fawrth, a chanmolai gyfraniad gwerthfawr y cwpl Hywel Wyn a Jennie yn dysgu ac yn hyrwyddo plant Cana i ganu, a'r gweinidog yn eu hymarfer i adrodd.

Yr oedd wedi etifeddu peth o ddawn Hugh Roberts, Elim, ei hen weinidog, i arwain Seiat. Mae'n debyg mai sgwrsio a chynnal trafodaeth oedd ei arbenigedd ac yn wir, deil rhai ym Modffordd o hyd i sôn am y Seiadau a geid yno. Fe'i gwnaeth yn ddiddorol a chartrefol. Medrai symud yn gwbl ddidramgwydd rhwng y dwys a'r doniol. Weithiau byddai dagrau yn ei lygaid llonydd ac yna, yr un funud, byddai chwerthin lond ei wyneb.

Ond byr fu ei dymor yn ei ofalaeth gyntaf gan iddo dderbyn galwad i Bwlan a Brynrhos yn 1946, dros y dŵr yn Llandwrog a'r Groeslon, ardal amaethyddol eto ac aeth ei rieni a'i chwaer i gadw tŷ iddo. Yr oedd yma eto ddwy eglwys hynod fywiog, a chan fod y rhyfel drosodd erbyn hyn, yr oedd y gweinidog a'r eglwysi yn llawer mwy rhydd. Yn ôl Nancy Jones, merch Tŷ Capel Bwlan, yr oedd gan John Evans amserlen lawn iawn ym Mwlan yn unig, heb sôn am Brynrhos: nos Lun ceid y Gobeithlu, nos Fawrth Cymdeithas y Bobl Ifanc, nos Fercher y Seiat a nos Iau y Gymdeithas Lenyddol. Dyna wythnos reit lawn o gofio fod raid rhannu'r gweithgareddau hefo Brynrhos. Ond fe roes John Evans o'i amser prin i Glybiau Ffermwyr Ieuanc y cylch hefyd. Byddai cystadlu brwd rhwng y clybiau hyn gan dynnu ffermwyr ieuanc o'r Rhiw, ym mhen draw Llŷn, ac o sir Fôn i gystadlu â'i gilydd. Bu'n gaffaeliad da i'r clybiau fel trefnydd a beirniad. Cred rhai o bobl Llandwrog mai yn y cyfnod hwn a thrwy weithgareddau'r Ffermwyr Ieuanc y cyfarfu John ag Eurwen, a ddaeth yn wraig iddo'n ddiweddarach. Ond yr oedd ganddo agenda ryfeddol o lawn heb roi 'caru' arni hefyd! Bu'r gweithgareddau hyn yn gyfle da iddo ymarfer ei ddoniau a bod yn gymaint o gymorth i'r ifanc. Yr oedd yn gwbl gartrefol a hamddenol ymhlith ei bobl. Dywedodd un wrthyf, 'Dyna'r mwyaf annhebyg i weinidog a welais erioed oedd John Evans.' Tybed nad oedd hynny'n gymeradwyaeth iddo? Mae hi'n hawdd bod yn rhy debyg i weinidog! Nid felly John; fe droes y garej yn gwt ieir ac, yn groes i'r arfer, nid gweinidog yn derbyn wyau oedd o ond gweinidog yn rhannu wyau. Yma eto, fel ym Modffordd, gwnaeth ddefnydd llawn o'i ardd a byddai ar y blaen am datws cynnar bob blwyddyn.

Priodwyd yr enw Bwlan â John yn fuan iawn yn ei ofalaeth newydd. Câi bellach ei adnabod ym mhobman fel 'John Evans, Bwlan'. Y mae hanes amdano ar faes yr Eisteddfod yn rhywle yn cael ei gymell i arwyddo deiseb. Wedi darllen yr ysgrifen fân yn datgan diben y ddeiseb, cytunodd i arwyddo a sylwodd mai esgob Bangor oedd yr olaf i arwyddo, a hynny yn null yr esgobion, 'John Bangor'. Arwyddodd John Evans yntau gyda'r enw 'John Bwlan'! 'Pam lai,' meddai, 'mi rydan ni'n dau yn yr un job.'

Codwyd capel Bwlan gryn bellter o bentref Llandwrog a'i guddio yn y coed. Gwnaed hyn yn fwriadol i'w guddio o olwg y pentref rhag bod y capel Ymneilltuol i'w weld o'r pentre a'i eglwys hynafol. Hawliai'r Arglwydd Niwbwrch hyn gan mai rhan o'i stad ef, Glynllifon, oedd y tiroedd cylchynol. Ond fe dynnodd John Evans ei gapel i glyw y cyhoedd, beth bynnag am i'w golwg.

Ar ddiwedd y pedwar degau nid oedd byd amaeth wedi newid rhyw lawer. Yr oedd gefail Griffith William Hughes, y gof, yn dal mewn bri yn pedoli'r gweddoedd ac yn blaenu sychod a threuliodd John Evans aml i bnawn difyr hefo'r ffermwyr yno. Byddai ambell un, heb wybod pwy oedd John, yn bytheirio weithiau mewn iaith bur flodeuog a'r gof druan yn chwysu mwy nag arfer ond byddai John yn tynnu'n hamddenol ar ei getyn heb wneud yr un sylw. Fel mab Tremoelgoch, gwyddai gymaint â'r un ohonynt am geffyl. Fe'i dysgwyd, er yn blentyn, sut i wisgo gwedd gan Thomas Jones, Cae Mawr, o'r Ardal Wyllt, pan oedd yn aros hefo'i ewythr Hugh ym Mhenygraig.

Nid oedd dinas barhaus ar stad Glynllifon eto ac yn 1955 derbyniodd alwad i Gapel y Drindod, Biwmares, Llanddona a Phenucheldre. Yr oedd hwn yn symudiad anghyffredin braidd: John Evans yn symud i dref Seisnigaidd ar lan y môr! Ond fe gâi o hyd gefn gwlad hamddenol yn Llanddona a Phenucheldre. Cwynai'r ddwy gynulleidfa hyn fod y gweinidog yn hwyr iawn yn dechrau'r oedfa. Byddai raid gorffen y gatiad weithiau, dro arall byddai John Pritchard neu rywun wedi dechrau sgwrs ddifyr. Cerddai John i mewn yn araf hamddenol gan wenu ar bawb a phawb yn maddau iddo. Ond byddai raid dechrau'n brydlon ym Miwmares gan fod gan y blaenoriaid, rai ohonynt, watsys aur yn cadw'r amser i'r funud.

Erbyn hyn yr oedd John wedi priodi ag Eurwen, oedd yn ferch i'r ceffylwr enwog Henry Rowlands, Ynys Acen, Llanddaniel-fab. Etifeddodd yntau ddawn arbennig y teulu i drin a thrafod ceffylau gwedd a daeth â chryn glod i Fôn pan werthodd eboles 'Ynys Acen Eurwen' yn ffair enwog Islington i stablau Sandringham yn 1932. Cafwyd pennawd awgrymog yn y *Cloriannydd*: 'Eboles o Fôn i'r Brenin'.

Gadawodd Eurwen Labordy'r Hufenfa yn Llangefni ac yn y man ganwyd iddynt fab a merch, Catherine a Harri, a cherddai'r plant yn ôl a blaen i bregethau eu tad. Cartrefent mewn tŷ helaeth o fewn golwg y Fenai gan gamu i balmant prysur y dref, rhywbeth newydd a dieithr i John. Aroglau'r môr a'i wymon a geid ym Miwmares ac nid aroglau pridd. Yr oedd yno siopau mawr llawn a lliwgar a phawb ar frys, heb amser i sgwrsio. Roedd hi'n enbyd aros i lenwi a thanio cetyn. Yn waeth na'r cwbl, nid oedd gardd mewn lle fel hyn, dim ond rhyw damaid o ardd silff ffenestr a phwy dyfai datws mewn lle felly? Ond fe ddaeth ymwared! Yr oedd yma alotments ar gwr y dref, wrth y castell, a chafodd gweinidog y Drindod blot ymhlith eraill yn y gerddi gosod ond cwynai John fod y ddaear braidd yn ysgafn a thywodlyd. Yr oedd tenantiaid brith iawn yn y gerddi hyn – ambell ddeimwnt go arw. Nid oedd gan arddwyr y dref fawr o glem, at ei gilydd, sut i drafod rhaw a fforch; roeddynt yn llawer mwy cynefin â thrafod beiro na choes rhaw ond roedd yn John ryw ddawn gynhenid henffasiwn braf i fedru gwneud hefo pawb. Mynnai weld daioni ym mhawb a chyda'i ysbryd eang, derbyniai'r garddwyr i gyd ac, wrth gwrs, fe gâi yntau ei dderbyn gan bawb. Synhwyrent, os oedd graddau mewn garddwyr mai'r Reverend oedd y rhagora ohonynt i gyd. Ni ellid fyth feddwl am sefyllfa na dosbarth o bobl y byddai John yn 'misfit' ynddi. Perthynai iddo garisma rhyfeddol a oedd yn fagned i bobl, ac yr oedd ganddo'r fath grebwyll i adnabod y natur ddynol yn ei holl amrywiaethau.

Y cymwysterau hyn a wnâi John Evans yn gymydog a chyfaill mor rhagorol i'w gyd-weinidogion. Daeth y Parch. Ddr Gwilym H. Jones yn weinidog ifanc o Brifysgol Rhyd-ychen i Landegfan ac yn gymydog i John yn 1956 ac nid oes taw ar Gwilym yn ei ganmoliaeth a'i ddiolch i John fel cymydog caredig a chyfaill triw. Cofia Gwilym yn dda fynd ato i ofyn ei gyngor ynghylch rhyw sefyllfa. John yn tanio'i getyn yn bwyllog a'r gweinidog ifanc yn disgwyl ateb yn eiddgar. Yn bwyllog a hamddenol dyma John yn datod y clymau helbulus a Gwilym yn ddigon gwylaidd i gydnabod, 'Y fo oedd yn iawn bob tro.' Bu'r ddau'n gyfeillion da gydol eu tymor yn Nosbarth Biwmares.

Pum mlynedd fu tymor John ar lannau'r Fenai cyn cael galwad i Fryndu, un o eglwysi enwoca'r Ynys y dyddiau hynny, ond daliai John i sôn a siarad am Fiwmaras, chwedl yntau. Yno y collodd ei dad ac yno y ganwyd y plant.

Yn 1960 symudodd y teulu bach ar draws y sir i Lanfaelog. Yr oedd yma ym Môn ddeugain o weinidogion gan y Methodistiaid yn unig ac nid oedd y dirywiad crefyddol yn amlwg iawn i bawb yma. Efallai fod y newid yn amlycach mewn ambell fan lle bu llewyrch gynt ac roedd Bryndu yn un o'r mannau hynny. Bu Diwygiad 1859 yn fwy grymus ym Mryndu nag odid unrhyw fan ym Môn ac fe arhosodd ei ddylanwad yn hir dan arweiniad olyniaeth o weinidogion rheolaidd o radd uchel. Y Parch. Griffith Wynne Griffith oedd y gweinidog rheolaidd cyntaf gan ddod yma'n ŵr ifanc disglair yn syth o Athrofa'r Bala. Fe'i dilynwyd gan D. Cwyfan Hughes, un o blant Bryndu, yntau yn syth o'r coleg ac yn rheng flaenaf pregethwyr Môn bryd hynny, gan barhau felly gydol ei weinidogaeth faith. Ar ymadawiad Cwyfan i Amlwch daeth y Prifardd William Morris i Fryndu ac fe'i dilynwyd yntau gan ŵr ifanc hynod dalentog, y Parch. Griffith Owen, eto yn syth o'r coleg.

Ond erbyn dechrau'r chwe degau yr oedd Bryndu, fel pob eglwys arall, wedi colli llawer iawn o'r gogoniant a fu iddi. Daliai John Evans i gofio'r oedfa ryfeddol honno yn 1933 pan areithiodd o bulpud y capel hwn.

Yn unol â'r gofynion Cyfundebol cydiwyd Aberffraw a Biwla yn ofalaeth fugeiliol hefo Bryndu yn 1960, ac yn ddiweddarach, unwyd Paran Rhosneigr, Engedi a Soar gan ffurfio cryn esgobaeth i John Evans. Cerddodd ei ofalaeth yn diddanu a chysuro ei bobl am ddwy flynedd ar bymtheg, hyd ei ymddeoliad yn 1977. Glynodd yr enw 'Bryndu' wrtho fel gelen hyd y diwedd ac fel John Evans Bryndu yr adwaenir ef gan bawb bellach.

Ar ei ymddeoliad daeth gŵr ifanc, y Parch. Bryn Williams, yn weinidog i'r ofalaeth a John yn dal i fyw yn Llanfaelog. Bu'r 'hen weinidog' yn dramgwydd i sawl gweinidog ifanc, a hŷn hefyd, ond nid felly y bu yng ngofalaeth Bryndu. Un o rinweddau pennaf John oedd y ffaith ei fod mor ddiwenwyn. Ymhyfrydai yn llwyddiant ei gyd-weinidogion ac fe'i canmolai ar bob cyfle. Mewn dim o dro cafodd Bryn, yn y cyn-weinidog, y cyfaill gorau allai ddymuno'i gael ac roedd aelwyd John yn llawn caredigrwydd i'r gweinidog newydd. Yn wir, tueddai John i fod yn embaras i Bryn ar adegau gan sôn yn barhaus am 'Bryn bach acw' mewn pregeth a thrafodaeth. Tystiodd Bryn Williams ar ddydd ei arwyl:

> Dysgais lawer iawn oddi wrtho am yr Ysgrythyrau, am ddiwinyddiaeth, am gymdeithaseg pobl, am yr hyn a wna'r galon yn hapus ac yn fodlon, sef ffydd syml yn Iesu Grist, dynoliaeth dda a byw mor gytûn ag sy'n bosibl â phob dyn.

Yr un eto oedd tystiolaeth y Parch. Eifion Wyn Williams, a ddilynodd Bryn Williams yn yr ofalaeth:

> Bu colli'r Parch. John Evans yn golled bersonol fawr i mi. Rwyf mor ddyledus iddo am bob cyfarwyddyd ac arweiniad a gefais ganddo yn yr ofalaeth. Yr oedd ganddo anwyldeb rhyfeddol, yn hoffus fel person ond yn gadarn yn ei farn a'i safiad, a gallai fynegi hynny heb frifo neb.

Ar gyfrif ei natur eang a'i bersonoliaeth hawddgar nid

rhyfedd y bu John Evans yn gyfaill mor deyrngar a da i bob gweinidog ac i aelwydydd ei ofalaeth.

Bu ei ddoniau unigryw yn gyfraniad neilltuol iawn i fywyd crefyddol a chymdeithasol Môn. Mynnai John grwydro oddi wrth ei destun wrth bregethu, ac ni fyddai dal i ble yr âi, ond byddai ei ddawn felys, ac ynddi dinc eglur o hen ddawn Môn, yn llwyddo i ddal a chadw ei gynulleidfa.

Bu Dafydd Cwyfan Hughes yn gyfaill a blaenor iddo am flynyddoedd, ac yn wrandawr cyson arno'n pregethu. Dyma ddywed ef amdano yn ei bulpud:

> Roedd ganddo'r ddawn brin o fod yn siaradwr cyhoeddus naturiol wrth reddf a gallai greu awyrgylch arbennig, llawn hedd ei naws mewn oedfa. Hoffai ddyfynnu o farddoniaeth Gymraeg, gan amlygu cof eithriadol. Ar adegau fe geid ganddo yr hen 'hwyl' pregethu Cymraeg a hoffai ganu gyda'r gynulleidfa, a hynny'n uchel. Nid oedd y llais o ansawdd cystadleuol eisteddfodol llwyddiannus nac wrth fodd ei ferch, Catherine, pan fyddai'n cyfeilio ar yr harmoniwm.

Cymerai John dragwyddol ryddid yn y pulpud gan godi ysgyfarnog weithiau ac yna'i hymlid hwnt ac yma, ond byddai ei ddawn storïol yn siŵr o achub y dydd iddo. Byddai weithiau yn dyfynnu emyn adnabyddus ar derfyn oedfa, codai'r hen hwyl Cymreig, deuai crac i'w lais a byddai'r awyrgylch yn wefreiddiol. Weithiau byddai'n dyfynnu darn o bregeth rhai o hen bregethwyr Môn, gan eu dynwared yn effeithiol tu hwnt. Fel Morgan Griffith Penmount yr oedd gan John Evans Bryndu drwydded i bregethu yn ôl fel y teimlai ar y funud honno.

Ond fel gweddïwr y cofir amdano. Gwnâi John argraff neilltuol drwy ei weddïau ar aelwydydd; byddai ei ddawn a'i eneiniad yn cyffwrdd y galon. Cofiaf rannu gwasanaeth hefo fo unwaith, ar aelwyd Cnwchdernog yn Llanddeusant, cartref William Pritchard yr Ymneilltuwr cynnar ym Môn. Yr oedd parlwr yr hen dŷ fferm yn llawn y prynhawn hwnnw, gyda'r bobl yn pwyso ar ei gilydd. Daliai'r gweddïwr ei het fawr ddu yn ei law gan edrych, gyda'i lygaid ynghau, i'r nenfwd isel. Cofiaf ei frawddeg agoriadol:

> Mae hi'n hawdd iawn codi allor i Ti yn fama, Arglwydd mawr; yma y bu un o dy blant yn erfyn am dy help. Do, bu

William Pritchard ar ei liniau yn fama, yn galw arnat i'w gynnal. A dyma ninnau heb neb yn ein herlid yn gofyn eto ar i Ti ein cynnal a'n dal – dal y teulu bach yma yn eu profedigaeth.

Yna newidiodd ei oslef, daeth yr hen dinc i'w lais a llafarganodd hen emyn mawr Emrys:

> Arglwydd, dal ni nes mynd adref,
> Nid yw'r llwybr eto'n faith;

Safai Harri Lloyd yn glòs wrth ei ochr a'r dagrau'n powlio'n bwyllog. Yna tawelodd ei lais ac, â pheth cryndod ynddo, aeth y gweddïwr yn ei flaen:

> Doed y nefol awel dyner
> I'n cyfarfod yn y glyn,
> Nes i'n deimlo'n traed yn sengi
> Ar uchelder Seion fryn.

Ni fedrai neb ond John Evans weddïo fel yna a fedrai yntau *ond* gweddïo fel hyn. Nid rhyw act wneud oedd hi o gwbl – John yn tywallt ei enaid a ninnau, barlwriaid ohonom, yn cael ein tynnu i weddïo hefo fo. Byddai ei weddïau i gyd yn frodwaith dwt, ac yntau'n symud yn hamddenol o ddeisyfiad i ddeisyfiad a'r seibiau'n gelfydd ac mor effeithiol. Byddai'n ymwybodol mai pennaf diben y weddi gyhoeddus fyddai arwain cynulleidfa i gydweddïo. Roedd ei weddïau mor wreiddiol a dyna'n siŵr y cymhelliad i'r gynulleidfa'i ddilyn yn hytrach na stribedu'r cyfarwydd ystrydebol. Ond, heb os, yn anad unpeth arall fe gofiwn weddïau eneiniedig John Evans. Yr oeddynt mor naturiol a gwreiddiol â sgwrs rhwng plentyn a'i fam, ac onid dyna yw'r wir weddi?

Roedd John hefyd yn bencampwr ar y ddarlith ddoniol, neu boblogaidd. Yr oedd ei ddawn storïol yn ddi-ail a fu erioed ei debyg fel artist geiriau. Gwyddai i'r dim sut i dymheru a lliwio'i lais ar gyfer y dwys a'r digri. Clywais ei ddarlith 'Hen ŷd y wlad' droeon a honno'n mynd yn well bob tro, fel hen win! Yr oedd y deunydd a'r dweud, y dynwared a'r amseru perffaith yn gordiad godidog. Os byddai'n rhaid barnu, gwendid John fyddai chwerthin o flaen ei gynulleidfa! Roedd ei ddisgrifiad o oedfa'r Pastor Jeffreys yng Nghaergybi yn odidog a gallai ddynwared yr efengylwr i'r dim. Eisteddai

Hugh Roberts, Elim, yn sedd flaen pob oedfa o eiddo'r Pastor ac fel y cynhesai'r pregethwr dechreuai Hugh Roberts borthi gyda'i Amenau dwfn. Yna o gwr arall y capel dyna wich fain y Parch. John Lewis Dublin yn diasbedain drwy'r lle. Ymddengys fel pe bai'r ddau'n cystadlu â'i gilydd gan dynnu mwy o sylw na'r pregethwr druan.

Yn yr un ddarlith caem ddarn o bregeth William Davies, Cemlyn, ac yn ôl rhai a glywodd William Davies yn pregethu dalient fod y dynwarediad yn berffaith, nid yn unig o ran llais a goslef ond mewn ystum y dwylo a'r breichiau. Arferai William Davies, cyn diwedd pob pregeth, roi blagard ffyrnig a ffiaidd i rywrai na fyddent yn yr oedfa. Y 'ddiod gadarn', chwedl yntau, fyddai'r pechod pennaf yn ei olwg a thafarn y Black Lion yn Llanfaethlu fyddai tynfa llymeitwyr Llanfair-yng-Nghornwy. Dyma'r perorasiwn gan John Evans o derfyn oedfa William Davies: 'Mi rydw i wedi cael ar ddeall fod rhai ohonoch chi fechgyn ifanc yn cyrchu'r "Black" – wel clywch, mi fyddwch yn flacach o lawer os daliwch i fynd yno.'

Yn yr un ddarlith eto, byddai ganddo ddisgrifiad o'r ffoaduriaid, neu fel y galwai John nhw, 'ifaciwîs', oedd wedi cyrraedd Llanfair-yng-Nghornwy – llond ysgol ohonynt – a bu tyddynwyr a bythynwyr yr ardal honno'n dewis un neu ddau o'r plant i'w gwarchod dros dro. Aeth pawb yno, pawb ond Margiad, gwraig Wil Rowlands, Ty'n Pwll. Yn ôl y darlithydd mi roedd Margiad beth yn wahanol, neu mi roedd pawb yn wahanol i Margiad. Yn hwyr y pnawn roedd y plant druan wedi cael cartref a diogelwch, pob un ond dau – brawd a chwaer o ran arall o'r byd. Roeddynt cyn dduded ag eboni, yn ddisglair ddu ac roedd yr awdurdodau yn bur bryderus amdanynt, 'Beth wneir â'r rhain?' Ar hyn, dacw Margiad i'r ysgol, yn llawn ei ffwdan, yn holi am blentyn a gwenodd y plant bach du arni'n obeithiol. Wedi arwyddo'r dogfennau cydiodd Margiad yn nwylo'r plant a cherdded yn y canol rhwng y ddau, gan frasgamu heb yngan gair wrth ei theulu newydd. Cyrhaeddodd Ty'n Pwll, lle roedd Wil yn disgwyl, a phan welodd y plant meddai'n fygythiol,

'Arglwydd annwyl, beth sydd ar dy ben di, Margiad, mae'r rhain yn ddu?'

'Taw â rhuo, Wil,' meddai Margiad. 'Fydd dim isio

molchi'r rhain, dim ond 'u polisio nhw, sbia, tydyn nhw'n sgleinio'n ddu. Mi fydd hi'n ddigon hawdd cadw'r sglein arnyn nhw.'

Crwydrodd John Evans ymhell ac agos hefo 'Hen ŷd y wlad' ac enillai ei gynulleidfa'n llwyr. Chlywais i erioed ganddo sen na sarhad ar neb a bortreadai. Roedd ynddo lawer gormod o'r bonheddwr i beth felly.

Mae'n debyg y'i cyfrifid ymhlith y goreuon fel portreadwr cymeriadau. Craffodd ar bobl a gwrandawodd arnynt yn astud iawn ac nid rhyfedd fod ei iaith yn dygyfor o idiomau byr a bachog a gwyddai i'r dim sut i'w defnyddio. Nid rhyfedd iddo feirniadu adrodd a llenyddiaeth yn y cylch-wyliau a'r eisteddfodau lleol chwaith. Gwyddai John Evans i'r dim sut i ddweud!

Mynnai John wneud lle yn ei fywyd llawn i hobïau. Tra byddai gweinidogion eraill yn gwneud hobi o chwaraeon fel golff a chriced, bodlonai John yn ei ardd a'i weithdy. Yno y câi gysur difesur yn plannu fel Paul gynt ac fe saernïodd sawl powlen a phregeth yn y gweithdy. Mewn cwmni o weinidogion bydd y sgwrs bruddglwyfus yn siŵr o droi o gwmpas cyflwr adfydus yr Achos. Yna fe ddeuai aroglau'r Sant Bruno a John Bryndu tu ôl i gymylau o fwg, ac yntau'n holi, 'Ydach chi wedi plannu tatws, bois? Mae hi'n ddigon buan, does yna ddim tryst am farrug, cofiwch.' A dyna newid yr awyrgylch a chyfeiriad y sgwrs. Medrai enwi rhes o wahanol fridiau o datws gan ddatgan nad oedd guro ar 'Sharp-Express'.

Dysgodd y grefft o drin a thrafod coed yn gelfydd ryfeddol a chafodd beiriannau i durnio coed gan ddod yn gryn feistr ar y grefft. Yr oedd cynnyrch ei weithdy yn brawf ei fod yn saer celfydd a chanddo law dda.

Y mae Annie Humphreys o Fodffordd yn meddwl y byd o bowlen ffrwythau o'i waith. Estynnodd hi imi i'w dangos yn gywir fel pe bai yn estyn plât cymun imi. Roedd ar y bowlen waith cywrain, gwaith crefftwr da.

Yr oedd John Evans ei ewythr, brawd ei dad, yn saer a thriniwr coed tan gamp. Hen lanc oedd o, fel Hugh ei frawd, a gweithiai gyda seiri Tanrefail, Caergybi, a gyfrifid yn seiri celfydd iawn. Roedd yn gerfiwr hynod o fedrus ac mae peth o'i gerfweithiau yn dal ym meddiant y teulu ac mae'n amlwg y bu i'w nai etifeddu'r ddawn a'r gelfyddyd arbennig ganddo. Mi âi John Evans, y nai, i unrhyw eithaf er mwyn cael coedyn arbennig y byddai wedi ei ffansïo.

Ond, heb os, ar ei aelwyd a chyda'i deulu y cafodd John y cysur pennaf a'r cysgod gorau. Soniai'n barhaus mewn sgwrs ac oedfa am Eurwen a'r plant, Harri a Catherine. Fu erioed well enw ar gartref na 'Tirionfa' – yr oedd yn gweddu i'r dim i John, Eurwen a'r plant a phrofodd sawl un o'r tiriondeb a'r hynawsedd.

Deil y ffotograffwyr mai tipyn o gamp ydi tynnu llun y gwrthrych sy'n symud; mae gofyn am gryn grefftwr i hynny. Fu erioed wrthrych mwy aflonydd na John Evans Brynddu; yn wir mae fel pêl snwcer yn taro yma ac acw a dim modd ei ddal. Dyna a'i gwna'n gymeriad mor ddiddorol. Nid oes neb yn fwy anniddorol na'r dyn hwnnw y gwyddom yn iawn lle i'w gael. Snapiodd Machraeth ei gamera arno:

> Gŵr Duw oedd yn byw a bod – o gwmpas
> Gwir gampwaith y Duwdod,
> Hen ffrind bregethai'r drindod
> Y doedd ef a'r nef fu'i nod.

Yr oedd ganddo gof da, mi fu'n gyfaill gwerthfawr ac ef oedd y gweddïwr gorau.

Cydnabyddir:
Eurwen Evans, Bryndu (ei weddw).
William Evans, Bodedern (ei frawd).
Annie Humphreys, Bodffordd.
Nancy Jones (Bwlan), Llandwrog.
Enid Rowlands, Caergeiliog.
Dilys Hughes, Cana.
Gwilym H. Jones, Llansadwrn.
Bryn Williams, y Bala.
Eifion Wyn Williams, Llanfairfechan.
Dafydd Cwyfan Hughes, Bryndu.
William Williams, Bryndu.
ac i Eurwen a Catherine am baned dda!

EMRYS WATCYN THOMAS
(1919–   )

Emrys a Menna, y Bontnewydd.

Fe sonnir yn barhaus bellach am 'arallgyfeirio' ym mhob byd; nid oes dim yn sefydlog ac mae'n debyg mai amaethu a phregethu yw'r ddwy alwedigaeth fwyaf ceidwadol mewn bod. Bu amaethu yn hynod ddinewid o'r cychwyn cyntaf pan dorrodd gwawr gwareiddiad, ac eithro mewn offer a pheiriant. Felly hefyd y pregethwr; arhosodd yntau'n ddigon digyfnewid o ran diwyg a dyletswydd. Cyhoedda ei bregeth o bulpud mewn llan neu gapel yn gywir fel y gwnâi'r hen bregethwyr gynt. Yr unig newid amlwg yw maint y gynulleidfa sy'n gwrando arno. Bu peth newid, hefyd, tua phum degau'r ganrif ddiwethaf pan symudwyd stondin ambell weinidog beiddgar i ganol byd diwydiant, ar yr un gwastad â'r gweithwyr. Gosodwyd caplaniaid yn rhai o weithfeydd diwydiannol de Cymru yn y cyfnod hwn a phenodwyd caplan diwydiannol ar safle Atomfa'r Wylfa ym Môn. Bu'r Parch. Arthur Meirion Roberts yn gaplan llawn amser yma dros gyfnod codi'r Atomfa. Ond gyda gostyngiad sylweddol yn rhifau'r gweinidogion bu raid galw'r caplaniaid i warchod a chynnal y gyfundrefn fugeiliol.

Bu'r amaethwr yn llawer mwy mentrus na'r pregethwr ac fe gydiodd y syniad o arallgyfeirio yn ddyfnach. Gwnaed bythynnod bach del o hen adeiladau'r fferm a'u gosod i ymwelwyr haf. Agorwyd pyrth y fferm led y pen er mwyn i'r ymwelwyr gael hamddena o gylch y cneifio a chynaeafu'r cropiau. Agorwyd siop ar ben y lôn a arweinia i fuarth y fferm a gwerthir yno yr holl gynnyrch yn ffres o'r pridd lle gynt y byddai llwyfan y caniau llaeth.

Ond ceir eithriadau. Yn y bennod a ysgrifennodd am ei atgofion fel Warden yn y gyfrol *Drws Agored* (Gareth Maelor, Gwasg Pantycelyn), cyfeiria Emrys Thomas at sylw bachog a beiddgar gan Syr Ifor Williams, a oedd â gofal dros fyfyrwyr y Methodistiaid ym Mangor: 'Y ddau beth mwyaf boneddi-gaidd a wnaeth yr "Hen Gorff" oedd anfon cenhadon i'r India ac agor cartref i blant amddifad yn y Bontnewydd.' Dwy stori y mae Cymru benbaladr yn ymfalchïo ynddynt, dau ddigwyddiad a fu'n arallgyfeiriad i genhadaeth yr Eglwys Gristnogol. Perthyn y genhadaeth honno i'r India i'r bedwar-edd ganrif ar bymtheg a pherthyn Cartref y Bontnewydd i ddechrau'r ugeinfed ganrif.

Yn ddiddorol iawn bu dau fab y Parchedig T. Llewelyn Thomas (Eilian), y Fali, Sir Fôn, sef Ednyfed ac Emrys, ynglŷn â'r ddau beth 'boneddigaidd' yma.

Erbyn tri degau'r ganrif ddiwethaf yr oedd meibion gweinidogion Môn yn troi i fyd y gyfraith yn hytrach na dilyn eu tadau i'r weinidogaeth. Aeth dau fab H. D. Hughes, Caergybi, i Brifysgol Aberystwyth i ddarllen y gyfraith, felly hefyd Wyn ac Eifion, meibion E. P. Roberts, Penygarnedd. Dewisodd Dafydd Morgan yntau, mab J. E. Hughes, Bryn-siencyn, y gyfraith yn hytrach na'r proffwydi. Bu i eraill ddewis byd meddygaeth ac addysg. Ond yn wahanol i drend a ffasiwn yr oes, dilynodd Ednyfed ac Emrys eu tad i'r weinidogaeth, ond gweinidogaeth wahanol.

Tybed beth fu'r ysgogiad? Tybed a oes a wnelo eu tras a'u teulu rywbeth â'r peth? Yr oedd eu tad, Eilian, yn gymeriad amryddawn a diddorol ac yn fab i'r enwog J. W. Thomas, Brynmelyn, y Waunfawr yn Arfon. Yr oedd J.W. yn gerddor o gryn fri ac yn arweinydd y gân hefo'r Methodistiaid yn y Waunfawr. Ef oedd arweinydd y côr meibion enwog hwnnw,

'Y Waun Fawr Glee Party'. Yn ôl Arfon yn y *Cerddor* 1906, 'Yr oedd cyngherddau Hogia'r Waun yn wleddoedd i'w cofio am oes.' Yr oedd J. W. Thomas yn fardd o safon hefyd ac enillai'n gyson yn eisteddfodau'r ardaloedd. Fe'i dewiswyd yn arweinydd gan ei gyd-weithwyr yn y Chwarel fel Llywydd yr Undeb a maes o law fe'i dyrchafwyd yn Arolygwr y Chwarel. Dywedodd ei hen weinidog amdano pe bai J.W. wedi mynd i'r weinidogaeth buasai'n sefyll ymhlith y goreuon o bregethwyr.

Ond fe aeth ei fab, T. Llewelyn Thomas, i'r weinidogaeth, yntau wedi etifeddu dwy awen ei dad fel bardd a cherddor.

Mae'n anodd meddwl am well darpariaeth i'r weinidog- aeth nag a gafodd Eilian gartref, yng nghapel y Waunfawr ac yn y gymdeithas ddiwylliedig a oedd i'w chael ar ddiwedd y bedwaredd ganrif ar bymtheg ym mro'r chwareli. Manteisiodd ar ysgol dda arall hefyd. Yn 1891 penodwyd Robert Arthur Williams (Berw) (1854–1926), yn ficer Betws Garmon a churad parhaol y Waunfawr. Yr oedd Berw'n dioddef o anhwylderau corfforol a oedd yn rhwystr iddo eistedd a châi gryn drafferth i ysgrifennu. Yr oedd Eilian yn troi ei ddeg oed ar y pryd ac yn blentyn siarp. Gwnaeth y person ddefnydd buddiol o'r bachgen i ysgrifennu ei weithiau barddol ac fe dystia Eilian y bu Berw'n ddylanwad mawr arno, ac yn ysgol dda iddo. Yr oedd Berw'n gyngan- eddwr rhwydd a bernir bod ganddo ddawn arbennig iawn i ddisgrifio golygfa neu bersonau ac enillodd gadair Eisteddfod Genedlaethol Llundain yn 1887 â'i awdl i'r Frenhines Victoria. O ganlyniad i ddylanwad y ficer bu gan Llewelyn Thomas gryn barch tuag at yr eglwys esgobol gydol ei oes.

Ond, wedi rhai blynyddoedd yn gweithio yn y chwarel, derbyniwyd Eilian i'r Athrofa ddiwinyddol yn y Bala. Yr oedd yn fyfyriwr aeddfed iawn a daliai i farddoni ac i ymddiddori ym marddoniaeth a llên ei genedl. Cyn cwblhau ei gwrs yno cyhoeddwyd cyfrol fechan o'i waith, *Caniadau Eilian* (1906). Yn ei gyflwyniad iddi fe ddywed y Prifathro Ellis Edwards (1844–1915),

Llefara'r gyfrol drosti ei hun, ni raid i'r awen ddweud pwy

yw wrth neb sy'n adnabod acen ei lais. Seinia fiwsig natur ei hun i rai oeddynt yn bŵl iddo. Rhydd ysgafnhad i lawer calon, distewa lawer cwyn a gostegu donnau blinder.

Geiriau o gymeradwyaeth uchel gan brifathro i'w fyfyriwr a brawf fod Llewelyn Thomas yn gryn athrylith yn nyddiau ei efrydiau yn y Bala. Er nad yw'r Bala yn bell iawn erbyn heddiw o'r Waunfawr, mae'n amlwg fod cryn bellter rhwng y ddeule ar ddechrau'r ugeinfed ganrif yn ôl yr englyn canlynol,

Hiraeth am y Waunfawr

Wedi'r helynt a'r wylo, – o Feirion
    Rhyw fore caf hwylio;
    Rhyw awydd trist rhoddi tro
I'r Waun yn fy nghur heno.

Cychwynnodd y Parch. T. Llewelyn Thomas ar ei weinidogaeth yng Nghemaes, Maldwyn, ond byr fu ei dymor yno a'r un modd byr fu ei arhosiad ym Mhrenteg, Tremadog, ac yn Nant Peris a Phenmachno. Yna yn 1930 symudodd i Fôn a'i sefydlu yn Nhabor, y Fali, gan gartrefu yno gydol ei weinidogaeth. Yr oedd yn olynu yn y Fali lenor gwych a Chymreigydd brwd – Robert Hughes. Yr oeddynt ill dau o'r un anianawd yn union. Fel gŵr hynod o amryddawn fe wasgarodd Llewelyn Thomas ei ddoniau i sawl cyfeiriad a thrwy hynny fe gyfoethogodd fywyd diwylliannol a chrefyddol Môn. Bu ar hyd ei oes yn ddyn llawn a phrysur fel bardd, llenor a phregethwr.

Nid yn unig bu Llewelyn Thomas yn symbyliad i'r ddau fab ddewis y weinidogaeth, bu eu mam hefyd yn ddylanwad nodedig ar Ednyfed ac Emrys, a hi a roes iddynt eu henw canol – Watcyn – gan mai Kate Watcyn oedd ei henw cyn priodi. Fe'i magwyd yng Nghefnddwysarn, Meirionnydd, ac roedd ei thad yn saer ar stad y Rhiwlas, y Bala. Yr oedd yn gyfnither i Margaret Elin, mam y diweddar Barch. Huw Llewelyn Williams, y Fali. Nid rhyfedd felly i feibion Llewelyn a Kate Thomas ddewis y weinidogaeth a hwythau wedi'u magu yn nhraddodiadau gorau Ymneilltuaeth, a bu iddynt ill dau lynu wrth yr egwyddorion hynny.

Bu'r genhadaeth dramor yn rhan bwysig o fywyd Eglwys

Bresbyteraidd Cymru ers dros ganrif a thyfodd yr eglwys ar y maes cenhadol tu hwnt i bob disgwyl, lawer mwy na'i mam eglwys yng Nghymru, a bu'r Parch. Ednyfed Thomas â rhan amlwg a blaenllaw yn y twf eithriadol hwnnw. Tua diwedd y chwe degau fodd bynnag, bu'n rhaid i'r holl genhadon adael yr India oherwydd helyntion a bygythiadau gwleidyddol.

Bu Ednyfed yn fyfyriwr ymroddgar ryfeddol gan ennill gradd yn y celfyddydau ac mewn diwinyddiaeth. Cafodd ymarfer buddiol tu hwnt am ddwy flynedd ar ôl gadael y Coleg (1943–45) fel gweinidog cynorthwyol gyda'r Parch. James Humphreys yn Rhosllannerchrugog. Yno bu'n gofalu am Aelwyd yr Urdd yn y Rhos, cyfle a fu'n ddarpariaeth gwych iddo fel athro yn y maes cenhadol yn ddiweddarach a chydnebu ei ddyled i James Humphreys ac i'r Rhos.

Gadawodd y Rhos yn 1945 a chafodd ei wir ddymuniad – aeth i Cherapunji fel cenhadwr ifanc. Yr oedd yn ieithegwr da ac mewn dim o dro meistrolodd iaith Gasi yn ddigon da, nid yn unig i bregethu ynddi, ond i bregethu gyda'r angerdd a'r hwyl oedd mor nodweddiadol o bregethu Ednyfed mewn unrhyw iaith! Pregethai gyda mesur da o ffraethineb ac o hiwmor a apeliai at y brodorion. Parhaodd Ednyfed yn efrydydd gydol y blynyddoedd a chredai mewn addysg a phwysigrwydd addysgu er mwyn rhyddhau pobl o gaethiwed anwybodaeth.

Yn fuan ar ei ddyfodiad i'r maes cenhadol fe'i penodwyd yn brifathro Coleg Diwinyddol Cherapunji, a rhoes gyfraniad neilltuol o werthfawr i waith y genhadaeth. Fe'i hanrhydeddwyd yn llywydd y Gymdeithasfa ar Fryniau Khasia ac fe'i cyfrifai'n anrhydedd fawr pan ofynnwyd iddo ddadorchuddio cofeb i Thomas Jones, y cenhadwr cyntaf yn Cherapunji. Yr oedd Ednyfed yn ymwybodol iawn mai ef oedd y cenhadwr olaf yno.

Ar ei ddychweliad yn ôl i Gymru yn 1965 fe'i penodwyd yn Drefnydd Cymdeithas y Beiblau yng Ngogledd Cymru. Cawsom ganddo gyfrol swmpus a gwerthfawr o hanes y genhadaeth dramor, *Bryniau'r Glaw* (Pantycelyn, 1988), a'i gyfraniad gwerthfawr yntau iddi.

Ond mae a wnelom ni â'r mab ieuengaf, y mab a wnaeth gyfrif rhyfeddol ohono'i hun. Tra ymddiddorai'r tad mewn llenyddiaeth a barddoniaeth, a thra ymroes y mab hynaf i'w efrydiau, ymgollai Emrys mewn pregethu. Llwyddodd i ddal cwt oes pregethu mawr poblogaidd Sir Fôn a chafodd ddigon o liw yr haul hwnnw cyn iddo fachlud, lliw a arhosodd arno mewn tymheredd oerach o lawer wedyn. Yn ôl ei gyfaddefiad ei hun, 'Pregethu a'm hysgogodd i'r weinidogaeth. Yn wir nid mynd i'r weinidogaeth a wnes i, ond mynd yn bregeth-wr.' Tra ymgollai'r tad yn ei englyn diweddaraf ac Ednyfed yn ymgodymu â chystrawen ddieithr yr iaith Roeg, yr oedd Emrys newydd glywed fod Llewelyn Lloyd i bregethu yn Rhosgoch y noson honno. Aeth ati yn ddiymdroi i gyweirio'r beic a galw heibio cyfaill neu ddau i ymuno yn y bererindod. Nid oedd hi'n drafferth yn y byd cael cwmni i wrando pregeth, ac yn siŵr i wrando ar Llewelyn Lloyd. Y fo fyddai ffefryn Emrys Thomas, os nad ffefryn pawb yn Sir Fôn.

Deil Emrys i sôn am ffefrynnau'r pulpud tua diwedd tri degau'r ganrif ddiwethaf: Cwyfan Hughes, Amlwch (bu ef yn y *top ten* yn hirach na neb); H. D. Hughes, Caergybi; John Llewelyn Hughes, y Borth; R. J. Jones, Porthamlwch; J. Owen Jones (Hyfreithlon), Caergybi, a'r mwyaf ohonynt i gyd, Llewelyn Lloyd.

Cyfareddwyd Emrys Thomas gan bregethu'r cewri hyn ac ni chollai'r un cyfle i'w clywed, yn bell ac agos. Byddai oedfa a chyrddau pregethu, ar wahân i'r Sul, bob wythnos rywle ar Ynys Môn yn y tri degau, ac ni chollai Emrys yr un ohonynt. Pan ddechreuodd bregethu yr oedd tinc ac angerdd pregethwyr mawr y cyfnod i'w clywed yn ei lais ac nid rhyfedd iddo ddod i'r amlwg, yn gynnar iawn, fel pregethwr hynod o addawol. Meddai ar bersonoliaeth hawddgar a gosgeiddig gyda llais swynol ac enillgar. O ran pryd a gwedd y mae'n debyg iawn i J. W. Thomas, ei daid, ond heb y mwstás! Yr oedd yn hynod o boblogaidd yn Henaduriaeth Môn fel myfyriwr a chred rhai mai ef oedd y pregethwr ieuengaf i bregethu yn Sasiwn Môn yng Nghaergybi yn ôl y sôn. Bu galw cyson arno i bregethu yn uchel wyliau pregethu ei genedl ac yng nghyrddau pregethu pob enwad. Rhoes o'i orau i'w bulpud ac fe ddeil yn iraidd a newydd yn ei bregethu ar ôl dros drigain mlynedd, er i'r werin golli archwaeth am bregethu ac i bregethu golli grym ac i bobl yn gyffredinol golli diddordeb mewn pregethu.

Wedi cwblhau ei gwrs addysg cychwynnodd yn y weinidogaeth draddodiadol ym Maldwyn, fel ei dad, ond dewisodd Emrys Lanbrynmair. Yma yn 1946 rhoes dro cwta i lawr i'r de, i'r Trinity, Llanelli. Oddi yno i eglwys Nazareth, Penrhyndeudraeth, nes derbyn galwad i'r Bontnewydd yn 1959. Bu blynyddoedd cynnar Emrys yn ddigon tebyg i'w dad, methu'n lân â tharo ar y lle iawn ond bu'r symudiad i'r Bontnewydd yn dyngedfennol yn hanes Emrys a Menna, ei briod. Fu erioed wraig na rannodd fwy nac yn ddyfnach yng ngweinidogaeth ei gŵr na Menna. Fe hawliodd y swydd o Warden Cartref plant amddifad eu hymroad yn llwyr; nid Wardeniaid ar gartref fuont, ond yn hytrach rhieni, tad a mam, i dyaid mawr, mawr o blant dieithr. Chwarae teg i'r ddau ohonynt am wneud yn siŵr na châi plant Cartref y Bontnewydd fyth fod yn blant un rhiant. Nid rhyw wraig gweinidog ddelfrydol, dduwiol a fu Menna ond mam â chymaint o gariad tuag at blant amddifad ag at ei phlentyn ei hun. Fe ddywed yr hen ddihareb Iddewig, 'Ei phlant a godant ac a'i galwant yn ddedwydd.'

Magwyd Menna ar aelwyd arbennig yn y Wigoedd, Rhoscefnhir, Pentraeth. Heb os, yr oedd John Jones (Dyfnan), ei thad, yn un o werinwyr mwyaf diwylliedig yr Ynys. Yr oedd yn gynganeddwr rhyfeddol o rwydd ac anfonai englynion i'r *Cloriannydd* a *Chymru'r Plant* ac yntau ond yn ddeunaw oed. Fe ddywedir na fu gan neb erioed well clust i gynghanedd nag ef. Aeth, fel eraill, i lawr i'r de i geisio gwaith ac fe briododd wraig yno. Dychwelodd y ddau i Fôn yn ystod Streic Fawr 1926 a chael tenantiaeth y Wigoedd. Ganwyd iddynt dri o blant, Emyr, fel ei dad yn werinwr darllengar ac yn llenor a ffermwr da, 'gwaetha fo yn ei ddannedd'. Roedd Olwen, yr ail blentyn, yn nyrs drwyddedig o St Giles a ddaliodd swyddi cyfrifol ar bwys ei chymwysterau. Yna Menna, yr ieuengaf, a yfodd mor helaeth o ddiwylliant ei chymuned a'i chapel ac a ddaeth ag anrhydedd arbennig i'r fro honno pan enillodd y wobr gyntaf ar yr unawd Gymraeg yn Eisteddfod Genedlaethol 1955. Fe gofir yn hir am y perfformiad neilltuol hwnnw.

O gofio testun y llyfr hwn mae'n briodol i ni ddyfynnu englyn mawr Dyfnan i Lanfaes (nas cyhoeddwyd),

> Erw dawel gerllaw yr heli – y coed
> Wedi cau amdani,
> O aros uwch llwch cewri
> Llanfaes fydd y maes i mi.

A ninnau'n cofio mai sôn am lwch odid y tri phregethwr mwyaf a glywodd Môn y mae ef yn yr englyn.

Agorwyd y cartref i blant amddifad yn y Bontnewydd ym mis Mawrth 1902 yn sgil gweledigaeth Robert Ellis. Daliodd y Prifardd Gerallt Lloyd Owen awyrgylch yr oes honno,

> Yn naear y Bontnewydd
> Maen ar faen yn sylfaen sydd:
> Yn sylfaen i breswylfod
> Yn sail Duw i'n byw a'n bod;
> Ac ym meini'r gymwynas
> Y mae'r grit ynghlwm i'r gras.
>
> Yn ias oerni eu siwrnai
> Mae dôr ar agor i rai
> Diaelwyd; o heolydd
> Eu dyrys hynt un drws sydd:
> Drws angen, drws ieuengoed,
> A drws nas caewyd erioed.
>
> (*Drws Agored*, Gwasg Pantycelyn, 2002)

Teimlai Emrys a Menna her a chyfrifoldeb i adeiladu ar seiliau'r weledigaeth wreiddiol honno. Yr oedd y byd pan symudodd y ddau yno yn 1962 mor wahanol i fyd drigain mlynedd ynghynt, gyda'i awyrgylch oes fictoraidd ddi-wên a deddfol – dyddiau'r wialen fedw i gadw rheolaeth a threfn ar blant ym mhob cartref, ac yn siŵr mewn cartref i amddifaid. Ond daeth Emrys a Menna i Gartref y Bont ar ddechrau'r chwe degau siglog a'r gymdeithas oddefol, benrhydd. Bydd rhaid gweld cyfraniad y ddau yng ngoleuni'r cyfnod rhyfedd ac ansefydlog hwnnw.

Ynghlwm â'r alwad i'r Bontnewydd yn Ionawr 1959 yr oedd y swydd o Ysgrifennydd-Gyfarwyddwr a gweinidog y 'Teulu'. Yr oedd lleihad amlwg yn nifer y plant yn y Cartref yn Bontnewydd erbyn hynny er bod cynnydd sylweddol yn nifer cyffredinol plant amddifad a difreintiedig a oedd angen lloches. Yr oedd yn rhaid hysbysebu, a chofiwn yn dda nad oedd dim yn digwydd ar ddechrau'r chwe degau ond yr hyn a hysbysebid. Daeth yr idiom deuair 'hys-bys' yn boblogaidd. Dyma ddechrau cracio cragen rhyw breifatrwydd hen a oedd yn cadw'r Cartref hyd braich oddi wrth y cyhoedd. Cafwyd ffenestri parod yn y cylchgronau enwadol ac ar faes yr Eisteddfod, a honno yng Nghaernarfon yn 1959! Rhoed caniatâd i blant y pentref ddefnyddio cae chwarae'r Cartref, gan alluogi'r plant i gyd-chwarae â'i gilydd.

Penodwyd Emrys a Menna yn swyddogol yn Wardeniaid yn haf 1962, wedi ymddeoliad Mrs Wynn Ellis fu â gofal am y Cartref am ddeuddeng mlynedd ar hugain. Dyma gyfeiriad newydd sbon i weinidogaeth Emrys Thomas, ond er 'arall-gyfeirio' yr oedd yn 'swydd gyfundebol' a châi Emrys ddal i bregethu pob Sul. Erbyn hyn yr oedd Iolo, eu hunig blentyn, yn hogyn deg oed a dros nos, daeth Iolo druan yn aelod o deulu mawr, mawr. Nid oedd hyn yn hawdd iddo, nac ychwaith i'w dad a'i fam. Er hyn, dywedodd ei dad wrthyf mai dyna'r peth gorau a ddigwyddodd yn ei hanes, a'i fod wrth ei fodd yn cael brodyr a chwiorydd newydd ac fe ffitiodd i mewn yn naturiol i'r teulu mawr newydd. Bellach mae Iolo'n dal swydd hynod o gyfrifol fel Prif Glerc Ynadon Gogledd Cymru. Tystia iddo ddysgu cyd-fyw â phlant eraill, dysgu rhannu ac yn siŵr dysgu cydymdeimlo â'i frodyr a'i chwiorydd newydd. Ac o bob dysgu, dysgu rhannu ei dad a'i fam, a fu cynt yn eiddo cyfan iddo fo'i hun, ond bellach yn gorfod eu rhannu hefo estroniaid. Byddai Iolo'n barod iawn i gydnabod fod yr arddodiad bach 'cyd' yn rhinwedd amhris-iadwy wrth ymwneud â phobl, yn enwedig â throseddwyr.

Yn naturiol, roedd y rhieni newydd am fynnu newid rhai pethau yn eu cartef newydd ac, fel pob rhiant da, byddai'r newid er budd y plant. Yr oedd lliwiau llwydaidd y paent a'r golau gwan a gwael yn rhoi argraff cwbl ddigysur a digroeso i'r Cartref gan roi'r argraff o sefydliad yn hytrach nag aelwyd a chartref. Gyda lliwiau ysgafnach a goleuadau mwy llachar, gweddnewidiwyd y ddau dŷ yn llwyr a bu gwres canolog drwy'r lle yn fendith. Aed ati o ddifrif, ac yn ddidostur ar y pwrs, i ailddodrefnu'r llofftydd gyda gwlâu newydd ac unedau amlbwrpas, yn arbennig i'r genethod. Yn yr un modd gweddnewidiwyd yr ystafelloedd bwyta a byw a daeth y gegin hen ffasiwn dan gyffyrddiad hudlath ryfeddol y Wardeniaid, gan wario oddeutu £30,000 ar y gwaith. Ond tu ôl ac o flaen popeth yr oedd gofal am les y plant yn hytrach na balchder gwraig tŷ a fynnai gael tŷ mwy ysblennydd na neb o'i chymdogion.

Y mae pob mam am i'w phlentyn, neu ei phlant, gymharu'n ffafriol o ran gwisg â phob plentyn arall ac, os yw'n bosibl, gymharu'n well! Gynt fe osodwyd y cyfrifoldeb o ddilladu'r plant ar aelodau'r Pwyllgor Ymweld ac, yn naturiol, fe brynid dillad unlliw ac unffurf.

Mae yn Llanfair-yng-Nghornwy dyddyn o'r enw Maes y Murddyn Brych, ond fe fynn rhai mai 'Maes y Brethyn Brych' yw'r enw cywir. Yn ôl damcaniaeth y rhain fe roddwyd y tyddyn hwn yn rhodd, ac y dylid gwario'r rhent i gael dillad i blant tlawd yr ardal. Byddai'r dillad hynny, yn ôl y sôn, o frethyn brych a sâl a'r wisg yn dangos yn eglur mai plant tlawd yr ardal a'i gwisgai. Boed hynny fel y bo, ynglŷn ag enw'r tyddyn ym mhen draw Môn, y mae'n eithaf gwir mai brethyn tila a brynid fel cardod i'r tlodion. Hen syniad diraddiol creulon oes Victoria oedd hyn wrth gwrs. Yr oedd Wardeniaid newydd Cartref y Bont am chwalu pob arlliw o beth felly a rhoi'r dewis i'r plant eu hunain! Cofia Emrys a Menna y tro cyntaf y cafodd y plant hynaf fynd i dref Caernarfon i brynu a dewis eu dillad. Crwydrodd Menna cyn belled â Chaer a Lerpwl i chwilio am ddillad gyda rhai o'r genethod hynaf ffyslyd a fuasai ond mam yn gwneud peth felly. Ac yn siŵr, fe gafodd Menna ei thalu ar ei chanfed wrth weld gwên merch ifanc oedd yn falch o'i ffrog.

Cafodd y plant fynd ar wyliau i ganolfannau'r Urdd yn Llangrannog a Glanllyn y naill flwyddyn ar ôl y llall. Buont hefyd yn rhan o'r arferiad o gyfnewid disgyblion a chawsant hwythau, fel plant eraill, eu croesawu i gartrefi plant eraill a thalu'r croeso'n ôl ar eu haelwyd hwythau yn y Bontnewydd. Fel pob plentyn arall yr oedd ganddynt eu hanifeiliaid anwes fel Seimon y ci, Siwan y gath, Sali'r golomen ddof a Snowi'r gwningen wen. Polisi anysgrifenedig y Cartref oedd fod pawb i ofalu yn ei dro am yr anifeiliaid hyn, ynghyd â gofalu am yr ieir a chasglu'r wyau yn ddyddiol. Yn ychwanegol at y dyletswyddau hyn, trwy garedigrwydd un o garedigion y Cartref codwyd tŷ gwydr ym mhen uchaf yr ardd ac yr oedd rhai o'r bechgyn wrth eu bodd, dan gyfarwyddyd cymydog o arddwr, yn tyfu tomatos a chiwcymerau.

Fel pob cartref arall fe wyddai Emrys a Menna mor anodd fyddai cael dau ben llinyn ynghyd yn aml ond, yn wahanol i bob penteulu arall, byddai raid i Emrys Thomas genhadu o'r tu allan am gefnogaeth, a fu hynny erioed yn orchwyl hawdd. Mi gofiwn yn dda fel y byddai Cartref y Bontnewydd yn uchel iawn ar ein blaenoriaethau ni yn y capeli. Cof da hefyd fel y byddai plant Cemaes wrth eu bodd yn cael mynd i'r Cartref a rhyfeddem at y croeso. Daeth Emrys yn gryn arbenigwr yn y gelfyddyd o alw sylw at angen y Cartref a bu'r ymateb, fel y cydnebydd ei hun, yn syfrdanol. Fe lwyddodd i'n gwneud yn gyd-gyfranogion o'r cyfrifoldeb ac wrth yrru heibio'r Cartref teimlem fod gennym ran a chyfran, nid yn yr elw, ond yn y cyfrifoldeb o gartrefu plant difreintiedig. Cofiwn eto wrando ar lais hudolus William Morris ac angerdd yr Aelod Seneddol, Goronwy Roberts, yn lleisio'u hapêl ar ran y Cartref. Nid apêl am arian yn unig oedd hi, ond apêl at y difreintiedig a'r digartref. Lle bu gweinidogaeth debyg erioed? Rhoi cyfle i'r da ei fyd i gyfrannu a gwahoddiad i'r anghenus ddod i'r cysgod am ymgeledd.

Un o wyliau pwysicaf pob cartref, heb os, yw'r Nadolig ac nid oedd Cartref y Bontnewydd yn eithriad. Deuai'r Nadolig at y teulu mawr gyda ffrwydriad. Mewn difrif, deg ar hugain o blant nwyfus yn disgwyl Siôn Corn! Byddai'r fath syniad yn ddigon i'r creadur droi'n ôl i chwilio am deulu llawer llai! Ond, ni fethodd yr hen ŵr â chyrraedd erioed. Tra pryderai rhai rhiaint beth i'w gael i un neu ddau, yr oedd gan Emrys a Menna gymysgfa o blant yn disgwyl yn eiddgar ac fe dystia'r ddau i haelioni diderfyn gan yr eglwysi a'r cyhoedd. Byddai sawl Siôn Corn yn troi i mewn, a sawl un o'r hen draddodiad heb adael ei enw na'i gyfeiriad. Dro arall fe geid nodyn bach digon swta, 'Peidiwch â dweud wrth neb'.

Byddai derbyn y goeden Nadolig yn gryn ddefod yn y Cartref ac aelod o'r teulu fyddai'n ymorol amdani. Yr oedd

John Hughes wedi troi allan o'r Cartref tua chanol y pedwar degau i weithio ar fferm ac yn ddiweddarach fel coedwigwr yn y Glasfryn, Pencaenewydd. Yna, ar ei briodas ag Eirwen, aeth i weithio gyda'r Comisiwn Coedwigaeth yn ardal Dolwyddelan. Sicrhaodd y coedwigwr caredig hwn fod coeden Cartref y Bontnewydd yn ddrych i ryfeddu ati bob Nadolig. Ni fyddai dim yn rhoi mwy o fwynhad i John, gydag Eirwen a Delyth, y ferch fach yn ddiweddarach, na chael mynd â choeden 'adra', a honno y fwyaf yn y goedwig! Câi'r teulu bach o'r coed groeso tywysogaidd wrth gyflawni'r ddefod flynyddol ac, ar un achlysur, fe ddywedodd Delyth wrth ei mam, 'Pe bai Dad a chwithau'n digwydd gwahanu, mi faswn i'n mynd i gartra Dad i Bontnewydd.' Mae'n anodd meddwl am gymeradwyaeth uwch, yn siŵr!

Trefnid trip o'r Cartref cyn y Nadolig, i Lerpwl gan amlaf, a châi'r plant, fel plant eraill, gyfle i weld goleuadau Nadolig y ddinas honno a mynd i siopa. Ond, heb os, yr uchafbwynt i'r bechgyn fyddai ymweld â pharc enwog Goodison i wylio Everton. Byddent wedi archebu tocynnau ymlaen llaw a byddai seddau cadw iddynt. Bu hon yn bererindod flynyddol i'r Parc am dair blynedd ar ddeg ac ar eu hymweliad olaf fe'u hanrhegwyd â phêl-droed newydd, a honno wedi ei harwyddo gan sêr y tîm pan oeddynt yn bencampwyr Cwpan yr FA. Ond, fel ym mhob cartref, yr oedd rhai o'r teulu hwn hefyd yn gefnogwyr Manchester United a, chwarae teg i'w rhieni caredig, fe drefnent drip i Old Trafford weithiau!

Achlysur arall yng nghalendr pob plentyn yw gwyliau haf – toriad o'r ysgol, y dydd yn hir a'r tywydd yn braf ac wedi'r Sulgwyn byddai teulu'r Bont yn mudo i'w hafoty yn Llanfairfechan. Yr oedd y Benarth yn dŷ helaeth braf o fewn rhyw ddau gam a naid i'r môr a, chwarae teg, byddai aelodau Ysgol Sul y Nant yn paratoi te croeso mawreddog iddynt. Nid y môr fyddai'r unig atyniad; roedd yno gae swings – nefoedd pob plentyn – ac ynghlwm â'r cae yr oedd darn o dir comin a oedd yn addas i chwarae criced neu bêl-droed. Nid dyna'r cyfan chwaith; roedd yno fynyddoedd uchel a threfnid teithiau cerdded hyd eu llethrau. Byddai taith fer ar fws i Gonwy neu i Landudno yn apelio mwy at rai o'r plant hynaf. Yn wir, fe gaent y gorau o'r ddau fyd yn Llanfairfechan, er mai'r môr fyddai brenin y gwyliau. Gallwn ddychmygu'r dyrfa o blant yn prancio ar y traeth, yn rhyfeddod llwyr i'r ymwelwyr, a holai'n ddistaw 'Pwy yw'r rhain ac o ba le y deuant hefo'r holl blant?' Cafodd Emrys ei hun unwaith yn ymdrechu'n ddyfal i roi sanau am draed gwlyb tywodlyd, 'Rhowch fy hosan i, Dad,' meddai Iolo'n gwbl naturiol. Yn yr un modd galwodd Dafydd Lloyd, y crwt bach tywyll ei groen, 'Dad, rhowch fy hosan innau!' Bellach y mae Dafydd Lloyd Hughes ar staff y Gwasanaethau Cymdeithasol yn Nolgellau gydag Adran Gofal am yr Anabl. Pwy well i rannu gofal a chydymdeimlad nag un a dderbyniodd ofal ei hun?

Ar ôl tair blynedd ar ddeg fel Wardeniaid y Cartref teimlodd Emrys a Menna Thomas ei bod hi'n bryd trosglwyddo'r awenau i 'rieni' ieuengach a fyddai'n fwy ymwybodol o angenrheidiau plant. Mae'n braf edrych yn ôl dros unrhyw lwybr y bu inni ei gerdded mewn gwasanaeth. Rwy'n cofio fel y byddai Robat John, Sychnant, certmon Bronllwyd, wedi cyrraedd y dalar yn troi'n ôl i graffu'n fodlon ar y gŵys union a dorrodd. Cafodd Emrys a Menna y boddhad hwnnw wrth edrych yn ôl ar y gŵys a fu'n arallgyfeiriad ac yn weinidogaeth mor wahanol. Bu'n gŵys rhyfeddol o union.

Yn 1997 yr oeddynt yn dathlu eu Priodas Aur, hanner canrif o gyd-fyw a chyd-wasanaethu. Gwyddai Iolo i'r dim beth fyddai'n coroni'r achlysur i'w dad a'i fam – gweld yr 'hen blant' yn dŵad adref, a llwyddodd i'w galw ynghyd. Fe rannwyd yr achlysur hapus â'r cyhoedd mewn rhaglen deledu a gwelsom y cofleidio a'r dagrau, a chlywsom y chwerthin. Fe anwybyddwyd y camerâu ac fe anghofiwyd y 'sut dwi'n edrych?' arferol. Ni fedrai neb ond teulu go-iawn ymddwyn fel yna. Parlyswyd y ddau fel na allent ddweud dim.

Yn ddi-os, fe lwyddodd y ddau ohonynt i wireddu geiriau'r athro hwnnw a ddywedodd gynt fod y cartref i blant amddifad yn y Bontnewydd yn act foneddigaidd ar ran yr Hen Gorff. Bu gwasanaeth ac ymroad Emrys a Menna Thomas yn rhan amlwg o'r boneddigeiddrwydd hwnnw. Cadarnheir hyn ymhellach gyda sylw'r Arglwydd Faer a

Maeres Caerdydd ar eu hymweliad â'r Cartref, fel yr adroddir yn *Drws Agored*: '*What I have seen today is not an institution but a home, and the relationship between the children and the staff testifies to much love and care.*' Ond cyn i'r Maer a'r Faeres ddod i'r Cartref yn eu Rolls yr oedd yr annwyl Fari Lewis fyrlymus wedi ymweld â'r Cartref ar y bws, neu yng nghar rhywun arall, gan gofnodi'r achlysur yn ei cholofn wythnosol yn yr *Herald Cymraeg*, 'Y teulu dedwydd'. Ac onid dyma fu nod a delfryd Emrys a Menna o'r dechrau? Meithrin aelwyd naturiol heb arlliw o'r 'sefydliad' yn perthyn iddi a daeth hyn yn eglur iawn yn y rhaglen deledu, *O Enau Plant Bychain*. Gwelsom aelwyd o blant yn cyd-fyw ac yn cyd-chwarae'n hapus â'i gilydd. Fe'n hargyhoeddwyd nad ymdrechu i gartrefu plant amddifad a difreintiedig yw gwyrth y weinidogaeth hon ond, yn hytrach, cyfannu'r plant yn deulu. Byddaf yn hoff o gyfieithiad gwahanol yr Esgob William Morgan i bob cyfieithiad arall o'r adnod honno yn Salm 68, adnod 6: 'Duw sy'n gosod yr unig mewn teulu.' Byddai John F. Kennedy yn arfer dweud y bu i dechnoleg fodern lwyddo i wneud y byd yn gymdogaeth hwylus. Tipyn o gamp! 'Ond,' meddai'r Arlywydd, 'mae isio rhywbeth mwy o lawer na thechnoleg i wneud ei drigolion yn gymdogion.' A dyna gamp fwy!

Yn siŵr y mae i'r Parchedig Emrys Thomas a'i briod Menna le, a lle amlwg, yn Oriel Pregethwyr Môn. Y pregethwr a ddaliodd yn iraidd yn ei bregeth gydol y blynyddoedd. Tybed onid

> ... o'i bregethau'i gyd
> Y fwyaf oedd ei fywyd.'

Cydnabyddir:

Teipysgrif wreiddiol: 'Atgofion Emrys a Menna Thomas' i gyfrol Canmlwyddiant Cartref Bontnewydd – *Drws Agored*, Gwasg Pantycelyn, 2002.
Caniadau Eilian, T. Llewelyn Thomas, Llyfrfa'r Cyfundeb, 1906.
Y Cerddor, W. J. Thomas, Waunfawr, 1 Mawrth 1906.
Emyr Jones, Y Wigoedd.
John Hughes, Dolwyddelan.
Mair Roberts, Y Ffôr.

JOHN RICE ROWLANDS
(1930–   )

John Rice Rowlands.

Clymwyd darn pwysig o hanes melinwyr a Bedyddwyr gogledd orllewin Môn yn ystod y ddwy ganrif ddiwethaf wrth linach y Parchedig John Rice Rowlands. Bydd yn eithaf buddiol inni loetran peth yn datod rhai o glymau'r achau hynny er mwyn adnabod y graig y naddwyd ef ohoni. Gallwn nodi'r awr a'r lle y cychwynnodd y Bedyddwyr ym Môn ond mae'n llawer anos nodi pryd na'r lle y codwyd y felin gyntaf yno.

Roedd rhai o drigolion yr ynys yn coleddu egwyddorion y Bedyddwyr cyn 1776, ond ym mis Awst y flwyddyn honno y dechreuodd yr enwad yn y sir, dan genhadaeth David Evans, Dolau (1740–90) a Morgan Evans o'r Pentre (a fu farw 1838). Gweinyddodd David Evans fedydd credinwyr am y tro cyntaf ar 18 Ebrill 1779 yn yr afon gerllaw Rhosmeirch ac, ar 20 Mehefin 1780, corfforwyd eglwys gyntaf y Bedyddwyr yn y sir ar aelwyd Howel Thomas yn Nhrefollwyn-goed – yr eglwys a gartrefodd yn ddiweddarach yn Llangefni. Mewn dim o dro yr oedd gan y Bedyddwyr gryn 30 o orsafoedd pregethu ar aelwydydd y sir ac ym 1782 codwyd eu capel cyntaf yng Nghil-dwrn, Llangefni. Erbyn y blynyddoedd 1813–14 yr oedd cryn ddeffroad ymhlith y Bedyddwyr ym Môn a bedyddiwyd cymaint â chwe chant o gredinwyr.

Yn ôl arolwg John de Belves, gwyddom fod cymaint â thrigain o felinau ym Môn ym 1352. Melinau dŵr oedd y rhan fwyaf ohonynt, ond gan fod tirwedd Môn mor wastad yr oedd yr afonydd yn rhy araf yn aml i droi'r felin a bu'n rhaid ffurfio llynnoedd malu, a fyddai'n bur anwadal ar sychder. Cofnoda William Bulkeley, y Brynddu, gyda chryn bryder ar 24 Mehefin 1740 fod llyn malu'r Gors Rydd yng Nghlegyrog wedi sychu ac, o ganlyniad, bu'r felin ddŵr yn segur am ddeufis.

Ond, er bod melinau i'w cael ym Môn yn yr Oesoedd Canol, yn ystod y ddeunawfed a'r bedwaredd ganrif ar bymtheg y daethant i fri. Bu mwy o alw am fwyd gyda chynnydd yn y boblogaeth a chynnydd aruthrol mewn chwyddiant yng Nghymru yn ystod rhyfeloedd Napoleon (1793–1815) gan roi ffermwyr Môn dan gryn bwysau i gynyddu eu cynnyrch. Wedi'r cwbl, dyma nod amgen Ynys Môn – tyfu ŷd. Gyda'r galw am felinau codwyd yma ddiwydiant melina ffyniannus. Yr oedd melinau gwynt dros yr ynys i gyd, o Frynsiencyn yn y de i Gemais yn y gogledd ac o Gaergybi i Langoed, a'r cyfan er troi grawn yn fwyd. Yr oedd y gwynt yn was rhad ac fe wnaed defnydd helaeth ohono.

Mae'n amlwg fod codi melin wynt yn achlysur o bwys ar yr ynys, digon pwysig i Sgwier y Brynddu, Llanfechell, wneud cofnod gofalus ohono:

> *September 8, 1737:* Today foundation of the Wind Mill on Gallt-ben-ddu, Llannerchymedd was laid.
>
> *September 24, 1742:* Last Saturday finished the wind mill Tower of Llangoed erected by Henry Williams of Trosmarian, being 8 yards high above the surface.
>
> *May 8, 1743:* Foundation of Bodorgan wind mill (Hermon Mill) was laid this day.
>
> (MS. Bangor, Henblas 18)

Roedd yn waith proffidiol iawn a thelid rhent sylweddol amdanynt. Yr oeddynt yn eiddo i'r tirfeddiannwr a'r stadau gan amlaf a chofnoda Yswain y Brynddu fel y bu iddo osod Melin y Nant – melin ddŵr:

> *April 29, 1734:* This day set Melin y Nant Genedl to Lewis Humphreys ap William Prees, together with a kiln, for a term of four years at the rent of £11 10s 0d a year and he gave me 1s ernest.

Yr oedd y melinwyr yn bobl barchus ac yn perthyn i'r dosbarth canol yn y gymdeithas. Dyma paham, debyg, y cofnoda Wiliam Bulkeley, gyda pheth manylder, am achos o lofruddiaeth yn erbyn Melinydd y Frogwy:

> *April 24, 1735:* Attended the court at Beaumaris... Found Bill of Indictments against John David the miller of Frogwy for killing his maid – he was found guilty of manslaughter was burnt in the hand.

Ond mae'r achos yma'n gryn eithriad gan fod y melinwyr yn ddosbarth hynod o barchus ac yn well eu byd na'r rhelyw o'r gymdeithas. Roedd yn waith celfydd iawn ac fe'i cyfrifid yn grefft gyfrifol. Oherwydd hynny roedd perthynas rhwng y melinwyr a'i gilydd ac, yn ddieithriad, byddai'r mab yn dilyn ei dad yn y gwaith a cheir sawl enghraifft o ferch y felin yn priodi mab melin arall gan greu cyswllt agos rhwng y teuluoedd hyn a'i gilydd.

Daeth y melinau yn dirnodau hwylus dros y sir a lôn y felin yn un o'r lonydd pwysicaf mewn ardal. Yn naturiol, byddai cystadleuaeth rhwng y melinau a cheid clod neu anghlod gan yr hen feirdd gwlad, sy'n brawf o'u lle a'u pwysigrwydd yng nghefn gwlad ers talwm,

> Melin Llynon sydd yn malu
> Pant-y-Gwydd sy'n ateb iddi,
> Cefn Coch a Melin Adda
> Llannerchymedd sy'n malu ora.

Daeth tro ar fyd, a chafwyd gwelliant dramatig mewn amgylchiadau economaidd yng Nghymru wledig tua chanol pum degau'r ddeunawfed ganrif gyda galw am fwy o fwyd i fwydo'r boblogaeth ddiwydiannol. Cafwyd melinau stêm gyda rholiau dur, a falai wenith yn beilliad i wneud bara gwyn – fu'r fath drêt erioed. Tua 1870 bu gostyngiad sylweddol ym mhrisiau grawn oherwydd prisiau isel y grawn a fewnforid o'r Amerig, heb unrhyw amddiffyniad gan y Deddfau Ŷd gan roi diwedd ar felinau gwynt Môn fel dull economaidd, ymarferol.

Yng nghyfnod euraid y melinau gwynt yr oedd Achos y Bedyddwyr ar gynnydd yn y sir. Cyfeiriwyd eisoes fel y bu cynnydd sylweddol yn nifer y credinwyr a fedyddiwyd. Cynhalient oedfaon pregethu ar aelwydydd y sir a chaent bregethwyr nerthol i'w harwain. Yna, tua diwedd y flwyddyn 1791, daeth Christmas Evans (1766–1838) yn weinidog ar eu capel cyntaf, Cil-dwrn, Llangefni a bu yno am gyfnod o bymtheng mlynedd ar hugain. Ef yn siŵr oedd 'esgob Môn' ac ar derfyn y bedwaredd ganrif ar bymtheg fe godwyd Capel Coffa iddo yn Llangefni.

Yn yr un cyfnod yr oedd y Bedyddwyr yn arfaethu codi capeli yn y Belan, Llanfechell a Phentraeth a sefydlwyd Eglwysi Bedyddiedig yng Ngwalchmai, Rhosneigr a Mynydd Bodafon. Rhoddwyd ystyriaeth i'r cwestiwn o weinidogaeth sefydledig a chymhellwyd yr eglwysi i alw gweinidogion. Cafodd eglwysi Rhydwyn a Soar, Llanfaethlu, weinidogaeth rymus a dylanwadol gan ddau weinidog gorau'r sir, John Williams a William Thomas.

Ond os oedd 'awelon Mynydd Seion', chwedl Dafydd Williams, Llandeilo Fach, yn nerthu camre'r Bedyddwyr ar Ynys Môn, yr oedd hwyliau'r melinau yn swrth a llonydd. Yr oedd digon o wynt i'w gyrru ond bellach dyfeisiwyd dulliau newydd i falu'r grawn yn fwyd.

Eto, na chollwn olwg ar wrthrych y bennod hon ynghanol y melinau. Cofiwn nad Bedyddwyr oedd y melinwyr hyn i gyd, yn wreiddiol beth bynnag. Merch Pen-yr-argae oedd nain John Rice, un o Fwcleiaid Gronant, Llanfaethlu, ac roedd ei nain, Jane Broadhead, yn gyfnither i wraig John Elias – Elizabeth merch Tre'r Gof ym mhlwyf Llanbadrig, Methodistiaid selog. Eglwyswyr mawr oedd y Bwcleaid wrth gwrs. Cofnoda William Bulkeley'r Brynddu yn ei ddyddiadur fel hyn:

> *June 30, 1734:* Owen Bulkeley of Gronant read in this Church today and preached on John, chapter 5, 3rd verse, the parson being not come home from his aunt's burying

which was yesterday. This Owen Bulkeley was, six years ago, but a common labourer nothing even of a school scholar.

Medrai William Bulkeley fod yn ddeifiol yn ei feirniadaeth, hyd yn oed o'i deulu ei hun! Cais Dr Dafydd Wyn Wiliam achub cam Owen druan, trwy fy nghyfeirio at ei lawysgrif gelfydd, a phrofa dogfen o'i eiddo iddo gael gwell addysg nag a ddywed sgwier y Brynddu na'r Morrisiaid. Honna John Rice nad yw'n ddisgynnydd i'r Owen Bulkeley hwn, er holl ymdrechion ei gymydog i wneud ysgolor ohono! Ond fe gydnebydd John fod peth o waed Robert, ei frawd hŷn, yn ei wythiennau. Roedd John Bulkeley y Gronant, a oedd yn athro ysgol yn Llanfechell, yn bur gyfeillgar â gŵr y Brynddu ac aent draw i Iwerddon gyda'i gilydd am ddyddiau. Anrhydeddwyd Robert Bulkeley yn Sirydd ar 2 Ebrill 1734 ac fe'i henwir ar restr yr Uchel Reithgor ar 6 Ebrill 1741. Dyna ddigon, siawns, i brofi fod digon o waed bonheddig ym Mwcleaid y Gronant, wedi'r cwbl. Cofiwn fod hen nain John Rice, Barbara Pritchard, merch tafarn y Bull, Llanddeusant, yn briod â Robert Bulkeley y Gronant (1796–1859), genhedlaeth yn ddiweddarach na Robert y Sirydd a John Bulkeley'r ysgolfeistr. Yr oedd Barbara Pritchard – a oedd yn dipyn o gymeriad – flynyddoedd yn iau na'i phriod, a fu farw yn bedwar ugain oed ym 1894. Cofia rhai amdani'n tramwyo trwy Llanfachreth gyda'r poni a'r trap, ar ei ffordd i gapel y Sentars yno, gan mai Annibynwraig oedd hi!

I droi at deulu mam John, sef Jane Ellen, merch i Ann Owen a fagwyd yn Fethodist Galfinaidd yn Salem, Betws Garmon. Bu'n gweini yn Llundain am flynyddoedd ac yn aelod yn Shirland Road, nes iddi droi'n Fedyddwraig cyn priodi. Dr John Clifford, gweinidog eglwys Saesneg Westbourne Road, a'i bedyddiodd ac a wasanaethodd yn ei phriodas â Rowland Williams (1854–1949) yn 1884. Aethant i fyw i Felin Bodrual ger Caernarfon, cartref Rowland Williams. Yr oedd ei deulu yn hanu o gylch Llanddeusant a Llantrisant ond fe'i magwyd ym Melin Bodrual.

Symudasant i fyw i Gronant ym mhlwyf Llanfaethlu yn 1889 ond bu Ann farw yn 1891, yn bedair ar ddeg ar hugain oed, ac fe'i claddwyd ym mynwent Soar. Gadawodd ferch fach, Jane Ellen, yn dair a hanner oed ac er na chofiai ei mam, eto yr oedd yn ymwybodol iawn o'i dylanwad ar ei bywyd.

Er bod peth cymysgedd enwadol yn nheulu John Rice, fel pawb ohonom, eto mae'n Fedyddiwr o'r Bedyddwyr ac yn barod bob amser i roi cyfrif am ei ffydd. Cred fod yna fwy i etifeddiaeth na'n genynnau ac fe ymfalchïa iddo gael ei fagu a'i godi mewn teulu ac ymhlith eglwysi o Fedyddwyr selog. Daeth yn gynnar iawn yn ei fywyd i adnabod Bedyddwyr Ynys Môn yn weddol dda, a'i gynefin a'i filltir sgwâr gynnar oedd y diriogaeth sy'n ymestyn o Lanfachraeth, ar lan afon yr Arw, i Rydwyn wrth odre Mynydd y Garn, ac yna, ar draws i Landdeusant a Llantrisant tu mewn i gwmwd Talybolion. Hawlia John gyswllt â phedair o eglwysi'r Bedyddwyr yn y rhan olgeddol hon o Ynys Môn – Pontyrarw, Llanfachraeth, Horeb, Llanddeusant a Rhydwyn a Soar, Llanfaethlu. Ffurfiant ddau gylch gweinidogaethol a thaith bregethu o ddwy eglwys yr un ond, yn bwysicach yn nyddiau ieuenctid John Rice, ffurfient ddosbarth Ysgolion Sul y cofia ef mor dda amdano ac am y Gymanfa Blant a'r te parti a oedd yn atyniad mor bwysig i blant yn yr oes honno. Yr oedd Cyfarfod Ysgol yn bwysig iawn i bob enwad drwy'r wlad yn y dyddiau hynny. Yn y gylchdaith hon y daeth John, er yn ieuanc, yn ymwybodol o weithgareddau eglwysi bach yng nghefn gwlad Môn. Teimlai'n hynod o bwysig yn mynd i Rydwyn ar gefn ei feic ar bnawn Sul i gynrychioli Ysgol Sul Pontyrarw yn y Cyfarfod Ysgol hollbwysig. Er bod Rhydwyn a Horeb, Llanddeusant, yn go bell o Lanfachraeth ar y beic, eto yr oedd John yn ffodus fod ganddo berthnasau ddigon yn y pedair ardal hyn. A fu neb tebyg i bobl Môn am adnabod eu perthnasau a gwneud defnydd buddiol ohonynt mewn angen!

Gan fod Rowland Williams, ei daid, yn ddiacon yn Soar, yno y deuai'r teulu i'r bregeth pan oedd John yn blentyn. Bu Rowland Williams yn golofn gadarn ac yn gynghorwr diogel i'r achos yn Soar oddi ar iddo symud i'r Gronant o Felin Bodrual yn 1889. Fe rannwyd y Gronant, y tŷ a'r tir, rhwng Rowland a'i frawd, William Rhys (Rees). Yr oedd William yn ddiacon selog ym Mhontyrarw yn Llanfachraeth. Parhâi Soar a Rhydwyn yn ofalaeth hwylus i bwrpas gweinidog. Bu'r

Parchedig Glyndwr Rees yn weinidog hynod o ddylanwadol yma am ddeng mlynedd ar hugain, o 1934 tan 1965. Pwy all fesur cyfraniad a dylanwad sawl gweinidog i fywyd cefn gwlad? Yr oedd Glyndwr Rees yn ysgolhaig goleuedig iawn ac yn gryn awdurdod mewn Hebraeg, ac eto fe ddewisodd aros yn y cwr eithaf hon o Fôn gydol ei weinidogaeth. Fe allesid dweud amdano yntau fel y dywedodd T. Rowland Hughes am Fedyddiwr arall... 'Yr Hen Weinidog'. Na, ni phesychodd Glyndwr Rees erioed ei ffordd i'r Cyngor Sir, nac i unrhyw gyngor na phwyllgor arall. Cydnebydd John Rice ei ddyled a'i ddiolch iddo.

Os ydym am edrych ar linach y Rowlandiaid hyn, y mae gweithred Capel Horeb Llanddeusant ar gael. Yn y Weithred gynharaf yn 1822, y mae enw dau hen hen daid i John Rice fel dau ymddiriedolwr. Rhoddwyd y les yn wreiddiol ar y tir gan Meyrick, Cefn Coch. Bu farw un o'r ddau hen daid, Rowland Tyrer y Gorwil (Caernarfon Farm, Llanddeusant heddiw), cyn arwyddo'r weithred. Rhoes yr hen daid hwn ei enw cyntaf yn gyfenw ar bedwar o'i feibion, yn ôl arfer y Cymry yn yr oes honno a chanddo ef y cafodd John Rice Rowlands ei gyfenw yntau. Daeth amryw o feibion Rowland Tyrer a'u plant hwythau yn ddiaconiaid ac yn swyddogion gweithgar ar eglwysi'r Bedyddwyr yn y cylch hwn a thrwy'r sir.

Rowland Williams yw'r hynafiad arall a arwyddodd weith-redoedd Capel Horeb, yntau'n hen hen daid i John Rice. Aeth ef i fyw i'r Selar, Llanddeusant, yn 1816 a pharhaodd y teulu yno hyd amser Howell, y dyn deallus, a'r hen Richard syml ac mae'r teulu ym Melin Selar hyd heddiw. Bu gan Rowland Williams ran amlwg a dylanwadol yn sefydlu'r achos yn Horeb gan sicrhau tir i godi'r capel a bu un o'i feibion, Richard Williams (1823–1915), a ddilynodd ei dad yn y Selar, yn ffigwr dylanwadol a gwreiddiol ym mywyd Bedyddwyr Sir Fôn am flynyddoedd lawer.

Tynnwyd y ddau deulu at ei gilydd pan briododd mab Rowland Tyrer, sef William Rowland, ag Elizabeth, merch Rowland Williams, y Selar. Ar ôl priodi symudodd y ddau i fyw i Dyddyn y Caerau yn Rhydwyn, yn agos i Borth Swtan – llecyn godidog yng ngolwg y môr – ac yno y buont weddill eu dyddiau. Yr oedd iddynt saith o feibion ac yn ddiddorol iawn, daeth y saith yn felinwyr tra enwog ac yn Fedyddwyr da.

Bu Melin Machraeth (Melin Aber Alaw) yng ngofal Rice Rowlands, taid John Rice, ac fe'i gweithiodd am well na phum mlynedd ar hugain ar ddiwedd y bedwaredd ganrif ar bymtheg. Synhwyrodd Rice Rowlands yn gynnar yn yr ugeinfed ganrif fod yna newid byd ar ddod a bu'n ddigon hirben, fel dyn busnes craff, i adeiladu warysau ar gwr Cob y Fali fel y gallai fewnforio blawd o Lerpwl. Prynodd injan stêm Fordson yn 1914 i dynnu wagenni'r felin a symud y blodiau'n gyflymach. Roedd yn ddyn busnes medrus a chyfrifol iawn a chredai fod rhaid symud hefo'r oes. Wedi ei farw yn 1920 tynnwyd melin enwog Aber Alaw i lawr a defnyddiwyd y cerrig i godi Bryn Aber, cartref John Rice. Rice Rowlands oedd pumed mab Tyddyn Caerau ac yr oedd yn fonheddwr a berchid gan bawb. Ef oedd trysorydd Capel Pontyrarw a thrysorydd Cymanfa Bedyddwyr Môn. Bu'n hynod o hael i'w gapel ac i Gymanfa Bedyddwyr Môn ac yr oedd ganddo ddiddordeb dwfn yn ei enwad a chadwodd gysylltiad â Bedyddwyr Cymru drwy fynychu Undeb yr enwad.

Ar ymddeoliad Rice Rowlands fe'i dilynwyd gan ei fab, Robert Bulkeley Rowlands, tad gwrthrych y bennod hon. Yr oedd Melin Machraeth ymhlith melinau mwyaf yr ynys a gwasanaethai gylch eang cyn belled â Bryngwran, Gwalchmai ac Aberffraw, ar wahân i ardal glannau'r Alaw. Erbyn hyn, yr oedd y melinau stêm yn ennill tir ar y melinau gwynt. Bu i storm enbyd yn 1917 brysuro tranc Melin Machraeth trwy ddadfachu ei chap a difrodi'r hwyliau ac mewn dyddiau mor ansicr, ni chredid ei bod yn werth rhoi costau mawr arni. Fe'i gwerthwyd mewn ocsiwn ynghyd â'r tir gan Stad y Garreglwyd a'r Berw i Robert Bulkeley, ond nid fel melin mwyach.

Yn 1921, flwyddyn wedi marwolaeth ei dad, gwerthodd Robert Bulkeley y busnes blawd ar gob y Fali i'r North Shore Mill Company gan fod Robert ag awydd ffermio a phorthmona. Yr oedd yn gyfaill mawr â theulu'r Gardner, Albanwyr a ddaeth i'r Fali fel melinwyr llwyddiannus; yn wir yr oedd Richard Gardner a Robert Bulkeley mor glòs â

Dafydd a Jonathan. Roeddynt ill dau yn berchen tiroedd da ac aent i Iwerddon i brynu gwartheg stôr. Yr oedd Richard yn ffermio Cleifiog Fawr, y Fali a Thregarnedd Bach, Llangefni, tra ffermiai Robert Rowlands Aber Alaw ynghyd â thiroedd cysylltiol ym mro Llanfachraeth.

Gan fod Gardner yn hanu'n wreiddiol o Swydd Gaerhirfryn, yr oedd ynddo dueddiadau a diddordebau gwahanol i frodorion Môn ac âi ef a'i gyfaill i Old Trafford yn flynyddol i wylio'r Test Match. Y nhw, yn ddi-os, fyddai'r unig ffermwyr o Fôn yno! Câi'r ddau hwyl yn chwarae criced ar lawntiau Bryn Aber hefyd.

Robert Bulkeley Rowlands oedd melinydd olaf Melin Machreth ar ddechrau dau ddegau'r ganrif ddiwethaf ac, fel y cyfeiriwyd, defnyddiwyd ei cherrig i godi Bryn Aber, sy'n gartref o hyd i'r Parchedig John Rice Rowlands.

Bu Melin Llynon, Llanddeusant, dan ofal Robert Rowlands, un arall o'r saith brawd, hyd ei chau ac yr oedd mewn cyflwr drwg iawn erbyn 1930. Bellach Melin Llynon ar ei newydd wedd yw'r fwyaf poblogaidd o holl felinau'r wlad. Costiodd £120,000 i'w hadnewyddu yn wyth degau'r ugeinfed ganrif – y nefoedd a ŵyr beth fyddai'r gost heddiw. Beth feddyliai Robert Rowlands, tybed, pe gwyddai mai ei felin ef yw'r atyniad ymwelwyr mwyaf ar Ynys Môn?

Dewisodd John a Richard Rowland, dau frawd o'r saith, aros gartref yn Rhydwyn fel melinwyr. Yr oedd hon, Melin Drylliau (Crugmor Fawr) a godwyd yn gynnar yn y bedwaredd ganrif ar bymtheg, yn dirnod hwylus ryfeddol i'r llongwyr. Dilynwyd John Rowlands fel melinydd yma gan ei fab, Rowland William Rowlands, a bu ef yma hyd 1914 pan ddinistriwyd y felin gan dân. Cafodd Rowland Williams ddwy brofedigaeth – y tân a ddinistriodd ei felin ac, ychydig flynyddoedd ynghynt, lladdwyd plentyn iddo pan drawyd ef ag un o hwyliau'r felin. Daeth William Rowlands, brawd arall o deulu'r melinwyr, i felin Llanbadrig yng Nghemais, a dyfodd yn borthladd bach reit addawol yn nau ddegau'r bedwaredd ganrif ar bymtheg gyda chynnydd yn y fasnach o gynnyrch amaethyddol rhwng Cemais a Lerpwl.

Y mae gan William Bulkeley'r Brynddu sawl cyfeiriad yn ei ddyddiadur o'r ddeunawfed ganrif am y dynion yn cario ŷd i'r llong yn harbwr Cemais. Atgyweiriwyd y porthladd yn 1828 i gyfarfod â gofynion y fasnach, a dyma'r flwyddyn y codwyd melin Cemais ar ael y bryn rhwng Cemais a Llanfechell.

Bu cryn newid dwylo yn y felin yn y blynyddoedd cynnar. Dilynwyd John Williams gan William Rowlands yn chwe degau'r ganrif a gwyddom oddi wrth *Windmills of Anglesey* a ddyfynna o'r *Sutton's Directory* ei fod yno yn 1895. Tebygol iawn ei fod yno hyd ddechrau'r ugeinfed ganrif, pan roes y felin yng ngofal ei nai, John Rowlands. Yn 1918 prynwyd y felin gan John Richard Roberts, mab Isaac Roberts, saer melin enwog – crefft nodedig iawn. Cyfeiria Dr Dafydd Wyn Wiliam at un go arbennig yn ei *Gofiant i William Morris* (Bodedern, 1995), sef Richard Jones a oedd yn gefnder i'r Morrisiaid ac yn byw yn Nhyddyn Melyn, gerllaw Eglwys Llanfihangel-tre'r-Beirdd, cartref eu taid. Dyma fel y cyfeiria William Morris at ei gefnder Rhisiart mewn llythyr at ei frawd Richard Morris yn Llundain (MLi251–2) yn 1753:

> …y mae'n dilyn yr hen grefft, saer melinau, a'r gorau ydyw yn y wlad.

Mae'n amlwg fod Isaac Roberts yn saer pur enwog hefyd gan y cofia'r Parch. John Rice Rowlands fel y byddai ei dad yn canmol Isaac Roberts fel saer melina ac yn ei gyrchu gyda'r ferlen a'r trap i drin melin Llanfachraeth. Yn ôl R. B. Rowlands, fu neb tebyg i'r hen Isaac am ddarganfod unrhyw anhwylder mewn melin! Er nad oedd perthynas rhwng John Roberts, melinydd Cemais, a theulu'r Rowlandiaid, eto yr oedd melinydd Llanbadrig a'i deulu yn Fedyddwyr selog iawn.

Dewisodd Rowland, mab arall o deulu melinwyr Rhydwyn, felin y Gaerwen, Melin Sguthan, a saif rhwng Melin Maengwyn a Melin Berw yn y gymdogaeth. Ychydig o'i hanes sydd ar gael, tebygol y perthyn i ddiwedd y ddeunawfed ganrif. Daeth dyddiau'r felin hon i ben yn 1913 ac yn 1917 fe'i rhoed ar dân yn fwriadol er mwyn cael gafael yn y metalwaith i ddibenion y rhyfel.

Aeth Owen Rowlands, yr olaf o'r saith brawd, i gadw Melin Dulas a Melin y Graig, Llangefni, a godwyd yn 1829.

Saif y felin hon, fel yr awgryma'r enw, ar graig amlwg a'i gwnâi'r hynod o anodd i'r ffermwyr gario'r grawn yno dros wyneb y graig. Mae'n debyg mai mewn partneriaeth y bu Owen yn y felin hon gan fod ganddo ofal dros felin ddŵr Dulas.

Dyna'r saith brawd; saith melinydd mewn melinau pur enwog tu mewn i gwmwd Talybolion, ac eithrio Melin y Graig. Gwyddom y bu Rice Rowlands, y pumed brawd, yn bur weithgar gydag achos y Bedyddwyr ym Mhontyrarw ac yn gefn i Gymanfa Bedyddwyr Môn, ac âi yn ei dro i'r Undeb hefyd a diau y bu i'r chwe brawd arall fod yn gefnogol a gweithgar gydag enwad y teulu yn y sir. Gwyddom y bu i dri ohonynt fod yn ysgrifenyddion ac yn swyddogion yn eu heglwysi.

Eto ychydig o bregethwyr a gweinidogion a geir yn nheulu'r Rowlandiaid o gofio eu bod yn Fedyddwyr mor amlwg ym Môn. Yr oedd Richard Rowlands, Bodrowydd (1772–1872), o'r un cyff – yn un o 'gywion Christmas' fel y'i gelwid. Roedd yn un o'r gweinidogion cynorthwyol, pan oedd Christmas Evans yn esgob Môn. Bu'r gweinidogion hyn yn gaffaeliad mawr i enwad y Bedyddwyr yn y blynyddoedd cynnar a chyflawnent eu gwaith yn egwyddorol ac yn gwbl ddi-dâl. Daeth Richard Williams yn weinidog Capel Gwyn ger Bryngwran yn ddiweddarach. Ffermwr gweddol gyfforddus ei amgylchiadau ydoedd, fel John Michael, y Borth, Llanfaethlu, yntau yn weinidog cynorthwyol. Ni chyfrifid Richard Rowlands yn bregethwr mawr ond yr oedd yn neilltuol o ddawnus fel gweddïwr a byddai Christmas Evans yn falch ohono i ddechrau oedfa iddo gan ei fod yn creu awyrgylch briodol a'i gwnâi hi'n llawer haws iddo yntau bregethu.

Mewn cyfnod diweddarach cawn weinidog arall o dŷ ac o dylwyth y Rowlandiaid, sef Richard Lloyd Jones, cefnder i'r Parch. John Rice Rowlands. Bu Richard yn weinidog yng Ngharrog, Glyndyfrdwy, Llangadog, Cwmifor a Chyffordd Llandudno. Richard a John Rice fu'r unig ddau weinidog yn y teulu ond y mae'n anodd meddwl am deulu yn unman a gyfrannodd fwy i achos y Bedyddwyr ym Môn a thu allan, ac i felinyddiaeth ar yr ynys am ddwy ganrif o'r bron.

Wel, dyna'r graig y naddwyd mab y felin ohoni, y Parch. John Rice Rowlands. Yr oedd melina'n segur ym Môn erbyn dyddiau John ond yn siŵr, hyd yn oed pe baent oll yn malu, i'r weinidogaeth gyda'r Bedyddwyr y byddai John wedi mynd.

Bu ei gyfraniad yn neilltuol i Fedyddwyr Môn a Chymru fel bonheddwr Cristnogol. Bu'n weinidog da i Iesu Grist, yn bregethwr coeth ac yn brifathro cydwybodol a gweithgar i goleg ei enwad.

John Rice fyddai'r cyntaf i gydnabod nad ar bwys ei hiliogaeth dda yn unig yr aeth i'r weinidogaeth. Cydnabu yn fwy na neb ei ddyled, nid yn unig i'w deulu a'r cysylltiadau, ond hefyd i'r dylanwadau a'r argraffiadau a dderbyniodd gan yr eglwys a'i magodd ac yn arbennig gan weinidogion Môn a thu allan ac yr oedd yn llawer iawn parotach i sôn am y rhain nag amdano'i hun. Mae'n naturiol y byddai'n sôn am Soar, Llanfaethlu, a'r pregethu a glywodd yno dros y blynyddoedd. Llwyddodd Glyndwr Rees, y gweinidog, i ddal sylw John er yn blentyn ysgol ifanc iawn a diamau y bu hyn yn ysgogiad naturiol iddo ddewis ei lwybr. Deuai'r Parch. Hugh Jones o Fanceinion yn ei dro i Soar. Yr oedd cysylltiad rhyngddo ef a theulu Bryn Aber – ef a briododd dad a mam John – ond er ei fod yn Wncwl Hugh, cydnebydd John ei fod yn bregethwr maith a diflas, yn enwedig i lafn o hogyn. Ond beth bynnag oedd barn y llencyn, yr oedd Hugh Jones yn bregethwr cyrddau mawr. Y oedd yn fab Tan y Bryn, Rhydwyn, a bu'n weinidog ar ddiwedd y tri degau yng Nghaergeiliog a'r Fali.

Bu gan y Bedyddwyr ym Môn ddau fath o weinidog – y rhai a fu yma am dymor a rhai a arhosai am oes. Cafodd John gyfle i adnabod y rhain yn dda gan y deuent i Bontyrarw yn gyson pan oedd o'n llanc ifanc. Cofia am D. R. Owen yn weinidog ym Mhontyrarw o 1932 hyd 1941, pan symudodd i Gemais. Pregethwr poblogaidd a dawnus ydoedd a chofia John y bu cynnydd amlwg ym maint y gynulleidfa a chryn frwdfrydedd yng ngweithgareddau'r eglwys yn ystod ei weinidogaeth yno. Daeth Alwyn Owen, ei fab, yn weinidog i Ainon, Bodedern yn 1938 – gweinidog ifanc hynod o weithgar yn arbennig ym myd y ddrama a chyfeiriadau cymdeithasol eraill. Cydnabu John ei ddyled i'r gweinidog ifanc hwn gan mai ef, yn anad neb, a enynnodd ddiddordeb John mewn pregethau a phregethwyr. Aent ill dau i gyrddau pregethu'r cylchoedd, a oedd mor boblogaidd bryd hynny, a chaent gyfle i wrando ar rai o fawrion yr enwad: Jubilee Young; Morgan Griffith; Robert Ellis, Tycroes; John Llywelyn Hughes, y Borth a'r Prifathro Tom Ellis Jones, Bangor. Yna, rhwng 1941 a 1949, bu eglwys Pontyrarw yn ddifugail a rhoes hyn gyfle i John wrando ar amrywiaeth o bregethwyr o Sul i Sul. Un o'r rheini oedd y Parch. R. E. Davies a roes oes gyfan yn weinidog yn y Tabernacl, Llannerch-y-medd, a Mynydd Bodafon hefo'r Bedyddwyr. Yr oedd R.E. yn gymeriad nodedig iawn, rhadlon a phwyllog, llawn addfwynder naturiol, a phregethwr manwl a gofalus ei baratoi. Deil rhai i sôn o hyd am ei bregeth ar gymal o'r pader: 'Dyro i ni heddiw ein bara beunyddiol'. Pregethodd gyda rhyw arddeliad rhyfeddol yng Nghymanfa Bedyddwyr Môn yn Llannerch-y-medd yn 1977 ar y testun: 'Bydd ffyddlon hyd angau ac mi a roddaf i ti goron y bywyd.' Roedd yn batrwm o ŵr bonheddig ac fe wisgodd yn dda yn Athen Môn, Llannerch-y-medd. Bu'n ysgrifennydd Cymanfa Môn am dair blynedd ar ddeg ar hugain ar gyfrif ei drefnusrwydd a'i ddoethineb.

Cofia John yn dda am William Jenkins a fu'n weinidog Penuel, Llangefni, o 1930 i 1958. Hen lanc hwyliog a direidus ydoedd ac fe'i cyfrifid fel gweinidog i bawb. Nid oedd yn fawr o bregethwr; rhyw bregeth heb din na phen iddi, a'i lais yn bur aneglur yn trio'i thraddodi. Yn wahanol i lawer âi'n well pregethwr wrth heneiddio ac yn llawer haws gwrando arno. Cofir ef yn fwy am ei weddïau. Bu'n symbylydd da i bobl ifanc y sir yn nyddiau bri y mudiad 'Urdd y Seren Fore'. Arweiniodd orymdaith o bobl ifanc ym mhasiant dathlu canmlwyddiant Christmas Evans yn 1938 trwy strydoedd Caergybi a chwaraeodd ran Christmas Evans yng Nghapel Bethel i gloi'r dathlu. Rhoes William Jenkins a Prys Owen, gweinidog y Methodistiaid yn Llangefni, urddas neilltuol ar y weinidogaeth Ymneilltuol yn y dref ac fe berchid y ddau gan bawb drwy'r sir.

Hanner olaf ei weinidogaeth faith a dreuliodd y Parch. H. H. Williams, y Gaerwen, gŵr cadarn ac unplyg, yma yn ei fam ynys. Dychwelodd yma i Fôn yn 1924 ac ymddeol yn 1953, ddwy flynedd cyn ei farw. Ni chyfrifid yntau'n bregethwr amlwg ond roedd ei bregethau'n goeth tu hwnt ac ôl meddwl dwfn ar bob cyfansoddiad o'i eiddo. Fe'i dilynwyd yn y Gaerwen gan John Rice Rowlands. Yr oedd H.H. yn hanu o Lanfaethlu ac fe gofia John Rice yn dda amdano, yn her ŵr oedrannus, yn pregethu yn Soar ar achlysur dathlu hanner can mlynedd y capel. Deil John i gofio'i destun a sylwadau ei bregeth ar orchymyn yr Iesu: 'Ewch a dywedwch wrth ei ddisgyblion, ac wrth Pedr.' Dyma dri phwnc y bregeth honno: (1) Cariad Crist yn cyfarch pawb wrth ei enw; (2) Cariad Crist yn cyfarch er i ddynion ei wadu; (3) Cariad Crist yn dal yn ei ddiddordeb o'r tu draw i'r bedd.

Mae amryw o Fedyddwyr hynaf Môn yn dal i gofio'r Parch. Joseff James a fu'n weinidog yng Nghapel Salem, Amlwch. Yr oedd ef yn dipyn o biwritan ac yn closio at y Pentecostiaid. Pregethai ar sgwâr Amlwch ar nos Sadyrnau gan ddyrnu'n ddidrugaredd ar bechodau'r oes. Bu ei bregethu plaen yn foddion i daro sawl aelod o Salem ond er hyn fe gadwodd ei le a'i barch yng ngolwg pobl Amlwch.

Gweinidog am oes fu'r Parch. Morton Jones hefyd a fu'n weinidog y Bedyddwyr yn Rhosybol am ddeugain mlynedd ac a berthynai i'r hen oes o bregethu. Roedd yn ffermio hefo'i frawd a chadw'r post yn y pentref a châi amser i fugeilio'i braidd bedyddiedig. Yr oedd yn bregethwr da iawn ar brydiau; arwydd o hynny fyddai pan estynnai ei law tu ôl i'w glust, fel pe bai'n awchu i wrando arno'i hun!

Gyda'r fagwraeth a'r cefndir nodedig yna mae'n naturiol ddigon mai i'r weinidogaeth yr aeth John Rice, a phan gwblhaodd ei gwrs yn Ysgol y Sir Caergybi, yr oedd yn siŵr o'i lwybr. Enillodd ddwy radd ym Mhrifysgol Cymru Bangor: gradd anrhydedd yn y Gymraeg a gradd safon uchel mewn Diwinyddiaeth. Treuliodd dair blynedd ar ddeg hapus a hynod lwyddiannus yn ei ofalaeth gyntaf yn y Gaerwen a Phencarneddi yn y Star ac aeth yn ddwfn i serch ei bobl a'i glymu â hwy mewn cyfeillgarwch, sy'n dal o hyd. Yr oedd yn bregethwr hynod o dderbyniol ac enillai ei bobl ar gyfrif ei foneddigeiddrwydd naturiol.

Yn 1969 derbyniodd alwad i Fethel yn nhref Caergybi –

symud o'r wlad i dref arbennig iawn. Ni chafodd John drafferth yn y byd i glosio at bobl y dref hon ac ni chawsant hwythau ychwaith unrhyw anhawster i glosio at eu gweinidog newydd. Nid oes pobl yn unman a gafodd eu cam-ddeall a'u camadnabod fel pobl Caergybi a go brin iddynt faddau i Bobi Jones am ei feirniadaeth annheg ohonynt yn *Crwydro Môn* (Llandybïe, 1957). Bu'r wasg hithau yn ddigon annheg â Chaergybs ond fe dystia John Rice, fel amryw ohonom, mai 'hen bobol iawn' ydi'r rhain. Cafodd weini-dogaeth lwyddiannus yn eu plith er bod y dirywiad yn amlwg erbyn hyn – diwedd y chwe degau tan 1984. Cafodd rhyw weddill ffyddlon yn y dref a fu'n driw iddo ac fe dystia y bu'r pymtheng mlynedd yn gyfnod arbennig o hapus yn ei hanes.

Ar ymddeoliad y Prifathro H. R. M. Lloyd o Goleg y Bedyddwyr ym Mangor yn 1984, apwyntiwyd y Parch. John Rice Rowlands i'r swydd. Yr oedd peth newid yn yr adran ddiwinyddol ym Mangor erbyn hyn gydag adran newydd ar Astudiaethau Beiblaidd. Yr oedd John Rice yn rhan o'r adran hon ac yn darlithio ynddi ac fe gymerodd at ei swydd newydd yn gwbl ddidramgwydd. Mantais iddo fu'r ffaith na pheidiodd â bod yn fyfyriwr ymchwilgar ers gadael y Brifysgol a bu â'i fys yn drwm ar byls y byd diwinyddol. Cafodd yma eto, yn y ddarlithfa, dymor y bu ei ddylanwad a'i gyfraniad yn fuddiol a da. Ymddeolodd yn 1995, nid i'r 'siding' ond i gadw golwg ar fywyd y 'main line' a phob amser yn barod â'i gymorth a'i gyngor. Er mai yn ei filltir sgwâr y dymunai John Rice fod, ac fe roes gyfraniad amhrisiadwy i'r cylch hwnnw, bu ei gyfraniad a'i wasanaeth i'w sir yn rhyfeddol o werthfawr. Cyfrannodd i'w genedl hefyd. Y genedl y bu mor deyrngar iddi ac y cynhaliodd ei rhinweddau gorau.

Arafwn i sylwi ar ei gyfraniad arbennig a'r anrhydeddau haeddiannol iawn a dderbyniodd yn y tri chylch – sef yn lleol, yn sirol ac yn genedlaethol.

Yr oedd Eglwys Soar, Llanfaethlu, yn dathlu canmlwydd-iant codi capel fis Gorffennaf eleni (2003) a'r Parchedig John Rice Rowlands oedd eu pregethwr gwadd – un o blant Soar, y bu ei deulu yn gefn mor werthfawr iddo. Yr oedd John yn ymwybodol iawn fod Capel Soar a chapeli'r cylch wedi chwarae rhan bwysig yn ei fywyd ac ym mywyd pobl yr ardal, yn eu profiad, yr hyn a gredent ac yn arbennig yn y cysylltiadau a'u clymai wrth ei gilydd fel pobl. Ni châi John drafferth yn y byd i uniaethu ei hun â'i gynulleidfa y noson honno wrth ddathlu. Gallai yntau ddweud, 'Yma mae beddrodau'n nhadau ac yma mae eu plant yn byw'.

Cyhoeddodd ei destun o Lyfr y Salmau, Salm 84, a'r adnod gyntaf: 'Mor brydferth yw dy breswylfod, O, Arglwydd y Lluoedd.' Rhoes ddarlun o'r pererinion yn cyrraedd o'r diwedd i olwg pyrth y deml yng Nghaersalem ac yn canu'r emyn mawr hwn. Yn y cyswllt yma cyfeiriodd at gapeli Ymneilltuol Cymru trwy lygaid T. Rowland Hughes yn ei gerdd 'Blychau' yn *Cân neu Ddwy, T. Rowland Hughes* (1948):

> Nid ydynt hardd, eich hen addoldai llwm,
> Pa ddwylo a'u lluniodd hwy,
> Yn flychau sgwâr, afrosgo, trwm
> Yn foel, ddiramant, hyd y cwm.

Soniodd y pregethwr am y cyfnod, ganrif yn ôl, pan oedd y fath frwdfrydedd i godi'r capeli ac ysgoldai i gyfarfod â gofyn ac anghenion y byd oedd ohoni. Dyna'r ysbryd a gododd gapel newydd yn Llanfaethlu yn 1903 a'i alw'n Soar. Holodd beth yw gwir brydferthwch a phennaf amcan addoldy, boed eglwys, boed gapel, boed ysgoldy, boed unrhyw fan cyfarfod. Gadawodd i Benjamin Fransis ateb yn ei emyn a geir yng *Nghaneuon Ffydd*:

> Prydferthwch penna'r babell yw
> Dy bresenoldeb Di, ein Duw.

Gyda gair byr, difyr o ragymadrodd i'w bregeth, daeth at ei fater gan ofyn, 'Beth ddylai'r addolwr ei gael yn y Cysegr?' Aeth ati i ateb y cwestiwn, gan nodi mai'r cyntaf oedd 'Cyfarfod Duw'. Dyn yn hiraethu am Dduw a geir yn y Salm. 'Yr wyf yn dyheu hyd at lewyg am gynteddau'r Arglwydd, y mae'r cyfan ohonof yn gweiddi'n llawen am y Duw byw.'

Yna dyfynnodd eiriau adnabyddus Awstin Sant: 'Does yma ddim gorffwys i'n calonnau nes gorffwys ynot ti,' ac yna'r adnod, 'Lle y byddo dau neu dri wedi dod ynghyd yn fy enw i, yr wyf yno yn eu canol hwy.' Diben Soar a phob addoldy arall ydi bod yn fangre i gyfarfod â Duw, y Duw yr ydym yn ei adnabod yn Iesu Grist. Cyfeiriodd at y ddau gyfrwng mawr yn yr addoliad i gyfarfod â Duw, sef pregethu a gweinyddu'r Cymun gan sôn sut y bu i hyn ddigwydd yn Soar dros y ganrif ddiwethaf. Yna dyfynnodd yn effeithiol iawn o emyn Gwilym R. Jones:

> Cawn rhwng y muriau hyn
> Fyfyrio'n hir a dwys,
> Am dy drugaredd di a'th ras
> A'r deyrnas fawr ei phwys.

I'w gwestiwn ei hun, 'Beth ddylai'r addolwr ei gael yn y Cysegr?' ateba, 'Cymdeithas a Chwmni'. 'I mi,' meddai'r pregethwr, 'y mae meddwl am eglwys a chapel yn golygu pobl. Yma heno yn Soar mae pob math o gysylltiadau'n dod i'r meddwl a sawl wyneb yn dod i'r cof. Roedd yna gymdeithas yn cyfarfod yma – Cymdeithas yn yr Efengyl – Cymdeithas o bobl Iesu Grist yn dod i addoli Duw, i gyd-weithredu â'i gilydd yn ei waith o, er mwyn ei deyrnas. Cyfeiria'r Salmydd atynt fel hyn:

> Gwyn eu byd y rhai sy'n trigo yn dy dŷ,
> Yn canu mawl i ti yn wastadol.'

Dyma bobl 'â ffyrdd y pererinion yn eu calon'. Cofia amdano'i hun yn blentyn yn Soar, cofia'r sedd yr eisteddent ynddi a chofia fel y canai'r gynulleidfa rai o emynau Seion:

> O fflam angerddol, gadarn gref
> O dân enynnwyd yn y nef:
> Tragwyddol gariad ydyw ef
> Wnaeth Dduw a minnau'n un.

Yn drydydd ateb i'w gwestiwn uchod oedd 'Nod a Chyfeiriad'.

Mae mynd i gysegr yn rhoi 'ffordd – ffordd y pererinion' yng nghalon y rhai sydd â'u bryd ar addoli. Nid rhywbeth ar gyfer bod ac aros yn y deml yn unig yw bendith y Cysegr, ond dylanwad ar y rhai a oedd ar eu ffordd yno ac yn siŵr ar eu ffordd allan oddi yno: 'Wrth iddynt fynd trwy ddyffryn Baca, fe'i gwnânt yn ffynnon a bydd y glaw cynnar yn ei orchuddio â bendith.' Aeth rhagddo:

Y mae perthynas â Duw a ffydd ynddo, yn gallu gweddnewid

bywyd i gyd inni ac yn ein hadnewyddu ac yn symbyliad inni. 'Ânt o nerth i nerth,' meddai'r Salmydd. Yr oedd pererinion y deml gynt yn gorfod dringo, fel y dywed yr emyn:

Rhaid yw dringo uwch y byd
Cyn cael cwmni Duw o hyd.

Daeth Duw yn ei ras i lawr i barthau isaf y llawr i achub dyn. Y mae angen ein codi ninnau, ein codi uwchlaw byw ar un lefel, i fan lle y gwelwn ni bethau yng ngolau Duw: 'Ânt o nerth i nerth ... a bydd Duw yn ymddangos yn Seion.' Dyma'r uchafbwynt digymar, Duw sy'n haul a tharian i'w bobl, yn oleuni a nerth.

Y mae'r Salm yn cloi gyda gwir amcan pob cysegr, pob capel ac eglwys – ein harwain at Dduw:

O Arglwydd y Lluoedd
Gwyn fyd y dyn a ymddiried ynot.

Dyna ddiben y Soar hwn ers can mlynedd – bod yn un o breswylfeydd Duw i'w bobl.

Ond nid ei filltir sgwâr yn unig a wasanaethodd John Rice; bu'n ffyddlon ac yn weithgar o fewn cylch y sir mewn sawl maes, yn fwyaf arbennig Cymanfa Bedyddwyr Môn. Bu i'r Gymanfa ei anrhydeddu ddwywaith drwy ei alw i'w llywyddu. Ef oedd Llywydd y Gymanfa yn 1971 a thestun ei anerchiad bryd hynny oedd 'Goddefgarwch' – testun wrth fodd pob Bedyddiwr da, a chafwyd ganddo anerchiad goleuedig ac ynddo ôl llafur a pharatoad manwl. Y mae Undeb y Bedyddwyr i'w hedmygu am argraffu'r anerchiadau hyn yn llyfrynnau hwylus yn flynyddol. Mae'n gasgliad gwerthfawr.

Fe'i gwahoddwyd eto i Gadair y Gymanfa yn 1997 a thraddododd ei anerchiad o bulpud Bethel, Caergybi, ar 3 Mehefin. Dewisodd yn destun y tro hwn, 'Iesu Grist yw'r sylfaen'. Pwysleisodd y dylem fel Cristnogion wybod beth yw ein gwir sylfaen – y pethau sy'n aros. Synhwyrodd ein bod yn genhedlaeth â'i bryd mor ansicr ac mor ddisylfaen. Meddiannwyd hi ag ansicrwydd.

Rhannodd ei sylwadau fel a ganlyn, gan drafod sut y gwelai Iesu Grist:

(i) Yn sylfaen i'n ffydd. Nid un diddordeb ymhlith

diddordebau eraill ydi credu yn Iesu Grist ond ef yw'r peth hollbwysig, y blaenffrwyth mewn bywyd.

(ii) Yn sylfaen y Gymdeithas Gristnogol – yn Eglwys. Canlyniad credu yn Iesu Grist yw fod Duw yn ein gosod yng Nghymdeithas ei Eglwys. Dyma sy'n digwydd yn y Bedydd. Mae perthyn i Iesu Grist yn golygu perthyn i'w bobl.

(iii) Yn Sylfaen ein tystiolaeth i'r byd. Ef yw sail ein cenhadaeth ac ef sy'n rhoi inni neges ac ystyr i'r hyn a wnawn.

(iv) Yn Sylfaen i'n Gobaith. Ac nid oes sylfaen arall wedi ei gosod ar wahân i'r un a osodwyd, sef Iesu Grist.

Gyda'r blynyddoedd daeth John Rice yn ffigwr amlwg yn Undeb Bedyddwyr Cymru. Bu ei gyngor a'i gyfarwyddyd mewn pwyllgor a chynhadledd yn werthfawr ac fe'i gwahoddwyd yn bur gyson i bregethu yn yr uchel-ŵyl hon hefyd. Nid rhyfedd i'r Undeb ei ethol yn Llywydd yn 1989 – yr anrhydedd uchaf. Dyma fu ei ymateb, yn gwbl nodweddiadol ohono: 'Mae fy enwad wedi rhoi imi fraint y mae'n rheidrwydd arnaf ei chydnabod yn ddiolchgar a gostyngedig.' Yn yr ysbryd hwn y bu'r Parch. John Rice wrth lyw Undeb Bedyddwyr Cymru. Ni fyddai neb yn llawenhau yn fwy na'i ddiweddar daid, melinydd Aber Alaw, Rice Rowlands, yn nyrchafiad ei ŵyr i Gadair yr Undeb.

Dewisodd John destun hynod o addas i'r anerchiad o'r Gadair ar 26 Gorffennaf 1989 yng Nghapel Bethel, Caergybi, sef 'Trosglwyddo'r Neges'. Testun a roddai ofod a chyfle am her newydd ac awgrymiadau o ddulliau gwahanol o drosglwyddo'r neges. Fel arweinydd a llywydd ei enwad synhwyrodd John Rice ein bod ninnau, fel enwadau crefyddol, yn methu'n lân â throsglwyddo ein neges er ei fod yn fwy argyhoeddedig na neb nad oedd dim o'i le ar y neges ei hun. Fe'n hatgoffodd mai'r gair 'traddodi' a ddefnyddir yn y Beibl ac y glynwn ninnau wrtho. Cyfeiria'r Apostol Paul: '...traddodais i chwi yr hyn a dderbyniais'. Ac eto wrth sôn am sefydlu Swper yr Arglwydd: '... mi a dderbyniais oddi wrth yr Arglwydd yr hyn a draddodais i chwi.' Yr oedd hwn yn derm hynod o bwysig i'r Eglwys Fore ac i'r Eglwys drwy'r cenedlaethau – cyflwyno neu draddodi neges a thystiolaeth a dysgeidiaeth gan y naill Gristion i'r llall, ac o genhedlaeth i genhedlaeth. 'Dolen mewn cadwyn,' chwedl C. K. Barrett. Trosglwyddo'r ffydd Apostolaidd o genhedlaeth i genhedlaeth.

Mynnai'r Llywydd fod gwahaniaeth rhwng trosglwyddo a thraddodi. Golyga traddodi 'ddweud', 'llefaru' neu 'bregethu'. Mae trosglwyddo yn fwy na mater o ddweud. Y prif beth yw'r neges ei hun a'r alwad i'w chyflwyno i eraill.

'Ond beth sydd i'w drosglwyddo?' Tystiolaeth i'r datguddiad o Dduw yn yr Arglwydd Iesu Grist sy'n sylfaen ein Hiachawdwriaeth ac yn sail i'r gobaith. Mae'n neges ni mewn Person digyffelyb – yr hyn ydyw, yr hyn a ddywedodd, yr hyn a wnaeth. Cyhoeddi'r neges hon yw gwaith yr eglwys. Dyna'r neges sydd i'w throsglwyddo.

'Ble cawn ni'r neges?' Yr ateb clasurol Protestannaidd a Bedyddiedig fyddai 'yn yr Ysgrythurau'. Daeth yr Eglwys Gristnogol i adnabod ac i gydnabod awdurdod y Beibl.

Yn naturiol y mae gwahanol elfennau yn y modd y ceisiodd Cristnogion drwy'r canrifoedd gyflwyno'r neges. Un ohonynt yw datblygiad athrawiaethau'r eglwys. Ni fu Bedyddwyr yn or-awyddus i roi pwys ar gredoau ysgrifenedig.

Ystyriaeth arall wrth drosglwyddo'r neges yw bod yn ymwybodol o'r modd y mae'r Ysgrythur wedi ei hesbonio a'i dehongli yn yr eglwys. Byddai'r Parch. R. H. Williams, Chwilog, yn arfer dweud, 'Pan mae hi'n dywyll arna i mae hi'n dywyllach fyth ar yr hen esboniadau yma!' Cofir bod gan un fel John Robinson (awdur *Honest to God*, Llundain, 1963) barch mawr i awdurdod y Beibl; ef ddywedodd fod gan yr Arglwydd eto fwy o wirionedd a goleuni i darddu o'i Air Sanctaidd.

Y mae hefyd arwyddocâd i addoliad Cristnogol – Cymdeithas yr Eglwys wedi canu'r ffydd a datgan y ffydd a gweddïo'r ffydd yn ei haddoliad. Y mae'r Llyfr Emynau a'r Beibl wrth benelin sawl Cristion defosiynol.

Y neges heddiw. Mae'r neges wedi ei throsglwyddo i ni ynghyd â'r gwaddol a'r etifeddiaeth yn yr eglwys y cyfrannodd pob cenhedlaeth a chyfnod iddi tan symbyliad yr

Efengyl a'r Ysbryd Glân. Yr alwad a'r her arnom ninnau yw traddodi, trosglwyddo i eraill. Ni fwriadwyd i bethau ddod i ben hefo ni, er mai rhan o'n clefyd yng Nghymru yw bod llawer wedi mynd i gredu hynny. Mor bwysig yw inni drosglwyddo a gyrru'r neges yn ei blaen.

Ein Maes. Gweithio yng Nghymru a hynny yn Gymraeg yw'r alwad arnom. Yn y Gymru sydd ohoni, yr ydym yn rhan o batrwm sy'n cynnwys cyd-Fedyddwyr sy'n addoli ac yn cenhadu yn Saesneg. Nid y ni yw'r unig bobl a alwyd i drosglwyddo'r neges yng Nghymru. Ond, mae gennym ninnau ein gwaith a'n maes a'n cyfrwng – y mae gennym neges ac etifeddiaeth Gristnogol i'w chyflwyno a'i throsglwyddo yn Gymraeg i'r Cymry. Y mae gan ein heglwysi Cymraeg gyfrifoldeb i bobl Gymraeg a chenhadaeth yn eu plith. Y mae rhan helaeth iawn o'n hetifeddiaeth Gristnogol ni yng Nghymru ynghlwm wrth y Gymraeg. Cawsom y Beibl Cymraeg Newydd o law cyfieithwyr Cymraeg yr ugeinfed ganrif. Tybed a achubwn ni ar ein cyfle – o law Duw – i ddefnyddio hwn fel y defnyddiwyd Beibl Morgan a Parry i osod ei nod ar ein cenedl, ar ein diwylliant, ac uwchlaw pob dim, ar ein bywyd ysbrydol?

Wrth gloi, galwodd y Llywydd i gof dystiolaeth y Bedyddwyr yn y trosglwyddo hwn: 'Mae gennym ninnau ein llais dilys yn y neges sydd i'w throsglwyddo. Yr ydym yn rhan o'r Eglwys gyffredinol ac am hynny fe wyddom fod y neges yn lletach na'n mynegiant ni ohoni.'

Yn wir, fe drosglwyddodd y llywydd neges hynod berthnasol ar destun perthnasol. Os nad yw hen felinau Môn yn malu bellach, fe welir melinau newydd yma, yn malu – nid grawn yn fwyd – ond awyr a'i droi'n ynni glân. Gyda'i bwyslais proffwydol a'i neges obeithiol i'w enwad ac i'w genedl, fe'n heriwyd gan y Parch. John Rice Rowlands, 'Na fwriadwyd i bethau ddod i ben hefo ni.'

Boed i'r bonheddwr hwn o Gristion gael blynyddoedd i barhau i drosglwyddo'r neges hon, y neges a gred mor angerddol ynddi ac a ymboena gymaint ynghylch ei chyhoeddi a'i throsglwyddo i'r oes a ddêl.

Cydnabyddir:

Windmills of Anglesey, Barry Guise and George Lees,
Cyh. Attic Books, 1992.
An Atlas of Anglesey, Melville Richards, Cyngor Cymuned Môn,
1972.
Portraits of an Island – Eighteenth Century Anglesey, Helen Ramage,
Anglesey Antiquarian Society, 1987.
Dyddiaduron William Bulkeley, Henblas A18, A19. Prifysgol
Cymru Bangor: 30 Mehefin 1734; 29 Chwefror 1740; 6 Ebrill
1741; 29 Ebrill 1734; 24 Medi 1942; 24 Hydref 1739; 8 Mai 1743;
8 Medi 1737.